MW00780973

El río sin orillas

Seix Barral Biblioteca Breve

Juan José Saer
El río sin orillas
Tratado imaginario

Saer, Juan José
        El río sin orillas.- 6ª ed.– Buenos Aires : Seix Barral, 2012.
        256 p. ; 23x14 cm.- (Biblioteca Breve)

        ISBN 978-950-731-393-6

        1. Narrativa Argentina I. Título
        CDD A863

Diseño de colección:
Josep Bagà Associats

© 1991, Herederos de Juan José Saer

Todos los derechos reservados
© 2006, Grupo Editorial Planeta S.A.I.C.
Publicado bajo el sello Seix Barral®
Independencia 1682 (1100) C.A.B.A.
www.editorialplaneta.com.ar

6ª edición: mayo de 2012
500 ejemplares

ISBN 978- 950-731-393-6

Impreso en Talleres Gráficos Leograf S.R.L.,
Rucci 408, Valentín Alsina,
en el mes de abril de 2012.

Hecho el depósito que indica la ley 11.723
Impreso en la Argentina

En el recuerdo de

JOSÉ SAER
(Damasco 1905 - Santa Fe 1966)

y de

María Anoch
(Damasco 1908 - Santa Fe 1990)

Y entrando en él, cuando se está hacia la mitad de su curso, se pierde de vista la playa, y no se ve otra cosa que cielo y agua a guisa de un vastísimo mar.

PADRE CAYETANO CATTANEO, 1729

Mon voyage dépeint
vous sera d'un plaisir extrême.
Je dirai: J'étais là; telle chose m'advint:
vous y croirez être vous même.

LA FONTAINE

Espanto y vulgaridad son el patrimonio principal de los aviones. No contentos con colocarnos, a toda velocidad, de la tierra firme en que estábamos, a diez mil metros de altura, poniendo a prueba la paciencia de sus motores, los profesionales de lo aéreo agravan la situación creyéndose obligados a munirnos de un entorno agradable, que para ellos se encarna en todos los lugares comunes que ha concebido la cultura del ocio: sonrisa estereotipada de las azafatas, voz melosa en dos o tres idiomas del *steward, free shop* donde se vende a precio ventajoso lo superfluo, visión obligatoria del film que hemos evitado cuidadosamente en los últimos meses, bombardeo, por suerte casi inaudible, en nuestros auriculares de plástico, con las "mercancías musicales" cuyos mecanismos falsamente artísticos ya desmanteló Adorno hace varias décadas en *"Quasi una fantasia"*. En, como se dice, dos patadas, los cuatrocientos pasajeros, orgullosos de adherir a un sistema que preserva la iniciativa individual, arracimados en la cabina decorada según las reglas más pequeñoburguesas del gusto moderno, pasan a ser la materia prima con la que el reino de la cantidad amasa sus acontecimientos descabellados. En los largos vuelos intercontinentales, a estas calamidades hay que agregar la diferencia horaria, el cambio de clima, la fatiga nerviosa, el hartazgo.

Desde 1982, o sea después de la Guerra de las Malvinas y de la declinación del poder militar en la Argentina, vengo sometiéndome, una o dos veces por año, a esa gimnasia. Es sabido que el mito engendra la repetición y que la repetición la costumbre, y que la costumbre el rito y que el rito el dogma; y que el dogma, finalmente, la herejía. El mito de reencontrar los afectos y los lugares de mi infancia y de mi juventud me incitó a efectuar esos viajes repetidos que se han transformado, después de casi una década, en una costumbre, lo bastante monótona como para generar, desde el punto de vista del placer, una ambivalencia notoria. Al igual que las sacerdotisas de Delfos, es por medios artificiales que debo incentivar, antes de la partida, el entusiasmo. Cada vez, los actos acostumbrados han ido haciéndose, a causa de su invariabilidad, más y más inexorables y típicos, hasta adquirir la rigidez obsesiva de un ritual, en cuya observancia puntillosa las compañías comerciales de transporte aéreo y yo colaboramos en igual medida. Así, entre el almuerzo de despedida en París que se prolonga hasta bien entrada la tarde, y el asado de bienvenida en Buenos Aires al día siguiente, despegues, aterrizajes y escalas, siempre los mismos, producen en mí las mismas sensaciones, los mismos estados de ánimo, las mismas asociaciones e incluso los mismos pensamientos que más de una vez me han parecido novedosos hasta comprobar que ya los había consignado en mi libreta de apuntes en algún viaje anterior. A la excitación de la partida, van sucediendo, al cabo de las horas, la irritación a causa del encierro y de la proliferación de banalidad, el mero sueño del que nos saca alguna que otra turbulencia, en la negrura amenazante de la noche y del océano, hasta que el alba despunta en Río de Janeiro, con el último despegue y, antes de la impaciencia final, se instala en mí una especie de somnolencia nerviosa, un marasmo vagamente hormigueante.

Entre Río de Janeiro y Buenos Aires, el avión se vacía de esos brasileños vistosos que, como si se tratara de una hazaña inesperada del piloto o de un suplemento de espectáculo que no estaba incluido en el precio del billete, aplauden los aterrizajes con tanto entusiasmo que los argentinos, un poco más escépticos y aprensivos, nos miramos con inquietud disimulada, preguntándonos si al piloto, embriagado por el éxito popular de su maniobra, no le vendrá la idea, común en todo artista festejado, de hacer un bis para halagar a su público. Modernidad y oscurantismo conviven bien en los aviones: también ejecutivos y *top models* se persignan durante las turbulencias.

Una mañana, de primavera como corresponde, a mediados de la década pasada, una mañana en que veníamos con atraso, hubo un momento mágico en el avión semivacío. Ya íbamos llegando, y aunque debíamos haber aterrizado en Buenos Aires a las siete y media de la mañana, ya era cerca de mediodía. Desde hacía un buen rato, el avión había iniciado las maniobras de aterrizaje en un cielo tranquilo, claro y despejado. Yo me dejaba estar en mi asiento, observando a los grupitos que conversaban y se reían, hombres en general, deshilvanando *charlas de café* cordiales e intrascendentes, bajo la mirada escéptica de sus mujeres acurrucadas bajo las mantas. El ronroneo constante de los motores apagaba un poco las voces, en las que por el acento y la entonación de las frases más que por el significado de las palabras, me parecía distinguir, distante y fragmentario, algún sentido. *Calma y viaje dichoso*, el título de una composición de Mendelssohn, con el que desde hacía años había tratado infructuosamente de escribir un poema, se presentó de inmediato en mi memoria, y me di cuenta de que esas conversaciones apagadas que oía desde mi asiento, me recordaban las conversaciones de adultos que, antes de dormirse, los chicos oyen desde la cama. Hay un estado de la fatiga que puede ser delicioso, cuando dejamos de luchar contra ella y la tensión se relaja, induciéndonos al abandono y a la irresponsabilidad —ese momento que puede ser también, según Freud, la hora del lobo, en la que, descuidando la vigilancia de la represión, el inconsciente aflora y desmantela nuestra reserva, la hora de las asociaciones inesperadas, de las emociones ocultas y de lo arcaico. De pronto dejé de estar en el avión para encontrarme en alguna remota mañana de Serodino, en mi pueblo, una de esas mañanas soleadas y desiertas de los pueblos de la llanura, de modo que me vino, durante varios minutos, una impresión de unidad, de intemporalidad y de persistencia. Durante esos instantes el ritual, desgastado por la costumbre, recuperó, en la situación más adversa, el mito inextinguible.

Fue en ese mismo instante cuando, desde la cabina de comando, el piloto nos acordó, por los altoparlantes, en los tres idiomas habituales, castellano, inglés y francés, una gracia suplementaria. Harto tal vez de incitarnos a admirar, por reglamento, la consabida ciudad de Casablanca en el amanecer, el infaltable Cristo del Corcovado en los despegues de Río y un Porto Alegre puramente nominal, nos informó que a nuestra derecha podíamos contemplar, si lo deseábamos, "el punto en que confluyen el río Paraná y el río Uruguay para formar el Río de la Plata". Ese anuncio inhabitual, que fue la primera y última vez que escuché en los vuelos a Buenos Aires, fue quizás un simple capricho del piloto deseoso de hacernos partícipes de su panorama, o a lo mejor un pensamiento formulado en voz alta, autodescriptivo de su percepción, que, a causa del prolongamiento sonoro de los altoparlantes, se propaló por todo el avión, desde la cabina de comando hasta la cola. Lo cierto es que los que nos asomamos a las ventanillas de la derecha pudimos admirar, con la nariz pegada al vidrio para abarcar el campo visual más amplio posible, el famoso punto de confluencia.

La distancia, eliminando accidentes y rugosidades, resuelve todo en geometría: ese peñasco estéril y poroso que llamamos luna, se estiliza en círculo perfecto para nuestros ojos inventivos que, incapaces de ver los detalles, le otorgan la apariencia de un arquetipo. Del mismo modo, el que primero llamó "delta", por su similitud con la mayúscula griega, a la confluencia de dos ríos, debió ser alguien que la estaba mirando desde lejos y en la altura, porque de otro modo no hubiese podido percibir el vértice perfecto que forma la tierra firme en el punto en que los dos brazos de agua se reúnen. El triángulo de tierra, de un verde azulado, apretado por las dos cintas inmóviles casi incoloras, yacía allá abajo, en medio de una inmensa extensión chata del mismo verde azulado, inmóvil, inmemorial y vacía, de la que yo sabía, sin embargo, mientras la observaba fascinado que, como todo terreno pantanoso, era una fuente inagotable de proliferación biológica. Visto desde la altura, ese paisaje era el más austero, el más pobre del mundo —Darwin mismo, a quien casi nada dejaba de interesar, ya había escrito en 1832: "no hay ni grandeza ni belleza en esta inmensa extensión de agua barrosa"—. Y sin embargo ese lugar chato y abandonado era para mí, mientras lo contemplaba, más mágico que Babilonia, más hirviente de hechos significativos que Roma o que Atenas, más colorido que Viena o Amsterdam, más ensangrentado que Tebas o Jericó. Era mi lugar: en él, muerte y delicia me eran inevitablemente propias. Habiéndolo dejado por primera vez a los treinta y un años, después de más de quince de ausencia, el placer melancólico, no exento ni de euforia, ni de cólera ni de amargura, que me daba su contemplación, era un estado específico, una correspondencia entre lo interno y lo exterior, que ningún otro lugar del mundo podía darme. Como a toda relación tempestuosa, la ambivalencia la evocaba en claroscuro, alternando comedia y tragedia. Signo, modo o cicatriz, lo arrastro y lo arrastraré conmigo dondequiera que vaya. Más todavía: aunque trate de sacudírmelo como a una carga demasiado pesada, en un desplante espectacular, o poco a poco y subrepticiamente, en cualquier esquina del mundo, incluso en la más imprevisible, me estará esperando.

Heidegger pretendía que después del griego, el idioma alemán era el hogar natural de la filosofía y el suelo alemánico, gracias a quién sabe qué efluvios misteriosos, la cuna indispensable de poetas y filósofos. A mi modo de ver, es obvio que el Ser no tiene ninguna preferencia idiomática y que el sur de Alemania, como cualquier otra parcela del planeta, es el resultado de simples contingencias geológicas, ni más ni menos que ese lugar vacío que contemplaba desde el avión, pero el sabor del mundo, dulce o amargo, lo experimenté primero en esas regiones, que son mi referencia empírica y le dan a todo lo vivido después de haberme ido de ellas, la mundanidad de un tanteo comparativo. A pesar de su superioridad cultural, económica y técnica, después de veintidós años Europa sigue siendo para mí un continente vagamente irreal, del que se me escapan un poco tanto los actos como las intenciones que los dirigen. Todo esto, desde luego, es de orden psicológico y no implica ninguna actitud valorativa. Muy por el contrario: en cierto sentido, la vida en Europa ha sido para mí más gratificante que los años pasados en la Argentina, pero todas las ventajas objetivas que he podido obtener, de lo más módicas por otra parte, es como si hubiesen beneficiado a algún otro, un usurpador no muy convencido de que, tarde o temprano, no tendrá que rendir cuentas, a tal punto el verdadero, el que nació y se crió en la llanura austera, se había preparado a un porvenir menos confortable.

Las sucesivas catástrofes políticas, económicas, sociales y morales que han asolado a la Argentina en los últimos 35 años, han perturbado de algún modo la sucesión de generaciones, hecho del que el ejemplo más terrible, hace una década, podría resumirse con la queja intolerable de Sófocles, según la cual en épocas turbulentas se invierte el orden natural de las cosas, y son los padres quienes entierran a sus hijos. Esos años atroces arrojaron una luz retrospectiva sobre la historia de la región; una luz cruda que reveló muchos rastros sangrientos. El desdén de muchos por las inconsecuencias de la vida intelectual y social se transformó en horror, y los discursos falsamente conciliadores que se profieren en la actualidad, no logran ocultar rencores legítimos y duraderos, que anuncian todavía muchas horas difíciles en los años que se avecinan. Pero un lugar es siempre más rico que su injusticia, su escarnio y sus violencias, y es justamente esa riqueza lo que hace a estos últimos más intolerables. De ahí que en este libro haya un poco de todo, como cuando abrimos el cajón de un mueble viejo y encontramos, entremezcladas, reliquias que se asocian al placer o a la desdicha. Digamos que, habiendo recibido el encargo de construir un objeto significativo, abro el cajón, lo vuelco sobre la mesa, y me pongo a buscar y examinar los residuos más sugestivos, para organizarlos después con un orden propio, que no es el del reportaje, ni el del estudio, ni el de la autobiografía; sino el que me parece más cercano a mis afectos y a mis inclinaciones artísticas: un híbrido sin género definido, del que existe, me parece, una tradición constante en la literatura argentina —o en mi modo de interpretarla.

El género, tan en boga entre los anglosajones, llamado *non-fiction*, podría corresponder a este libro, si ese género no me inspirara tantas reticencias, que podrían resumirse de la siguiente manera: todas esas biografías, memorias o reportajes que comercian con lo narrativo, suelen presentarse como el vehículo de la realidad más inequívoca y de la verdad más escrupulosa, sin que previamente sus autores hayan interrumpido unos minutos el flujo de sus experiencias tan verídicas para meditar un poco sobre los conceptos de verdad y de realidad. No siempre la ficción es voluntaria, y a menudo sus floraciones sutiles transgreden los protocolos del cronista más vigilante. Por eso declararme sin resquemores en el campo de la *non-fiction*, me daría tal vez la ilusión de cultivar un género literario muy aceptado por el público actual, pero no disminuiría mis dudas acerca de la veracidad de lo que estoy contando. Digamos por lo tanto que en este libro no hay un solo hecho voluntariamente ficticio. Todo lo que se cuenta, proveniente de libros, de referencias orales y de experiencias personales, ha efectivamente acontecido, según las pobres reglas de que disponemos para determinar el suceder verídico de un acontecimiento, o mejor, para eludir toda vanidad metafísica, de ciertos acontecimientos que ocurrieron en un pasado impalpable y en regiones salvajes y solitarias, y cuyas referencias han llegado hasta nosotros a través de un número indefinido de fuentes intermediarias. La ausencia de ficción debe entonces entenderse en el sentido estricto de ficción voluntaria al que acabo de aludir, y ella resume mi única probidad, y si bien se trata de un límite constrictivo, no deja de tener su lado estimulante, ya que me obliga a intentar la elaboración de un texto narrativo en el que, faltando el elemento ficticio que a menudo preside su organización, estoy obligado a replantearme mi estrategia de narrador.

Venía diciendo que este libro es fruto de un encargo: aunque no me hayan encomendado escribir sobre el Tíber, el Volga o el Zambeze, limitando mi posible legitimidad al Río de la Plata, más de un lector riguroso fruncirá el entrecejo con el fin de denotar, con clasicismo gestual, un escepticismo razonable. Yo mismo he compartido ese escepticismo en las primeras etapas de este trabajo a causa, me parece, de dos razones principales: la primera, dictada superficialmente por mi modestia, que me hacía sentir incapaz de abordar un género nuevo, algunas de cuyas leyes me eran impuestas del exterior; la segunda, por mi soberbia, ya que, concibiéndome a mí mismo como artista libre, podía parecerme insultante tener que plegarse a los designios de un editor. Al cabo de dos o tres semanas de *rumiación mental* —apelación con que nuestro país ganadero designa cierto tipo de raciocinio mórbido—, y habiendo perdido algunas ilusiones sobre el carácter absoluto de mi independencia, llegué a la conclusión de que, al fin de cuentas, el encargo había removido en mí infinitas visiones y posibilidades haciendo coincidir, como se decía hasta hace muy poco, libertad y necesidad.

La *Carta a Freddy Buache*, de Jean-Luc Godard, es un cortometraje en el que el cineasta suizo le explica a su amigo, director de la Cinemateca de Ginebra, cuál es la mejor manera de desviar de sus fines un film de encargo. La *Carta* fue filmada con el dinero de una subvención que la Municipalidad de Ginebra le otorgó a Godard para que exaltara las bellezas de la ciudad. (Borges compartía con el Consejo Municipal de Ginebra ese punto de vista estético, pero no debemos olvidar que Borges era ciego.) Aunque desviar de sus fines los fondos municipales sea una costumbre arraigada entre concejales e intendentes, y Godard por lo tanto no hacía más que inscribirse en una tradición planetaria, debo decir que no comparto su proceder, sin que haya ninguna razón moral en mi desaprobación. Para ser más exactos, no es que desapruebe su actitud, sino que la considero impensable en mi propio caso: la feliz libertad de un artista europeo, que le permite, llegado a un punto de su carrera, realizar tal acto o su contrario sin por ello dejar de ser celebrado en tanto que artista, no me ha sido otorgada en tanto que escritor argentino. Mi problema consiste en llegar a existir como tal y en mantener, a fuerza de laboriosidad mezquina y de seriedad comercial, esa existencia. Una vez aceptado el encargo, cuya posibilidad, dicho sea de paso, parece ya improbable antes de que se confirme, no cumplirlo significaría refluir, después de haber tentado trabajosamente de existir, al campo de la inexistencia. Y que no se trata de meros pruritos personales, la Municipalidad de Ginebra podría comprobarlo proponiendo subvenciones a tantos hombres de talento dispersos e inactivos en todo el territorio argentino.

Aceptado el encargo, firmado el contrato, digerido el almuerzo ritual entre las partes que puntúa, en París y en otras capitales del mundo, no pocas transacciones artísticas, empiezan, para el autor devuelto a su mesa de trabajo, los verdaderos problemas. El primero que se me planteaba —sin querer compararme desde luego al ilustre científico que tantos adeptos tiene en la Argentina— es semejante al que encontró en 1973 el doctor Lacan cuando le propusieron explicar su doctrina en dos charlas televisivas: *Qu'on ne croie pas pour autant que j'y parle à la cantonade*, advirtió, detrás de su moño y con gestos y ademanes llenos de sobreentendidos, el gran psicoanalista. La cuestión puede resumirse de la siguiente manera: alguien me sugiere que hable para idiotas, no en el sentido insultante que el vocablo posee desde 1869, sino en el etimológico de *profano, lego en una profesión*, pero existe el problema de que algún *no idiota* puede estar escuchándome y juzgando mis palabras; y, por otra parte, lo que yo digo es tan válido para especialistas como para profanos. Aunque ser argentino no sea exactamente una especialidad, escribir un libro para lectores europeos tiene el inconveniente de que ese libro puede ser examinado con criterios más exigentes por sus lectores argentinos, de modo que, inevitablemente, debo resolver esa primera dificultad.

Como ha hecho con tantos otros dilemas, mucho más graves que el que ahora nos ocupa, el doctor Lacan resolvió con rapidez la cuestión, con lo que queda dicho más arriba justamente, o sea que su discurso televisivo se dirigía a un solo público, del que poco importa que haya estado compuesto igualmente de especialistas y de profanos. Poca gente sostiene todavía que una cabra se encuentra en posición dominante para juzgar la pertinencia de un tratado sobre los mamíferos, pero, inversamente, los egresados del laboratorio de antropología de la École Pratique, ya han renunciado, durante su primer trabajo de campo, a enseñarles el uso del arco a los indios del Mato Grosso. En todo caso, ninguna de estas dos supersticiones ha formado nunca parte de las convicciones de la literatura. Estos rodeos tienen como objetivo facilitar la confesión siguiente: aparte de su prescindencia de todo elemento de ficción voluntaria, me gustaría que este libro no se distinga en nada de los que ya he escrito, de narrativa o de poesía, sobre todo porque, al igual que ellos, no se dirige a ningún lector en particular, ni especialista ni lego, ni argentino ni europeo.

Resueltos estos problemas, o postergada su resolución hasta el momento decisivo de la escritura, sólo me quedaba una última tarea antes de emprender la redacción propiamente dicha: la vuelta, para refrescar mis experiencias y completar mi información, al lugar *del hecho*. Así que el lector debe imaginarme, después del consabido almuerzo que se prolonga hasta bien entrada la tarde, sentado en la penumbra del avión, insomne, a las dos o tres de la mañana, mientras el resto del pasaje duerme, flotando a diez mil quinientos metros de altura, entre el doble abismo de la noche y del océano. Desde el primer despegue de París, a causa del libro por escribir, todo o casi todo ha venido pareciéndome significativo, y, como de costumbre, al sacar la libreta de apuntes para anotar en ella, a la luz del pequeño reflector individual, algún pensamiento inédito, he descubierto que ya lo había consignado en algún viaje anterior, con una escritura temblorosa debida a las vibraciones constantes del aparato. El alba rosa nos despidió en Río de Janeiro, adonde habíamos llegado al final de la madrugada. Y por fin, en la mañana fresca de primavera —es el mes de octubre— aterrizamos en Buenos Aires. Después de quince horas de vuelo, el suelo firme y chato que pisamos nos transmite, desde la planta de los pies, subiendo hacia la cabeza a través del cuerpo entumecido, una sensación de realidad.

Dos o tres amigos me esperan en el aeropuerto, y después de las formalidades aduaneras y de los abrazos, emprendemos en auto el viaje desde el aeropuerto a la ciudad. Como mis regresos tienen lugar casi siempre en la misma época, la misma mañana límpida de primavera, bajo un cielo azul en el que no se divisa una sola nube, destella en la llanura desierta que se extiende hasta el horizonte desde los costados del camino. En dos cosas, aparentemente contradictorias, coinciden muchos de los numerosos viajeros que han escrito sobre el Río de la Plata: en la clemencia deliciosa de su clima, y en las tormentas frecuentes y espantosas que estallan en la región. Las dos cosas son rigurosamente ciertas y, en una misma estadía e incluso en una misma tarde, tuve oportunidad de comprobarlo. Del aeropuerto, después de una media hora de camino, llegamos, en el lindo barrio de Caballito, sector que ocupaban cooperativistas, socialistas y utopistas en las primeras décadas del siglo, a la casa de mis amigos Juan Pablo Renzi y María Teresa Gramuglio, que me alojan desde hace años durante mis estadías en Buenos Aires —son los dos de Rosario, pero en 1975, las reiteradas amenazas de los grupos paramilitares los obligaron a venir a traspapelarse en la Capital, hasta anclar por fin en esa casa mágica llena de los magníficos cuadros de Renzi y de otros pintores argentinos. Otros amigos empiezan a llegar, mientras se dora el asado en la terraza. Y el día pasa en polémicas, bromas, historias, juegos, hasta que, al anochecer, rendidos, Juan Pablo, María Teresa y yo nos ponemos a mirar algún film en la televisión, como un suplemento de irresponsabilidad que añadimos a nuestra fatiga para perfeccionar ese abandono de toda vigilancia crítica que nos permite entregarnos al sueño.

Debo registrar que, al enterarse de mi proyecto, muchos de mis amigos se creían obligados a suministrarme pistas, datos, bibliografía, orientaciones según ellos indispensables para su realización: ya en pleno vuelo, la noche anterior, uno de ellos, con el que coincidimos en el viaje, me espetó, con un tono de advertencia amenazadora: "¿Sabías que la superficie del Río de la Plata (34.000 kilómetros cuadrados) es equivalente a la de Holanda?" En esa desmesura, mi amigo veía ya una dificultad, como si yo debiese, no escribir sobre el estuario, sino atravesarlo a nado. Ya en Buenos Aires, durante la fiesta de bienvenida, varios de los presentes me aportaron, como se le traen objetos útiles al viajero que está por iniciar un trayecto largo y engorroso, anécdotas, referencias y visiones. Y del mismo modo que el viajero observa, con desaliento disimulado por la cortesía, acumularse en sus valijas la pila de objetos inútiles de los que había decidido prescindir, y que ahora deberá cargar durante todo el viaje, yo escuchaba todos esos detalles pertinentes relativos a mi tema, y me iba dando cuenta de que, como sucede con todo objeto de este mundo y aun con el mundo como objeto, hay tantos Ríos de la Plata como discursos se profieren sobre él.

El fragmento de Heráclito, *No se entra dos veces en el mismo río*, y aun la variante radical de uno de sus discípulos, *Nadie entra nunca en ningún río*, podría admitir, para la circunstancia, una versión más adecuada: cada uno trata de entrar, infructuoso, como en un sueño, en su propio río.

"*Sí; los árabes llaman a la palmera joven al-yatit, al-wadi, al-hira, al-fasil, al-asa, al-kafur, al-damd y al-igrid; cuando grana el dátil lo llaman al al-sayad, y al verdear, antes de endurecerse, al yadal; cuando se hace grande, al-busr; cuando en su piel aparecen estrías, al-mujattam; cuando su color verde se torna rojizo, suqha; rojo del todo es al-zahw; cuando muestra un punto de madurez se dice que comienza a tener manchas y es entonces busra mˑtwakketa; al tiempo de cosecharlo es al-inad; cuando se oscurece por la parte del pedúnculo es mudanniba; cuando la madurez cubre su mitad se le llama de dos maneras: al-mujarra y al-muyazza; cuando cubre los dos tercios hulqana, y cuando está totalmente en sazón es munsabita.*"

Y ésta es una pequeña muestra, una gota de nuestros mares, agrega, para perfeccionar su jactancia, el poeta Ibn Burd. Muchas palabras para nombrar la misma cosa, o una palabra específica para cada uno de los aspectos infinitos de la infinitud de cosas, tales son las dificultades que presenta el acto de escribir y de las que algunos, con puerilidad inesperada, como Ibn Burd, se enorgullecen. En ese sentido, el Río, a pesar de su desmesura geográfica, con su profusión de recodos y de acontecimientos, es más vasto e inabordable, no ya que Holanda, sino que el universo entero. Su historia, oscura y marginal en comparación con las realizaciones prestigiosas de Oriente y de Occidente, hierve de héroes, de sabios y de tiranos. En la geografía abstracta de la llanura, en el vacío sin fin del desierto, ciertos actos humanos, individuales o colectivos, ciertas presencias fugitivas, han adquirido la perennidad maciza de las pirámides o de las catedrales. Y si flotan, aéreas en la transparencia de la llanura, revelando su carácter de espejismos, no debemos olvidar que, desde cierto punto de vista, catedrales y pirámides no son otra cosa.

Como quiera que sea, al día siguiente de mi llegada, me puse en campaña para empezar a recoger el material indispensable a la realización de mi tarea. Según una de las dos observaciones invariables y contradictorias de los muchos viajeros que han llegado hasta la región, era una mañana espléndida, soleada, tibia y sin una sola nube en todo el cielo que, como es sabido, en la llanura es mucho más visible que en otras geografías, más accidentadas. En el taxi que me llevaba al centro, el bullicio matinal de Buenos Aires iba en aumento a medida que nos acercábamos, rodando por las largas avenidas arboladas, con las ventanillas abiertas y la radio a todo vapor, gozando de una sensación de identidad y pertenencia que irían corroyendo poco a poco, como en todos los otros viajes, con pertinacia, los recuerdos intolerables y las desilusiones. El barrio de Caballito, a media hora de taxi del centro, se encuentra hacia la mitad de la avenida Rivadavia, *la más larga del mundo*, como no dejan de recordarlo los argentinos cada vez que pueden, para consolarse tal vez con ese récord debido al mérito de la casualidad y no al de nadie en particular, de muchas otras dudas y frustraciones difusas y tenaces.

La única armonía urbanística de Buenos Aires es que, como la mayoría de las ciudades americanas, está construida en damero, y que por lo tanto sus calles rectas, que se cortan cada cien metros, aunque cambien de nombre en la intersección de alguna avenida, se extienden sin ningún accidente desde donde uno está parado hasta que las borronea el horizonte; el resto de elementos urbanos es variedad, capricho, por no decir caos. De ahí que, en lo que refiere a la arquitectura, es lo sorpresivo, lo inesperado, lo que atrae la mirada. La uniformidad gris de París, por ejemplo, depara al observador conjuntos equilibrados por una voluntad estilística, dada por las diferentes épocas que coexisten; y ciertas incongruencias recientes (aparte de los barrios marginales que resultaron de

24

la especulación inmobiliaria de los años 60 y 70) son voluntarias: Tour Eiffel, el Plateau Beaubourg, la pirámide del Louvre, son el resultado de un cálculo de ruptura que guarda, sin embargo, con el conjunto al que se oponen, cierta afinidad formal o conceptual; de ese modo, la pirámide del Louvre evoca el obelisco de la plaza de la Concorde y la colección egipcia del museo; y el Plateau Beaubourg, a pesar de la iconoclastia de sus materiales y de los colores vivos de la superficie exterior que contrastan con el gris generalizado, se pliega con mansedumbre a las normas vigentes en materia de proporciones. En Buenos Aires, la incongruencia es la norma. En cada cuadra, coexisten construcciones heterogéneas levantadas, o mantenidas, por los medios económicos, la destreza manual, la estética, y hasta el capricho de sus propietarios. Un edificio de veinte pisos se yergue, inverosímilmente estable, junto a una casa modesta, con un jardincito delante, que viene pidiendo una mano de pintura desde 1940, y que comparte su medianera con una casa de dos o tres plantas, construida a principios de siglo, a juzgar por las hornacinas, los angelotes y las molduras que se acumulan en su fachada. Aun en pleno centro, si bien con menos frecuencia, esa anarquía arquitectónica sigue siendo la norma. La rectitud de las calles es el único rigor que contiene, como un molde cuadrado una materia informe, esa variedad vertiginosa. Y si el conjunto, por emitir un juicio benévolo, carece de interés, el detalle sorprende, encanta y hasta maravilla a cada paso.

A causa de esta característica, el viajero, sentado en el asiento trasero del coche o junto a la ventanilla del colectivo, admirando un paisaje, no se abandona, distendido, a la contemplación apacible de un paisaje urbano que va desplazándose a los costados del vehículo, sino que, viendo atraída su atención por muchos llamados bruscos, aislados, sucesivos o simultáneos, está girando constantemente la cabeza, desplazándose en su asiento de una ventanilla a la otra, o tratando de fijar, a través de una última mirada por el vidrio trasero, alguna imagen fragmentaria —una figura, una fachada, un jardín— que, a causa de su aparición imprevista y fugitiva, la ciudad le ofrece y le retira casi al mismo tiempo.

Esa mañana, mi intención era dejar atrás el centro para inaugurar mi estadía con una visita al río, de modo que, bajando hacia el este por la avenida Belgrano, el taxi dobló por la avenida 9 de Julio y empezó a rodar hacia el norte. Esta avenida merece que nos detengamos (metafóricamente desde luego, porque al taxi sólo los semáforos, y los embotellamientos, lo inmovilizan en forma provisoria) un momento a considerarla, no en tanto que realización urbanística, sino como síntoma: así como la avenida Rivadavia es la más larga, la 9 de Julio es *la más ancha del mundo*. Que la avenida es ancha, es innegable; que es la más ancha del mundo podría, aun careciendo de referencias comparativas, aceptarse como plausible; pero que hasta los provincianos más resentidos contra la hegemonía de Buenos Aires sobre el resto del país no puedan nombrarla sin agregar con orgullo desafiante que *es la más ancha del mundo*, revela una tendencia a la exaltación de lo nimio que podría deberse a la convicción inconsciente de una escasez penosa de cosas verdaderamente exaltantes. El inmenso obelisco de cemento que la adorna en la intersección de la avenida Corrientes no constituye para mí su atracción principal, sino los palos borrachos *(choricia speciosa)*, con sus troncos inflados y espinosos de un verde claro, árboles de los que no he podido todavía, mediante la observación directa, deducir el ciclo de floración, ya que he visto ejemplares florecidos en diferentes épocas del año, junto a otros completamente pelados, como si existiese un individualismo en el reino vegetal, lo que confirma una anotación anterior en mi libreta de apuntes: "4 de abril. Av. 9 de Julio a las 11.45. En taxi. Palos borrachos florecidos (rosa, blanco, marfil). Acacias o tipas muy verdes todavía".

En las ciudades del litoral —que el lector *no-idiota* tolere esta digresión pedagógica—, es decir, de las provincias que costean los ríos principales que confluyen para formar el Río de la Plata, tres grandes árboles se disputan el estrellato estético cuando avanza la primavera, y florecen en este orden: el lapacho, cuyo nombre científico se me escapa, la acacia amarilla, lo bastante frecuente en Europa como para que el nombre latino que la identifica merezca ser mencionado, y el jacarandá o *jacaranda mimosifolia*, llenando, sucesivamente, los parques, las plazas y las avenidas, de flores rosa fuerte, amarillas, o lilas que cubren no solamente las copas de los árboles, en los que a veces ni siquiera hay hojas, sino sobre todo el suelo, de modo que en ciertas calles estrechas y arboladas se camina literalmente sobre una alfombra, de uno de esos colores, o a veces bicolor, ya que la floración de las acacias y de los jacarandaes es más o menos simultánea. En Caballito, las enormes acacias de la calle Pedro Goyena —a mi juicio, una de las más lindas de Buenos Aires— llenan la vereda y la calle, durante medio kilómetro, de una capa amarillo vivo, en tanto que la transversal que la corta, Del Barco Centenera —el primer poeta que cantó a la Argentina— opta, con abundancia idéntica, por el lila de los jacarandaes. Esta belleza es tan espectacular que aun los entes más insensibles la perciben, y en los años de la dictadura militar, entre 1975 y 1983, la más sangrienta de todas las dictaduras sangrientas que hemos padecido, la propaganda del régimen pretendía ocultar los crímenes atroces que perpetraba todos los días detrás de una cortina, no de humo, sino de evanescentes flores rosas, amarillas y lilas —lo que debería recordar a los ciudadanos que, en las sociedades autoritarias, todo es pasible de anexión. A causa de esto, un contendor anónimo de la tiranía, forjó dos neologismos despectivos —lapachiento y jacarandoso— para calificar al país que los sediciosos en el poder pretendían exhibir en el extranjero.

Rodando hacia el norte, dejamos atrás el centro como habíamos previsto, después de costear el puerto —su construcción fue, como se dice, *toda una historia*—, salimos del estruendo de la ciudad y como el chofer, en un gesto inesperado de introspección, apagó la radio, nos internamos en el silencio relativo de la costanera, bastante vacía, durante doscientos o trescientos metros, de modo que recuperé, por algunos minutos, una atmósfera apacible, soleada y provincial que seguramente no duraría, pero que me permitió contemplar por primera vez el río con cierto abandono, la gran planicie inmóvil y vacía, incolora, ni siquiera brillante todavía, que, por rápido que fuéramos avanzando con el taxi, no cambiaba de aspecto, como si no hubiese el menor accidente en su superficie, única y uniforme, de modo tal que habiendo percibido una de sus partes, la totalidad hubiese podido darse por percibida —semejante en eso a la esencia del universo del que, si pudiésemos desentrañar una parcela, por mínima que fuese, podríamos considerar el conjunto como develado.

Al fin llegamos al Aeroparque, y como hay una saliente reducida, una especie de balcón que se interna un poco en el agua, consideré que se me ofrecía un buen punto de observación y le dije al conductor que parara, le pagué el viaje y me despedí de él. El lugar elegido presentaba a la vez ventajas artísticas y ventajas prácticas, ya que a unos pocos metros, cruzando la calle, estaba el aeropuerto, lo que me permitiría, en ese lugar relativamente desierto, cuando decidiese volver al centro o a Caballito, cruzar por el puentecito peatonal que une la orilla del río con el aeropuerto, y tomarme un taxi en la parada. En cierto sentido, ese lugar conecta el tiempo histórico en Argentina, ya que el río, que fue el escenario, el objeto de disputas, el símbolo y el epicentro o el origen de su pasado, ve su desenvolvimiento prolongarse en la era técnica con los aviones que despegan y aterrizan, efectuando cada vez una especie de curva ritual sobre sus aguas, a lo que hay que agregar, como un despliegue analítico de esos nexos histórico-temporales, la colección de viejos modelos de aviones exhibida como un museo al aire libre en los terrenos del aeropuerto. A esto habría que agregar que Aeroparque me es simpático también por razones políticas, porque, durante una reciente intentona militar, los viajeros que se iban de vacaciones hicieron recular hasta la torre de control, con su sola indignación, a los sediciosos armados.

Así que me instalé en la saliente reducida y me puse a contemplar el río, la superficie lisa, sin una sola arruga, y, como decía hace un momento, incolora y vacía; no se veía, en toda esa planicie, un solo barco, una sola vela, una canoa, una isla, nada, ninguna otra cosa aparte de agua y cielo, a guisa, como diría el padre Cattáneo, *de un vastísimo mar*. Un calificativo frecuente para designarlo, forjado o quizá solo inmortalizado por el escritor Eduardo Mallea, y que se impone de inmediato a la mente, es el de inmóvil. Y únicamente al cabo de un momento, el observador se da cuenta de que, al alzar la vista hacia el horizonte, en la vaciedad singular de la extensión que se despliega ante sus ojos, falta también aquello que, en la configuración de todos los ríos, descansa la mirada y tranquiliza, completando la idea, el arquetipo de la noción misma de "río": la orilla opuesta. En la parte más ancha de algunos grandes ríos como, sin ir más lejos, el Paraná (en idioma guaraní Padre de Ríos), también puede ocurrir que la orilla opuesta desaparezca, pero como en la mayor parte de su recorrido, las dos son visibles, la "forma" o la "idea" clásica de río se mantiene intacta en nuestra imaginación. En el Río de la Plata, esa familiaridad desaparece, y tendemos a representárnoslo sin forma precisa, propendiendo vagamente a lo circular. Esa impresión viene de la experiencia directa, cuando estamos contemplándolo, porque sus límites se confunden con la línea circular del horizonte, en tanto que en los ríos normales el horizonte *cae* detrás de la orilla opuesta.

Su forma verdadera, como tantas otras cosas en este mundo, difiere de su apariencia empírica y, tal como podemos verificarlo en cualquier mapa, se avecina mucho a la del escorpión, con la bahía de Samborombón (el nombre más rotundamente sonoro que conozco) y la bahía de Montevideo que forman las pinzas, y el último tramo del río Uruguay formando la cola. Si muchos viajeros que en estas tierras encontraron, para decirlo con un eufemismo, destino —particularmente Juan Díaz de Solís, su descubridor, el más terrible de todos—, hubiesen tenido alguna idea de la forma que dormitaba en los confines del océano Atlántico, tal vez no se hubiesen aventurado con tanta desenvoltura por esta región desconocida, para ponerse a la merced de tan decididas tenazas. Pero podemos invertir el dibujo, interpretándolo esta vez en el sentido sureste-noroeste, y entonces aparece con claridad la silueta de un pene, con las dos bahías serviciales ya mencionadas figurando sin error posible los testículos, penetrando hacia el interior de la tierra, de la que la provincia de Entre Ríos contendría el útero, el vértice del delta el clítoris, y sus islas y la costa uruguaya respectivamente los labios grande y pequeño, en tanto que los ríos, riachos y arroyos, que se entrelazan al infinito en las inmediaciones y las líneas rojas de las redes viales y ferroviarias, las venas y las arterias que irrigan, viniendo del corazón y de los pulmones exhaustos de América del Sur —el Mato Grosso—, todo el sistema. Gaia, la tierra, nacida inmediatamente después del Caos y, sobre todo, antes que Eros, dejándose penetrar, como antes por Pontos, el mar masculino, su propio hijo, por Poseidón, para engendrar al gigante Anteo, que obligaba a los viajeros que pasaban por Utica a luchar contra él y después de exterminarlos ornaba con sus despojos el santuario de su padre.

Estas dos imágenes únicamente en apariencia son contradictorias. Mircea Eliade nos enseña que en no pocas mitologías, forjadas en las regiones más diversas del planeta, penetrar en el vientre de la Terra Mater es bajar vivo a las profundidades del infierno, y a menudo la gran diosa terrestre es representada como una mujer-cangrejo, dotada de pinzas gigantes, y que muchos ritos iniciáticos consisten justamente en afrontarlas simbólicamente, dejándose triturar por ellas para acceder a un nuevo nacimiento. De muchos que, en años terribles, fueron repelidos por el vientre del monstruo, hacia el exilio temporario o definitivo, puede decirse que nacieron por segunda vez. Ese conducto estrecho que es la parte superior ha tenido y tiene, en la historia política, económica y social de la región, una posición y una mitología precisas, en las que se asigna a Buenos Aires un papel semejante al de Estila, el monstruo femenino de triste reputación, del que la parte inferior del cuerpo está formada de perros rabiosos que devoran todo lo que pasa a su alcance.

Como todo comienzo que se precie, el de este libro no hubiese podido prescindir de un reglamentario *"regressus ad uterum* que implica la transformación simbólica del candidato en embrión"* (Eliade). Y, como en todo comienzo también, se me imponía la necesidad de una nada original, una tabla rasa que ningún otro objeto hubiese podido representar mejor que la superficie interminable y lisa que tenía ante mi vista y de la cual, a causa de la saliente de la costanera en la que estaba parado y que penetraba un poco en ella, tenía la impresión, no de estar contemplándola desde una orilla improbable, sino de hallarme en medio de ella, en algún mirador plantado dentro y no en las márgenes de su extensión incolora. Mientras venía en el taxi, tenía la esperanza de que la proximidad del río, su contacto visual, en razón del prestigio legendario de la experiencia, convocarían de inmediato no únicamente los hechos, las imágenes, los lugares y los hombres, sino también el ritmo, el orden y el sentido con el que deberían incorporarse a mi relato, pero al cabo de un rato de estar parado en mi balcón sobre el agua me resigné a comprobar que el paisaje seguía mudo y cerrado y refractario a toda evocación. Desde antes de salir de París me había imaginado anticipadamente en un lugar semejante, en una mañana semejante; lo que me representaba era igual a esos cuadros del Renacimiento divididos en dos planos horizontales, como la *Conversión de San Pablo*, de Miguel Ángel, la *Transfiguración* de Rafael, o la *Assunta* de Tiziano (algunos fueron pintados casi en los mismos días en que Solís descubría el Río de la Plata), y que figuran en el plano inferior una escena humana y en el superior una divina. Tenía la esperanza de que, en algún punto despejado entre el agua y el cielo, se pusiesen a flotar las imágenes necesarias, pero es sabido que los espejismos de la esperanza son innumerables, de modo que después de quince minutos de buscar vanamente algún signo o algún llamado, una primera inscripción, a la que debían seguir muchas otras, en la tabla rasa de los comienzos, subí los escalones del puentecito peatonal, crucé la avenida, y adelantándome a un grupo de viajeros que llegaban de las diferentes provincias y que la puerta principal del aeropuerto dejaba pasar con docilidad en dirección a la calle, entré en un taxi y me volví para el centro.

La experiencia directa no había funcionado: tenía que resignarme a la erudición. Así va el mundo: la cosa parece próxima, inmediata, pero hay que dar un rodeo largo para llegar a rozarla, siquiera fugazmente, con la yema de los dedos. Nada de lo que nos interesa verdaderamente nos es directamente accesible. El cuerpo que suponemos desear es una superposición de proyecciones culturales inculcadas por el sistema tortuoso que quiere justamente impedirnos su goce; nuestro plato preferido, la única opción que nos deja un repertorio rígido canonizado por la costumbre. El pasado más remoto, la puesta de sol que estamos viendo o la naturaleza exacta de la punta de nuestra lengua, sólo tienen algún sentido o por lo menos alguna descripción plausible en algún capítulo o en algún volumen de una interminable biblioteca. Atrincherarse en lo empírico no aumenta el conocimiento, sino la ignorancia.

Mi amigo José Carlos Chiaramonte, historiador y director del Instituto Ravignani, institución de afables historiadores que depende de la Universidad de Buenos Aires, fue uno de los recursos principales de los que me pude beneficiar para suplir la ineficacia de la experiencia directa. Como la introducción es tradicionalmente el lugar reservado a las excusas y a los agradecimientos, aprovecho la presente para recordarlo, así como a sus colaboradores, y expresarles mi gratitud. La bibliografía sobre el tema que me recomendaron ha sido la columna vertebral de mi pesquisa ulterior, y cierta librería de viejo de la calle Talcahuano, atendida por vendedores informados y eficaces, me dio la impresión de poseer en su bodega una cantidad inagotable de libros a mi disposición. La celeridad de su servicio aminoraba únicamente en el momento de decidir el precio de cada libro que, durante unos instantes de inmovilidad pensativa, me daban la impresión incómoda de haber encontrado en mi propia cara.

Pero la visita al Instituto Ravignani fue significativa no solamente a causa de la orientación bibliográfica indispensable —y de la conversación con José Carlos Chiaramonte, para quien el habitante de la pampa vivió prácticamente ignorando a sus ríos—, sino también porque coincidió con la tormenta más impresionante a la que me fue dado asistir en esas regiones. Tan impresionante que más de un lector podrá sospechar que, a causa de los riesgos de pintoresquismo —semejantes a los riesgos decorativos de toda obra pictórica— de la empresa en que me debato, me dejo tentar, temiéndome incapaz de despertar una curiosidad más elevada, por el color local. Enfrascados en sus archivos y en sus computadoras, los historiadores del Instituto —acribillado de innumerables goteras— no parecían haber percibido otra cosa que la lluvia torrencial, lo cual aumentaría las posibilidades de una magnificación subjetiva de mi parte, originada, no por mi inclinación a lo espectacular, sino por la búsqueda comprensible de motivos interesantes para mi libro por escribir. Pero eran los primeros días de diciembre de 1989, y por suerte un encuentro internacional de editores tenía lugar en Buenos Aires, con el fin de interesarlos en la difusión mundial de la literatura argentina, de modo que no se podía llegar a un bar, a una librería, a la presentación de un libro o a una fiesta, sin que inmediatamente uno se encontrara en plena conversación amistosa, tuteándose y compartiendo un sándwich o un vaso de vino con tres o cuatro editores, ingleses, americanos, españoles, alemanes, etc., como si los conociese no desde quince minutos antes, al haber traspuesto el umbral, sino desde la escuela primaria. Con dos o tres de ellos tuve oportunidad de evocar la tormenta, que, como los había sorprendido en la calle, los había impresionado tanto como a mí. Cualquiera de ellos podría corroborar mi relato, y las muchas muestras de discreción que dan en su tarea, en cuanto a los fines exclusivamente culturales de la misma, a los criterios rigurosamente artísticos que presiden la elección de las obras que publican, o en lo relativo a la sobriedad de las portadas, la exactitud de las presentaciones de contratapa, etc., le confieren una veracidad suplementaria a su testimonio.

Lo cierto es que el día dos o tres de diciembre de 1989, yo tenía cita en el Instituto Ravignani a las cuatro de la tarde, y como había vuelto de Santa Fe la noche anterior, estaba descansando en mi habitación en Caballito, en la penumbra, para preservar la frescura interior de la casa de los asaltos del calor de diciembre. Desde hacía varios días venía haciendo, como es usual en el mes de diciembre en la región, un calor intenso. Los grandes calores empiezan a mediados de noviembre y, si la lluvia se hace esperar, van en aumento, siempre por encima de los treinta y cinco grados, de modo que la temperatura puede alcanzar, e incluso superar, los cuarenta grados. A veces la humedad llega a los ochenta o noventa grados, y si a esto se suman la ausencia de viento y los factores de recalentamiento y de contaminación del aire propios de una gran capital, puede llegar a tenerse una idea aproximada de lo que es un mediodía caluroso de diciembre en la región pampeana. Cuando sopla viento en esa época, se trata en general del viento norte, caliente, que viene de la selva, y al que la tradición popular le atribuye un efecto negativo sobre el comportamiento, haciéndolo responsable de asesinatos, suicidios, incidentes violentos, ataques súbitos de locura, etc. La luz del sol, que cae a pique sobre la llanura, sin que nada la intercepte, es ardiente y desmesurada. Todo es brillo, incandescencia y reverbero. La luminosidad es tan intensa que, alrededor de mediodía, se puede, desde cierta distancia, percibir claramente las vibraciones de algunos colores, particularmente del rojo, que hacen ondular el aire alrededor de las plantas florecidas. Yo afirmo del modo más enérgico y solemne —y si mi credibilidad, en tanto que autor de obras de imaginación, puede ser adscripta al campo de lo relativo, la de cualquiera de los editores internacionales presentes en Buenos Aires podría apuntalarla con su objetividad— que a las dos de la tarde, en medio del calor más insoportable, no se veía una sola nube en el cielo, ni en la cima de la cúpula centelleante ni en el horizonte grisáceo a causa de la bruma de calor. En los tiempos modernos, el Heliogábalo ultramontano de Artaud, que impuso a fuego y sangre los cultos solares en Roma, se ha diluido en una legión infinita de laicos, de la que formo parte y que, descartando los atributos divinos del astro máximo, se limitan a aprovechar, bajo la presión de la moda, su eficacia para el bronceado integral y sus virtudes sudativas. De modo que puedo afirmar la ausencia de nubes entre las dos y las dos y media, porque, según mi costumbre, subí a la terraza para tostarme y sudar un poco antes de pasar por la ducha. Ni nube ni rastro de celaje en todo el horizonte, no ya desde luego los *cumulo-nimbus* en forma de yunque algodonoso que se alargan a la vanguardia de la tormenta que se avecina, seguidos por su batallón de *cumulus congestus*, sino ni siquiera los *alto-cumulus* lenticulares o los *cirro-cumulus* anodinos como manadas de ovejitas que suelen preceder a los más problemáticos *cumulus humilis*. Nada. De modo que, mientras me duchaba, es decir a eso de las tres menos veinte, el ruido que escuché, semejante al de un trueno, me pareció el producto de una confusión auditiva debida al rumor de la ducha que perturbaba un poco las ondas sonoras que llegaban del exterior, dificultando su identificación.

Cuando terminé de vestirme —serían las tres—, un trueno inequívoco y amenazador me incitó a asomarme al balcón sin lograr divisar, por más que escudriñé la porción de cielo visible, el menor rastro de nube, aunque debo reconocer que esa porción de cielo, a causa de las casas de enfrente, del otro lado de la calle, y de los árboles de la vereda, es más bien limitada. Así que cumplí con los dos o tres actos rituales que realizamos antes de salir a la calle, para exorcizar la ruptura que implica atravesar el umbral de la puerta, y me aventuré por la vereda de la sombra hacia las acacias amarillas de la calle Pedro Goyena en busca de un taxi.

Serían las tres y cuarto. Como si nada, la calle transversal, en dirección a Pedro Goyena, estaba llena de sol, pero los truenos retumbaban ya por todo el cielo lo que, debo confesarlo, representaba una esperanza de frescura en ese final tórrido de primavera. De dónde llegaban esos anticipos sonoros de la tormenta, es algo que todavía hoy me intriga, pero cuando el taxi empezó a rodar hacia el centro por las largas avenidas rectilíneas, ya podían verse las primeras nubes, no lo bastante altas todavía como para interceptar la luz del sol; hacia el sureste, la punta de un nubarrón grisáceo iba elevándose, generando relámpagos y truenos cada vez más cercanos, más frecuentes y más espectaculares, en tanto que a mis espaldas, al oeste, el sol, lo más campante, seguía brillando. El lector recordará, por haberme acompañado en mi primer viaje al centro desde Caballito, que el trayecto dura aproximadamente media hora, pero es en el centro propiamente dicho donde los retrasos debidos a la circulación son más largos, de modo que unos veinte minutos más tarde, ya íbamos desembocando, por la avenida Belgrano, a la 9 de Julio, de la que mi lector recordará también que, a causa de reacciones emocionales complicadas, en las que el sentimiento nacional entra en juego, mis compatriotas consideran, y tal vez con razón desde un punto de vista puramente geométrico, la más *ancha del mundo*. Pues bien: en esos veinte minutos, el día fue transformándose de tal manera, que cuando recorríamos las cuadras finales de la avenida Belgrano, ya estábamos en plena tormenta, y habían empezado a caer las primeras gotas, tan grandes que cuando se estrellaban contra el suelo, dejaban impreso un redondel de dos o tres centímetros de diámetro, que duraba apenas fracciones de segundo, como las imágenes en nuestra retina que han permitido la invención del cinematógrafo, porque cuando entraban en contacto con el asfalto hirviente se evaporaban. Al mismo tiempo, las nubes, cada vez más negras y espesas, más cargadas de electricidad y más bajas, y, paradójicamente, más numerosas a medida que la lluvia iba haciéndose más densa, se seguían acumulando. Cuando doblamos hacia el norte por la avenida 9 de Julio, la cantidad de agua que caía, los charcos que, a pesar de la dichosa anchura mundial de la avenida se formaban en ella, y un viento cada vez más fuerte que venía del lado del río, casi nos impedían avanzar. Hasta ese momento, el conductor y yo estábamos más bien satisfechos con la tormenta, a causa de la promesa de frescura que nos deparaba, aunque a veces una lluvia ineficaz, pasando demasiado rápido, no hace más que aumentar la impresión de sofocación cuando, al salir el sol nuevamente, la humedad empieza a evaporarse. De los cinco elementos principales que componen una tormenta, electricidad, estruendo, viento, lluvia y oscuridad, ya se nos venían otorgando hasta el hartazgo los cuatro primeros, sin que sospecháramos que del último se avecinaba el momento en que deberíamos beber la copa hasta la hez. Porque después de empezar a rodar trabajosamente por la avenida, sin progresar mucho a decir verdad, cayeron sobre nosotros las tinieblas y en unos pocos segundos pasamos del pleno día al corazón de la noche. Ni exagero ni, por deformación profesional, me valgo de metáforas (fatalidad a la que está sometido, a decir verdad, quienquiera que se valga del lenguaje): a nuestro alrededor todo había desaparecido y no quedaban más que el viento, el agua y la noche.

Debían ser alrededor de las cuatro menos cuarto de la

tarde, y estábamos, el conductor del taxi y yo, en la oscuridad más completa. Más cerrada que la noche más cerrada, porque el espesor de la lluvia borraba incluso los faros de los otros coches, de los que se percibía apenas, de un modo fugaz, un vago resplandor blanquecino, semejante a la fosforescencia del mar, fenómeno que Darwin observó no lejos de nuestras costas navegando hacia la Patagonia. Y puesto que estamos en las comparaciones marinas, debo decir que a cada relámpago, los contornos fantasmales y verdosos de la ciudad se mostraban fugazmente en ese medio tenebroso, entre volúmenes espesos de agua, como una metrópoli futurista asentada en el fondo del océano, representada en la tapa de un *pulp magazine* de los años veinte o treinta. Se hubiese dicho que la hora sexta del evangelio, en la que *hubo tinieblas sobre toda la tierra*, había llegado, y el conductor del taxi y yo dejamos de conversar y, comprobando que el coche ya no avanzaba en ese medio líquido y negro, sacudido en su flanco derecho por un viento que estaba disputándoselo a la atracción terrestre, nos sumimos en las más alarmadas meditaciones.

Esas tinieblas inusitadas —nunca había visto nada semejante— duraron unos diez minutos, al cabo de los cuales, en medio del viento y de la lluvia, el coche volvió a arrancar. La ironía siniestra de Enobarbo (*Antonio y Cleopatra*, acto III, esc. 5):

> *Mundo, ahora sólo quedan dos mandíbulas para tri-*
> *turarte*

que vino, lo recuerdo muy bien, a mi memoria, se aplicaba perfectamente a la situación. Y avanzando despacio para que la agitación del agua que en algunos lugares llenaba la calle de vereda a vereda, no entrara en el motor, llegamos por fin al Instituto Ravignani. Como al anochecer de ese mismo día me encontraba tomando el aperitivo en la vereda de un bar en el barrio de la Recoleta, gozando del clima más agrada-

ble que pueda imaginarse, en medio de los árboles reverde-
cidos y revivificados por la lluvia, contra la gran mancha
anaranjada del cielo sin una nube hacia el oeste, es perfectamente comprehensible que los testimonios de los viajeros
sobre el clima en el Río de la Plata sean contradictorios, ya
que el clima mismo lo es.

Una estadía soñolienta en Santa Fe me permitió inter-
narme en la bibliografía, convocando los primeros hechos,
las primeras conexiones que habían resistido a los llamados
de la experiencia directa; y ya de vuelta en Buenos Aires, de-
cidí volver a mi observatorio de la costanera. Es necesario
señalar ahora que la expresión Río de Plata se utiliza tanto
para designar el río propiamente dicho como el conjunto
que forman la región pampeana y el Uruguay, pero que incluso a veces es una sinécdoque para nombrar a la Argentina entera, e incluso al Paraguay (la cuenca del Plata), de modo que un viaje a Santa Fe, quinientos kilómetros al norte
de Buenos Aires, en las orillas del río Paraná, no me había
expelido, en el sentido amplio de la expresión, de mi tema.
El atlas del Instituto Geográfico Militar, que divide al país
en ocho zonas de desarrollo, incluye en la zona pampeana
las provincias de Buenos Aires, de Santa Fe y de Entre Ríos,
y en mi libreta de apuntes de varios años antes de haber concebido este libro, la anotación lacónica de *Provincias linderas* coincidía, sin saberlo, con la delimitación técnica (y tal
vez geográfica y culturalmente demasiado restringida) del
atlas en cuestión. Así que, si bien centrándome en esos grandes ríos, no me propongo ser insensible a los hálitos imaginarios que provienen de diferentes regiones de la república
y que, entrecruzándose y modificándose mutuamente, forman lo esencial de nuestro pequeño mundo.

A diferencia de la primera vez, me acerqué al río en el
atardecer, y de nuevo tuve la sensación de estar, no en la orilla, sino en el interior de un inmenso círculo de agua. La superficie incolora de la primera vez se había transformado en
una sustancia pesada y llena de accidentes, en la que la to-

nalidad beige amarillenta, casi dorada, combinándose con el reflejo entre rosa y violeta del cielo, le daba a la enorme masa líquida una apariencia tornasolada, inestable, donde ningún matiz predominaba mucho tiempo. Y como, también a diferencia de la primera vez, soplaba una brisa fresca bastante intensa, el espejo inmóvil de dos meses antes era ahora a mi alrededor un abismo turbulento.

VERANO

La arqueología —toda ciencia es arqueología— es, hasta hoy día, inapelable: hasta la llegada de los españoles en la costa sur del río, donde está ahora Buenos Aires, y en sus inmediaciones, no había nadie.

Lo que sobrevivió a las últimas glaciaciones, desperezándose feliz en la primera tibieza del Holoceno, hombre, animal o planta, evitaba invariablemente las proximidades llanas y anegadizas del río. Únicamente pululaba la fauna ambigua, húmeda y reptante de los pantanos, y las nubes de insectos que ennegrecían el aire, mariposas efímeras, tábanos, mosquitos y jejenes. El nombre general de *sabandija* que los españoles daban a esa caterva, ha subsistido para designar toda persona dañina y despreciable, lo cual indica el concepto en que la tenían, y debieron estar exageradamente urgidos por su propio delirio para afrontarla. Los indios, en cambio, se mantenían a distancia. Los del norte, nómades fluviales, cazadores y pescadores del Paraná y del Uruguay, casi nunca se aventuraban más allá del Delta, para no perder ni pie ni realidad en esas aguas que, confundiéndose con el mar, se ensanchaban y se prolongaban al infinito. Los del sur, a pesar de los rigores del clima, rara vez traspasaban el límite septentrional de la Patagonia, y todavía en 1869 únicamente por obligación se desplazaban hasta la costa atlántica. Por otra parte, despreciaban el pescado. El guanaco *(Lama guanicoe)*, difundido en toda América de Sur, y el avestruz patagónico *(Rhea darwinii)*, principal alimento y materia prima artesanal de los indios del sur y de la cor-

dillera, tampoco frecuentaban la región y en cuanto al puma, ya sabemos que los felinos le disparan al agua. A estar
con algunos especialistas, el guanaco era demasiado sensible a las picaduras de los mosquitos y hay quien afirma que,
mucho más tarde, los caballos se morían de sed por no
afrontarlos en la orilla del agua, poniéndose al abrigo de
ellos en los terrenos altos y ventilados. Todavía el 6 de diciembre de 1832 —un día caluroso—, Darwin consigna en
su *Viaje* esa proliferación extraordinaria de insectos: "Varias
veces, cuando nuestro barco se encontraba a algunas millas
de la desembocadura del Plata, o frente a las costas patagó-
nicas, nos vimos rodeados de insectos. Una tarde, a unas
diez millas de la bahía de San Blas, vimos bandas o tropillas
de mariposas, en multitud infinita, extendiéndose hasta
donde alcanzaba la vista; aun recurriendo al telescopio, era
imposible descubrir un solo lugar donde no hubiese mariposas. Los marineros gritaban que 'nevaban mariposas'; y
ese era, en efecto, el aspecto que presentaba el cielo".
   Desprovisto de árboles, de piedra, de fauna cinegética,
de metales preciosos, en ese lugar siempre se estaba de paso. Era pobre no únicamente por la ausencia de recursos que
permiten sobrevivir, sino pobre en su aspecto, estéticamen-
te pobre, con los dos desiertos, el terrestre y el acuático, yuxtapuestos casi sin solución de continuidad, como si en los
límites de uno y otro la tierra chata se licuara y, casi del mismo color, se volviera un poco más inestable. Hasta el siglo XX,
nadie se sintió en su casa en Buenos Aires, y aun el culto desmedido que sus habitantes le dedican en la actualidad podría no ser otra cosa, en una época en que la cultura urbana ha comenzado a mostrar sus contradicciones, que un eco
tardío de la retórica sobre las grandes capitales —a lo Dic-
kens y a lo Balzac— que floreció en el siglo XIX. Las dos pla-
nicies de la pampa y del río no poseen en sí ningún encanto particular y, así como todos sus habitantes vienen de otra
parte —si consideramos el término etimológicamente es un
lugar que carece de aborígenes—, también la belleza que a

veces las transfigura debemos atribuírsela no al lugar en sí sino a su cielo, a causa de su presencia constante, visible en la cúpula y en el horizonte circular. El hombre de la llanura está siempre en el interior de una semiesfera, en el centro exacto de la base, bajo la bóveda celeste que es como una pantalla en la que va apareciendo un espectáculo cambiante, abstracto, la luna, el sol, las estrellas y las nubes, hasta que algún capricho vagamente figurativo la borronea, como la forma de una nube, un pájaro o una bandada de pájaros, cuya formación en ángulo se obstina sin embargo en perpetuar la abstracción. Dondequiera que se desplace por los campos pelados y uniformes, su posición será siempre la misma en la semiesfera, ya que ningún accidente lo ayudará a percibir, como en la montaña o en la sierra, donde basta subir o bajar un poco o tomar una curva en cualquier sendero para notar la variedad, la movilidad y aun la inestabilidad constitutiva del paisaje.

El Río de la Plata, que es el límite oriental de la llanura, fue descubierto a decir verdad por error, porque la expedición de Juan Díaz de Solís, que en 1516 se internó por primera vez en sus aguas, estaba buscando, más allá de la Tierra Firme, un paso hacia las Indias. Lo que esos navegantes querían alcanzar eran las islas Molucas, y, como se dice, *de paso* descubrieron el río, sin saber hasta qué punto, internándose en esas aguas barrosas, entraban al mismo tiempo en las comarcas del desastre. Bordeando sin novedad las aguas agitadas de la costa sur del Brasil y la costa uruguaya, penetraron en el río, subiendo hacia el norte hasta las bocas del río Uruguay, en el verano ardiente de 1516.

El plural mayestático de las instrucciones reales, exorbitante y solemne, suena un poco demencial cuando, con la perspectiva histórica, lo comparamos a la realidad que esperaba a esos marinos. A medida que se iban alejando de España, principios, consignas y racionalidad se deshilvanaban. Iban siendo expelidos, más que de un lugar, de un sistema de valores, de un modo convencional de convivencia a los que nada sustituía en esas tierras desconocidas. Muy pocos conservaban las referencias necesarias para no perder pie en esa trampa pantanosa.

Tan ancho era el río que acababa de descubrir que, después de haber probado sus aguas, Solís lo llamó el Mar Dulce. Ese oxímoron prueba que, del lugar que abordaban, estaban dispuestos a aceptar de buena gana los prodigios. Debieron pasar varios siglos antes de que los europeos se decidan a descartar, de la leyenda americana, la ilusión de que lo imposible[1] podía materializarse sin dificultad en el continente, y, en 1559, casi medio siglo después de la expedición de Solís, un conquistador, Ñuflo de Chaves, un poco más lúcido que los otros, agobiado por la sucesión de espejismos y de catástrofes, decidió seguir avanzando por la selva —donde una flecha lo detendría un poco más tarde— "aunque no se siguiese de la empresa otro interés que el de desencantar la tierra".

Unos tres meses les llevó a las tres naves de Solís y a los sesenta hombres que lo acompañaban, llegar de las costas andaluzas al Mar Dulce. Aunque de verdad avanzaban en el espacio, iban también retrocediendo en otro plano, en la dimensión insospechada del propio ser que, sin los límites frágiles que mantiene una sociabilidad convencional, vacila en el borde sin fondo de la regresión que desmantela, una a una, las capas de una supuesta esencia humana. En la geografía desmesurada de América los esperaban aspectos semienterrados y semiolvidados de sí mismos. Respaldados —aun los pobres marinos analfabetos que un autor, no americano sino español, llamó *la escoria de Andalucía*— por las grandes realizaciones culturales del Renacimiento, se sentían un poco más livianos, en la euforia de una modernidad conquistadora que confirmaban los continentes lejanos rebajados al papel de productores de todo aquello

---

[1] En la estética de lo "real maravilloso" se ha perpetuado esa ilusión.

que, trasladado al centro del mundo, especias, metales, piedras preciosas, artículos suntuarios, no haría más que perfeccionar los prestigios de esa autosacralización. Atravesando el mar exterior, entrando en el agua barrosa del río, no sabían que iban siendo expulsados también de sus costumbres, de su cultura, de su lengua, de su concepción misma de la especie humana, en una palabra, de todas las mediaciones simbólicas de lo más relativas, que confundían con una supuesta realidad absoluta. Comparadas a un sistema de pensamiento, las prisiones más intrincadas de Piranesi son meros lazos de seda.

El río se dividía en dos hacia el norte, por no decir en muchos, ya que a la derecha de la desembocadura, formando las islas aluvionales del Delta, el Paraná se despliega en una multitud de brazos, tales como el Paraná Guazú, el Paraná Miní o el Paraná de las Palmas. Detrás de esas bocas abiertas que manan continuamente un agua turbia estaba, para esos marinos, en el silencio absoluto del río al que ni siquiera el grito de los loros de las orillas o el rugido de los gatos monteses llegaba, la penumbra diurna de la selva, lo que ha dado en llamarse, con propiedad multiplicada, la espesura. Si Solís eligió el río Uruguay para internarse un poco en él fue sin duda porque, entrando en el estuario con un cauce ancho y profundo, apenas interferido por una islita, parecía a primera vista más navegable. Habiendo pasado sin novedad por entre las tenazas y a través del cuerpo del escorpión, eligió para detenerse el lugar más mortífero, la cola.

En la calma absoluta del día de verano la región, a la que la imaginación de los europeos, un poco embrutecida por las peripecias del viaje, le atribuía tantos prodigios, pululaba por el contrario de criaturas bien reales. En muchos casos, su verdadero nombre se ha perdido, habiendo sido sustituido por un sustantivo genérico que perpetúa el primer error de los descubridores, que confundieron América con lo que llamaban las Indias y le atribuyeron ese gentilicio, los indios. Nómadas o seminómadas, también ellos eran navegantes y viajeros. Agrupados en tribus y en naciones constituían, contrariando esa denominación niveladora, una variedad vertiginosa. Borrados más tarde de la faz de la tierra, han dejado en ella, por lo que duren los continentes fugitivos, su toponimia inconfundible y sonora. Del mismo modo que, en las etapas tardías de la aculturación, en plena guerra con los *cristianos*, como ellos los llamaban, a los caciques de la Patagonia les gustaba tener un secretario blanco para que les redactara y les leyera la correspondencia, así también después de su desaparición los que han prevalecido siguen, de un modo involuntario, perpetuándolos en el idioma mismo que hablan, no únicamente a causa de la toponimia o de ciertas incorporaciones léxicas, sino también de gestos, de imágenes y de interjecciones intransferibles y vivaces.

Aún en la actualidad, en los vanos intentos por clasificarlos, la cacofonía más completa reina entre los especialistas en lo relativo a su identificación, a su descripción, a su clasificación, y eso que muchos de esos especialistas no carecen ni de formación, ni de talento, ni de meticulosidad. Si bien ciertas tribus han sido más o menos repertoriadas, en la mayor parte de los casos la confusión persiste en cuanto al idioma, a la especificidad étnica, al número. De las diferencias lingüísticas por ejemplo, cuando dos tribus descienden de un tronco común (el guaraní supongamos), no alcanzan a distinguir bien si se trata de meras formas dialectales o de verdaderas lenguas que han tenido un desarrollo autónomo, como, respecto del latín, el catalán, el español, el portugués o el gallego. En cuanto al número, hacia 1540, de los chanás solos Ulrico Schmidl afirmará que eran cien mil, en un territorio de cuarenta leguas cuadradas. Únicamente en el litoral, 400.000 kilómetros cuadrados, sobre los 2.800.000 que tiene la república, la lista de tribus es interminable, y podemos citar al azar los guaraníes, los charrúas, los charrúas de las islas, los chanás, los chaná-beguá, los chaná timbúes, los timbúes, los querandíes, los minuanes, los yaros, los bohanes, los guenoas, los gualaquíes, los mogosnas, los tobas, los mocovíes, los callagaes, los hohomas, los abipones, los mepenes, los calchaquíes, los chanás salvajes, los mocoretáes, los calchines, los caletones, los quiloazas, los corondas, los yapilgás, etc. Si tenemos en cuenta que esta lista, que es incompleta, se refiere únicamente a la séptima parte del territorio argentino, podemos comprender con facilidad las dificultades de clasificación.

Haciendo excavaciones en los jardines derruidos de Roma, los hombres del siglo xv reanudaron, renovándola, la tradición clásica, tratando de amalgamar, aun en el arte religioso, un cristianismo humanizado, casi mundano, con la carnalidad realista del paganismo. Las costas de América les mostraron, con las peripecias atroces que les reservaban, que eran contemporáneos de un pasado más arcaico. A tres meses de navegación, del otro lado del océano, podían convivir con la prehistoria. En pleno humanismo, lo salvaje —lo que viene de la selva— era la negación misma de los ideales de emancipación que lo habían generado.

Todas esas tribus, agrupadas en naciones que a veces pertenecían a áreas étnicas más amplias, como los chanás, los charrúas, los guaraníes, tenían muchos rasgos comunes, y algunos rasgos diferenciales, pero únicamente los guaraníes del Paraguay eran relativamente sedentarios y practicaban una agricultura primitiva. La gran mayoría de las otras naciones eran nómadas, y vivían de la caza, de la pesca y de la recolección. Muchas eran antropófagas. Su nomadismo indujo a los españoles, y más tarde a las autoridades criollas, a pensar que eran propensos al vagabundeo, ignorando que, muy por el contrario, sus desplazamientos, regidos por hábitos inmemoriales, obedecían a necesidades de subsistencia, al ritmo de las estaciones, y a la discriminación entre lugares fastos y nefastos en un espacio enteramente sacralizado. Esta obsesión de la vagancia es tan fuerte que aún en 1815 el gobierno de Buenos Aires promulgará una ley para reprimirla.

Algunos andaban enteramente desnudos, salvo en el invierno corto y clemente durante el que se cubrían con unos abrigos hechos toscamente de pieles; otros apenas usaban un exiguo taparrabos. (Una de las diferencias curiosas estriba justamente en esa diversidad vestimentaria en tribus tan vecinas, ya que en algunos casos es uno de los dos sexos el que andaba vestido, en otros casos los dos, en ciertas tribus sólo los hombres y en otras muy cercanas y afines únicamente las mujeres.) Para desplazarse por los grandes ríos fabricaban canoas de una sola pieza ahuecando árboles enormes, en algunas de las cuales un testigo español del siglo XVI afirma haber visto hasta cuarenta remeros. Manejaban la lanza, el arco y la flecha, y las ahora folklóricas boleadoras con las que, según otro testimonio, eran capaces de atrapar un pato en pleno vuelo.[2]

Como más tarde los conquistadores lo sentirían en carne propia, no era raro que el hambre los acosara, a cau-

---

[2] Para el lector *idiota* —que puede ser también rioplatense—, hay que decir que las boleadoras, o bolas, eran un instrumento arrojadizo (que también podía usarse como maza), consistente en una, dos o tres bolas de piedra o, más tarde, de metal forradas de cuero, y atadas a la extremidad de una cuerda de un poco más de medio metro, hecha de cuero o de tendones o nervios animales, por medio de la cual los indios hacían girar las bolas por encima de la cabeza y la lanzaban a las patas traseras de la presa que perseguían. Las boleadoras de una sola bola eran llamadas *bolas perdidas*, porque, una vez lanzadas, no se recuperaban. Al uso arrojadizo de la boleadora se añadía el uso contundente, deteniendo con el primero la huida de la presa y dándole el golpe de gracia en la cabeza mediante el segundo. Al tan mentado puma de la Patagonia, cuya ferocidad es una leyenda, los *tehuelches* lo ultimaban de un golpe de boleadoras en la cabeza. El inconveniente del uso arrojadizo era que, cuando erraban el tiro, cosa que ocurría más a menudo de lo que los nacionalistas están dispuestos a aceptar, era dificultoso encontrar el arma entre los pajonales de la pampa, sobre todo porque en el tiempo que llevaba buscarla e incluso pararse a recogerla, la presa se escapaba con facilidad. En general los indios, sin detenerse, dejaban caer un objeto brillante o coloreado junto a las boleadoras con el fin de poder recuperarlas más tarde, y proseguían la caza. En estas regiones, el mazazo en la cabeza parece ser uno de los métodos más seguros de exterminio, porque Staden, en el siglo XVI, prisionero de los *tupis* en el sur del Brasil, cuenta que era así como se sacrificaba a los prisioneros destinados a una comida antropofágica, y no se operaba de otra manera con el ganado vacuno en los mataderos.

sa de las grandes inundaciones y, en las inmediaciones del Río de la Plata, de las largas sequías que podían sobrevenir. Estas tribus guerreaban también mucho entre ellas y los españoles aprovecharon esas viejas enemistades para dominarlas con mayor facilidad, método que, desde que les fue posible, aplicaron también los indios con sus enemigos *cristianos*. Como el paisaje y la tierra en la que habitaban, esos indios eran pobres. Más de un extranjero los ha pintado tristes y taciturnos, asaltados por ataques frecuentes de ansiedad y de melancolía. Los que eran alfareros producían piezas rudimentarias y frágiles que ornaban de motivos geométricos, semejantes a las pinturas y a los tatuajes con que decoraban sus propios cuerpos. Pero les gustaba colorear plumas, piedras, huesos o conchillas fluviales para hacerse collares y pulseras que pendían del cuello, de las muñecas o de los tobillos, que incrustaban en su propia carne perforándose la nariz, el labio inferior o el lóbulo de la oreja. Eran polígamos, aunque el adulterio femenino era castigado con ferocidad, pero si por si acaso decidían guerrear o algún peligro se avecinaba, lo primero que hacían era poner a salvo a las mujeres, las criaturas y los viejos. A decir verdad, los pueblos pacíficos representaban una excepción, y muchas veces bastaban nimios problemas de protocolo para desencadenar, en pocos minutos, una masacre. Eran también irresponsable y obstinadamente jugadores y los pocos cachivaches que poseían cambiaban a menudo de propietario durante las partidas frecuentes de sus juegos inmemoriales a los que, con la llegada de los europeos, se agregarían los naipes y los dados. También el alcohol les gustaba demasiado, y es absurdo acusar a los españoles de haberlos inducido a beberlo, porque ellos lo fabricaban antes de su llegada, poniendo cualquier cosa en fermentación, en la que colaboraba a veces un grupo de vírgenes mascando y macerando con la saliva las sustancias vegetales. Del trato especial que le daban a las jóvenes vírgenes en ciertas ocasiones, tal vez podría inferirse una concepción obsesiva de la sexualidad, y un comportamiento compulsivo en general, del que eran perfectamente conscientes porque antes de sus grandes borracheras, durante las que el tenor de agresividad aumentaba, tomaban la precaución de ocultar las armas para evitar una refriega.

Vistos desde fuera, podían parecer contradictorios y sin duda lo eran, pero no más que los cristianos, como ellos llamaban a los blancos quienes, pretendiendo propagar la caridad, atravesaron el continente a sangre y fuego. Los indios, impulsivos y celosos, regalaban sin embargo sus hijas y sus mujeres por razones de conveniencia al primero que se presentara; mataban y morían por cualquier nimiedad y eran sumamente rencorosos, pero invertían sus alianzas de modo inopinado y brusco, y cuando un pariente se les moría, observaban un duelo interminable, mutilándose atrozmente: los hombres se hacían incisiones profundas en todo el cuerpo y las mujeres de ciertas tribus se cortaban una falange por cada pariente que moría, a tal punto que a algunas, cuando llegaban a viejas, en lugar de manos sólo les quedaba un par de muñones. Vivían pendientes de sus hechiceros, pero no tenían el menor empacho en asesinarlos, después de someterlos a tormentos minuciosos, si se equivocaban en sus predicciones. Y en cuanto a la religión, sólo de los guaraníes los jesuitas pudieron recoger, un par de siglos después de la conquista, una cosmogonía y una verdadera mitología, en cuya cúspide, sin embargo, se encuentran los dos principios del bien y del mal, que eran prácticamente las únicas abstracciones religiosas, fuertemente impregnadas de animismo, de las tribus menos evolucionadas. En algunas se ha encontrado también la costumbre de pintar de color ocre a los cadáveres antes de enterrarlos, que es uno de los escasos rasgos rituales que han podido observarse en las más primitivas religiones prehistóricas. A diferencia de las grandes civilizaciones precolombinas del norte y de los cristianos, no eran idólatras, y las fuerzas sobrenaturales en las que creían, en lugar de resumirse y concentrarse en alguna imagen zoomórfica o antropomórfica bien visible y por ende más fácil de identificar y de adorar, estaban ocultas y dispersas en el vasto espacio exterior; lo catastrófico era justamente que se manifestaran o, peor aún, que pudieran interiorizarse. Mantenerlos en su lugar, el gran orden del mundo, era todo lo necesario, y les bastaba a veces con tirar una pizca de alimento a un costado antes de empezar a comer para conformarlos. George Chaworth Musters, que vivió un año entre los tehuelches de la Patagonia, en 1869, dice que nunca los vio practicar culto alguno, pero que en alguna ocasión se inquietaron ante el canto de cierto pájaro, que en otra se negaron a pasar por una colina donde había habido una batalla y muchos muertos, y que en un anochecer de invierno, en la curva de un sendero, mientras cabalgaban por las colinas, los vio llevarse las manos a la frente y murmurar unas breves fórmulas rituales, volviéndose de pronto graves durante unos pocos segundos, pero sin dejar de cabalgar, saludando a la luna blanca y brillante que subía en el cielo helado de la Patagonia.

Juan Díaz de Solís no era un simple expedicionario, o un aventurero como Balboa, Cortés o Pizarro, sino el piloto mayor del reino español, el sucesor que había nombrado el rey Fernando a la muerte de Américo Vespucio, y su misión, después del descubrimiento por Balboa del océano Pacífico en Panamá, encontrar un paso por el sur del continente hacia el oriente. Vespucio, con quien había navegado, había sido el primero en afirmar —contra la opinión de Colón— que las tierras descubiertas eran un nuevo continente y no las Indias Orientales. A diferencia de los designios turbios de Balboa, Cortés y Pizarro —a este último, fue uno de sus propios camaradas, Juan de Sanabria, quien lo llamó *carnicero* en una copla satírica—, que multiplicaron muerte y destrucción a su paso y que terminaron asesinándose mutuamente, la expedición de Solís tenía fines científicos y su finalidad era corroborar en la práctica las teorías de Vespucio y alcanzar el oriente por el océano Pacífico. De ahí que lo encontremos, en la más grande soledad, en el confín del planeta. El hecho de haber llamado Mar Dulce al río muestra su intención descriptiva, y los que vendrán más tarde, después de llamar durante un tiempo al estuario "el río de Solís", acabarán por develar sus propios motivos, bien diferentes a los del descubridor, bautizándolo, en el apresuramiento de la utilidad que le atribuían, el Río de la Plata.

En la historia de América, como es bien sabido, abundan los hechos prestigiosos, aun en lo relativo a excesos sangrientos y a distorsiones morales, en el marco grandioso de la civilización azteca o del imperio Inca, con una distribución de roles que, en definitiva, corresponde bastante al clasicismo épico-trágico de Occidente: amores de la Malinche y de Hernán Cortés, suplicio de Cuauhtémoc, Moctezuma despreciado y lapidado por su pueblo, rivalidad entre Huáscar y Atahualpa en el Perú, ferocidad y codicia de Pizarro y Almagro, de lo más arquetípicas. Al sur de esa suntuosidad teatral, todo era más indigente y más anónimo. En cierto sentido, podemos decir que el Río de la Plata entra en la historia de América por la puerta de servicio. Su emergencia emblembática —el descubrimiento del río por Solís y su fin abominable— se produjo sin *pathos*, sin magnificencia escénica, sin gloria. Aún hoy, los historiadores no saben exactamente a qué tribu atribuir el acontecimiento, y se pierden en conjeturas más o menos científicas. Ante la celeridad de los hechos, y su carácter inesperado y absurdo, los literatos optan por el orgullo un poco pueril —"somos los descendientes de los que se comieron a Solís"— o la broma, como en ese verso de Borges, cuyo sentido una maestra de escuela no lograba descifrar en las explicaciones de texto: *Donde ayunó Juan Díaz y los indios comieron.*

No se trató siquiera de una batalla, sino de un encuentro casual: como hubiesen podido hacerlo con una liebre, con una manada de avestruces o de guanacos, los indios, que iban y venían todo el tiempo por la región guerreando, huyendo de tribus más poderosas o buscando medios de subsistencia, cayeron sobre una pequeña expedición capitaneada por el propio Solís, que había desembarcado en la costa uruguaya con fines exploratorios. En la actualidad, como hasta hace poco el incesto, el canibalismo se ha transformado en un automatismo retórico que pretende representar lo negativo y oscuro y las tendencias agresivas del comportamiento social, de lo que resulta una calumnia infame de los caníbales, que nunca actuaban de ese modo en el interior de su propia sociedad y que, además, en la ocasión que estoy relatando, no expresaban, y espero que esto no haga enarcar las cejas de mis lectores, ninguna agresividad. Para que haya en ellos crueldad, los actos humanos deben realizarse en contraste con ciertas nociones de compasión, lo que supone una identificación con la víctima. Los hombres del Renacimiento que desembarcaron en la costa uruguaya eran tan inesperados y distintos que, para los indios, ninguna proyección identificatoria era posible. Más todavía: esa proyección la realizaban los indios con ciertos animales, aun cuando los cazaran y los comieran, porque compartían con ellos el mismo universo, en el que las funciones estaban distribuidas desde los orígenes, y también podían proyectarse en otras tribus, aun cuando fuesen enemigas, y también se devoraran a sus prisioneros. Los marinos renacentistas eran para ellos, en cambio, una especie desconocida. Representantes de uno de los momentos más sublimes de la autoconciencia europea, pensaban haber alcanzado, a causa de su emancipación intelectual, el apogeo de la humanidad, y, viajando en sus barcos sin darse cuenta en el tiempo a la vez que en el espacio, retrocediendo a medida que creían avanzar se toparon, en un lugar vacío y sin nombre, con una mirada exterior que redujo literalmente a nada sus pretensiones.

Los hechos fueron más o menos los siguientes: el pequeño contingente bajó a tierra y, en la costa misma, antes de que tuviese tiempo de internarse más adentro, los indios cayeron sobre él y después de exterminar a los expedicionarios a flechazos, rematándolos con lanzas y mazas, se los comieron crudos en presencia de los otros marineros, que habían quedado en los barcos y que contemplaban la escena desde la cubierta, sin poder intervenir. Algunos historiadores son prudentes en cuanto a los detalles, de modo que es difícil describir las cosas con exactitud. El *según parece* escéptico con que José Luis Busaniche, uno de los más sensatos de nuestros historiadores, se refiere a ciertos aspectos del acontecimiento induce a andar con, como se dice, pie de plomo, en lo relativo a las interpretaciones, pero hay algo que parece evidente, y es que si se los comieron en el acto, inmediatamente después de haberlos matado, es que los consideraban como productos de caza y no como el objeto de un banquete antropofágico. Aunque en este tipo de banquetes se comiera a la víctima cruda o cocida, siempre transcurría cierto tiempo —a veces un año entero— entre el momento en que la hacían prisionera y el momento en que se la comían. Inversamente, todavía en la segunda mitad del siglo XIX, entre tribus más evolucionadas y aculturadas, como los indios de la Patagonia, en una región más fría, donde los alimentos se conservaban mejor, a diferencia del litoral caluroso y húmedo, y donde hay salinas abundantes que permitían su conservación, los indios consumían en el acto los productos de la caza. Del mismo modo que podían pasar varios días sin comer, apenas echaban mano sobre una presa la devoraban, lo que les ha ganado la reputación de ser grandes comilones, sin que quienes forjaron esa reputación se hayan detenido a pensar que, viviendo de la caza y de la recolección, esos indios debían sufrir largos períodos de ayuno. Es la desproporción entre lo que Solís y sus hombres pensaban de sí mismos y la función que le atribuyeron los indios al comérselos crudos en la playa misma en que los mataron —la *escena primitiva* de la historia del Río de la Plata—, caricatura del relativismo cultural, lo que vuelve al hecho impensable en su desmesura y vagamente cómico a causa del malentendido brutal de dos sistemas de pensamiento.

Un destino no muy diferente —aunque más univer-salmente glorioso— esperaba a Magallanes que, con cinco naves, zarpó de España siguiendo la ruta de Solís que ha-bían interceptado los indios canoeros y penetró en el río en el verano de 1520, buscando el dichoso paso hacia el orien-te. Después de recorrer la costa meridional, es decir la ac-tual provincia de Buenos Aires, siguió hacia el sur y, atra-vesando el estrecho que ahora lleva su nombre, se internó en el otro mar, que Balboa había llamado del Sur y que él bautizó Pacífico, a causa quizá del contraste que ofrecía con las aguas tempestuosas que acababa de cruzar. Lo que el azar dispensa a algunos en el Río de la Plata, a otros se los demora hasta las Filipinas, y es ahí donde Magallanes ob-tuvo lo que muchos otros, sin necesidad de ir tan lejos, te-nían la primicia de recibir en América: una muerte atroz en manos de los indígenas. De las cinco naves, sólo una, la *Victoria*, con dieciocho hombres deshechos, al mando de Se-bastián Elcano, llegó a España tres años después de haber zarpado, habiendo dado la vuelta al mundo. Ese barco an-drajoso y exhausto, a la inversa de Diógenes el Cínico que pretendía refutar las paradojas de Zenón caminando, con-firmaba al entrar en el puerto andaluz la redondez de la Tierra, las teorías de Aristóteles, de Eratóstenes, de Hipar-co de Nicea y de Ptolomeo. "Carlos V concedió a Sebastián Elcano el uso de un escudo con la figura del mundo y esta divisa: Tú primus circumdedisti me."[3] La divisa hubiese po-dido agregar: "Por primera y última vez y porque yo lo qui-se", ya que en su segunda expedición, cinco años más tar-de, Elcano se perdió para siempre en el mismo océano, supuestamente pacífico, que lo había dejado pasar duran-te la primera travesía.

Al año siguiente, es un marino veneciano, Sebastián Gato, el que penetra en el río y, al igual que Solís y Magalla-

[3] José Luis Busaniche.

nes, *de paso* para las Molucas, con las instrucciones expresas de Carlos V, para "cargar los navíos con oro, plata, piedras preciosas, perlas, drogas, especerías, sedas, brocados, u otras cosas de valor" y seguir hacia el Estrecho de Magallanes e internarse en el Pacífico. Gaboto decidió entrar en el río, porque en la costa brasileña los sobrevivientes de una carabela de Solís que naufragó de regreso a España le dijeron que en el interior del continente, en el nacimiento del río Paraná, "el cual es muy caudalosísimo y entra en este de Solís por veintidós bocas", existía una sierra donde "había mucho oro y plata". En la costa misma del Brasil, Gaboto construyó un barco pequeño y después de cruzar el Río de la Plata, empezó a subir hacia el norte por el Paraná. A cierta altura, en la desembocadura del río Carcarañá —en cuyo nacimiento algunos que sin duda nunca lo habían visto pretendían que también había inmensas riquezas—, fundó el fuerte de Sancti Spiritus, en 1527, que es la primera fundación española en todo el territorio argentino. Se ha escrito mucho sobre la desobediencia de Gaboto a Carlos V, ya que en lugar de ir a las Molucas decidió internarse en el Paraná —lo mismo que su sucesor, por otra parte, con el que unos meses más tarde se encontró inopinadamente en medio del río, lo que dio lugar a una querella de propietarios—, pero en mi opinión no hizo más que interpretar el espíritu de las instrucciones del emperador, pensando que iba a encontrar en América lo que se le había mandado buscar en Oriente. Pero es cierto también que mi opinión es interesada, porque el fuerte de Sancti Spiritus fue fundado, casi sin ninguna exageración, enfrente de mi casa.

Los cuatro o cinco pueblos que rodean el que en la actualidad se llama Puerto Gaboto —Díaz, Clarke, Monje, Maciel, Andino y el mío, Serodino, todas colonias cerealeras y lecheras desde fines del siglo pasado— constituyen el espacio arcaico de mi infancia y uno de mis primeros recuerdos justamente, unos cuatrocientos quince años después de la fundación del fuerte, es el de una tarde de domingo, en que estoy saliendo del río, aterrorizado, con una sanguijuela pegada en el pecho, a la que ni siquiera me atrevo a tocar para arrancármela. Digo que es una tarde de domingo, porque sólo los domingos, una parte de mi familia, que vivía diseminada en esos pueblos de la llanura, cargaba sillas, comida, manteles, niños y viejos, y se iba a pasar el día en el río, para retozar un poco en el agua y mitigar de ese modo, de lo más transitorio, los efectos del verano. Como si ya estuviese sentado en algún lugar de la costa con los dedos elevados sobre las teclas de la máquina de escribir, me veo venir a mí mismo desde el agua, llorando y chapaleando, los brazos separados del cuerpo con espanto y repulsión, con la sanguijuela negra pegada en diagonal entre las tetillas, yo mismo no mayor de cinco años, enceguecido por el agua y las lágrimas, y la luz del sol sin dudas, a espaldas del recordador que se apresta a consignar el recuerdo, pero de frente al chico que sale, en dirección este-oeste, del agua vagamente dorada y se pone a patalear, aullando, en el barro gredoso de la orilla. Aunque sé, porque más tarde, entre las anécdotas de familia, la historia fue contada varias veces, que mi padre, o mi madre, y sin duda algunas tías y primos se acercaron y me la sacaron, valiéndose de la brasa de un cigarrillo, que apoyaron contra la cinta húmeda, negruzca y gelatinosa, para obligarla a contraerse despegándose e interrumpiendo su succión insensata, ninguna imagen ilustra esta certidumbre, y únicamente aparece, obstinado, el chico de cinco años, yo sin duda, que está saliendo, aterrorizado, del agua.

Más de un lector se estará preguntando a qué viene, en pleno relato histórico, esta digresión autobiográfica. De más está decir que, habituado a denostar, por principio, toda autobiografía, o a clasificarla, sin muchos miramientos, en el rubro *literatura de imaginación*, yo mismo, en su lugar, hubiese hecho la misma pregunta, pero el hecho de haber nacido, unos pocos siglos más tarde, casi enfrente del fuerte de Sancti Spiritus erigido por Gaboto, me permite en tanto que observador privilegiado, apoyar con datos empíricos lo que salta a la vista de los relatos históricos: que en las primeras décadas, por no decir en el primer siglo de la conquista, todo el mundo estaba *de paso* por el Río de Plata, nadie tenía la menor intención de instalarse. Esta óptica especial persistirá hasta nuestros días en muchos sectores de la población, por causas diversas y asumiendo formas diferentes, y ha influido en la constitución de nuestra sociedad, de nuestra cultura, de nuestras costumbres, de nuestras emociones y de nuestra economía. Ya volveré más adelante sobre este tema.

Gaboto sólo quería establecer un fuerte a mitad de camino entre el norte fabuloso que se disponía a explorar y el océano Atlántico, un puesto de retaguardia transitorio que le permitiese volver a un lugar relativamente seguro y relativamente cercano —sus nociones geográficas eran imprecisas— si encontraba dificultades en el Paraguay, que es hasta donde llegó. Las mismas consideraciones presidirían la fundación de Buenos Aires por Pedro de Mendoza, en 1536. Habiendo nacido en la región, a las pruebas documentales y a las deducciones históricas puedo agregar los argumentos empíricos que son, me parece, irrefutables: ese lugar en el que fue fundado el fuerte mostraba a primera vista que era el menos atrayente, por no decir el más inhóspito del mundo. Basta haberlo visto una sola vez para darse cuenta de que nadie, a menos que fuese por obligación, podría decidir quedarse en un lugar semejante. Debe ser el lugar más despojado de toda América, sin ningún interés particular y, aparte de su posición estratégica para una posible retirada hacia alta mar, fue sin duda su apariencia neutra lo que, instintivamente, decidió a ese veneciano.

Esa porción de la pampa, que la gente de Buenos Aires llama norteña, y la de Santa Fe, que se encuentra en el extremo norte, llama sur, es, como pudo verificarse tres siglos y medio más tarde, una de las tierras más fértiles del mundo, formada de lo que llaman suelos rojos, negros y castaños de pradera, y en el siglo pasado podía rendir dos cosechas de trigo por año; pero hasta 1870 más o menos, nadie, excepción hecha de los indios, llamaba *pampa* a la llanura, ni nadie tampoco la llamaba llanura, ya que era conocida con una designación menos prestigiosa: el Desierto. A medida que se iba ganando terreno sobre la llanura, esa apelación aprensiva, el Desierto, fue quedando para las tierras que todavía estaban en manos de los indios, o expuestas a sus incursiones, lo que significaba, hacia 1800, la pampa casi entera y la totalidad de la Patagonia. El único atributo de la pampa, su fertilidad, no presentaba el menor interés para los españoles, que eran navegantes o aventureros, o para los indios nómadas o seminómadas, que eran cazadores y recolectores. Hasta el día de hoy, el campesino que trabaja la tierra, aparte de los párrafos huecos que le consagran los discursos políticos y escolares, no deja de ser considerado con sarcasmo y desprecio en la imaginación popular, y no únicamente en la Argentina.

La observación chiaramonteana (de José Carlos Chiaramonte) acerca de la escasa huella de estos grandes ríos en la imaginación popular en relación con la omnipresencia de la pampa, es no solamente exacta, sino también sorprendente, teniendo en cuenta que, durante varios siglos, esos ríos fueron la única parte habitada y frecuentada, que fueron vía de comunicación, lugar de recreo, de comercio, y también paisaje, fuente de litigio y campo de batalla. Pero creo que la causa del olvido viene justamente de ese exceso de frecuentación. Se estaba tan habituado a ellos, que no tenían nada de exóticos, y una prueba indirecta de esta afirmación podría obtenerse observando que los mejores textos sobre el Paraná, el Uruguay y el Río de la Plata fueron escritos por extranjeros. Para la pampa, en cambio, todos e incluso los indios, eran como extranjeros, aun cuando hubiesen nacido en sus orillas o, por obligación, hubiesen debido atravesarla. Para los españoles, es como si nunca hubiese existido: la evitaban con cuidado y con recelo.

Es sabido que la imagen arquetípica de la pampa, la que todo el mundo posee y confunde con una experiencia directa, es de origen romántico, y que el hombre que la elaboró, Domingo Faustino Sarmiento, no la conocía. Esta pampa de prototipos a la Fenimore Cooper y a la Chateaubriand, en plena aculturación, que se confunde un poco con las grandes propiedades de la provincia de Buenos Aires, por intensa que sea su representación en el libro inmortal, tiene poco que ver con la pampa presarmientina, inmemorial y vacía, la *terra incognita* sin habitantes y sin ganado, sin accidentes y sin agua, en la que, sin el caballo, los desplazamientos eran impensables, la gran plataforma chata que, valiéndose de su sola lisura y uniformidad, era capaz de detener, en los pantanos de lo idéntico, cualquier progresión, animal o humana, o incluso vegetal, del mismo modo que lo hace con ciertos ríos que bajan de las tierras altas del oeste y que, interrumpiendo su curso hacia el mar, se extenúan en los campos por la ausencia de declive. La conquista y la colonización se hicieron de espaldas a la llanura, y hay que hacer un esfuerzo de imaginación para tratar de aprehender el modo en que, en las pequeñas ciudades del litoral, se representaban ese espacio sin límites y sin forma precisa, totalmente desconocido, que se extendía indefinidamente hacia el suroeste. De más está decir que las tribus fluviales lo ignoraban y que por nada del mundo se alejaban de la franja estrecha paralela a los ríos, y que los indios del sur, aun en posesión del caballo, la recorrían únicamente en ciertas épocas del año y en trayectos organizados a los que se atenían rigurosamente.

Formada por los primeros plegamientos terrestres, la pampa es un enorme agujero, abierto como consecuencia de un derrumbe geológico, relleno de sedimentos, y, según se dice, su antigüedad es demostrada por el espesor de esos sedimentos, esencialmente limo y loess, que en ciertos lugares alcanzan seis mil metros de profundidad. Su configuración definitiva proviene de la era terciaria, en la que la irrupción de la Cordillera de los Andes, remodelando todo el territorio, hizo surgir las sierras al sur de Buenos Aires, onduló, para comodidad de tantos poetas, las cuchillas entrerrianas, y abrió las fallas que formaron el lecho del Paraná y del Uruguay. En cuanto a la llanura, esos estremecimientos finales emparejaron su superficie, como queda liso un montón de arena cuando sacudimos el recipiente que lo contiene. En su extensión alternan zonas altas y bajas, tierras fértiles y estériles, rojas, negras o castañas pero también blancas, pantanos y salinas, tierras secas o bien regadas por la lluvia, pastos verdes y nutritivos o estepas, bosques (monte es más bien la palabra que se emplea para denominarlos, en razón de la poca altura de los árboles) o campos despejados. Del mismo modo que un medio extranjero u hostil induce a quienes presentan ciertas semejanzas a la sociabilidad, en la pampa, me ha parecido observarlo, las especies tienden a agruparse en colonias. Sin duda las características del suelo y del clima son la causa natural de este fenómeno, de lo más común en todas partes, pero como he leído en una enciclopedia reciente (1978), a propósito de ciertos montes, "no se alcanza a comprender qué lo(s) limita hacia el este, aunque se puede vislumbrar que puede ser lo mismo que impide que toda el área bonaerense no sea bosque, lo que no está bien determinado aún e intriga a los ecólogos, ya que de acuerdo con las teorías tradicionales al clima de esa región debería corresponder el bosque de latifoliadas y no la pradera", creo que en este caso podemos prescindir de la descripción científica y confiar en la observación directa. El término *colonias* es de lo más apropiado, porque no se llamaron de otra manera, en la llanura, los primeros grupos de inmigrantes que se reunían en pequeñas propiedades, cercanas unas de otras, para explotar la tierra.

Es cierto que es de lo más común encontrar, en Francia y en cualquier otro lado, un campo de amapolas bien delimitado o, en algún rincón del bosque, al pie de ciertos árboles, una colonia de hongos, que el aficionado viene regularmente a recoger cuando llega la estación, pero en los campos estrechos y muy parcelados del campo europeo, esos agrupamientos no tienen la gracia un poco conmovedora de las *colonias* de lirios, de nardos o de verbenas del campo argentino: perdidas en la vastedad de la tierra chata, hacen pensar en criaturas abandonadas que se acurrucan unas contra otras para no desaparecer en lo inmenso. El afán gregario las empuja a veces a la incongruencia —la perplejidad de la enciclopedia ya mencionada lo corrobora—, como ocurre con un campo de tunas, cactus de tierra seca, que crece a la orilla del arroyo Monje, no lejos del fuerte de Sancti Spiritus, y que me intriga desde hace años. En un campito cuadrado, hay tunas y sólo tunas, dispuestas de manera bastante ordenada, a distancia regular unas de otras, como si lo informe se hubiese resuelto, durante un trecho corto, una mota en lo infinito a decir verdad, y por pura casualidad, en ĝeometría. Estas colonias vegetales, animales, y habitacionales, por otra parte, esta alternancia de lo lleno y de lo vacío, contra el fondo gris o verde del suelo, según la estación, acentúan el carácter abstracto de la llanura, ya que hacen resaltar la organización serial del mundo, desterrando toda idea de proliferación irracional y de exuberancia. Bajo el cielo pálido de ciertas mañanas de primavera, entre extensiones interminables de campo vacío, las alfombras circunscriptas de verbenas o de lirios salvajes, *que no hilan ni trabajan*, o los pueblos distribuidos en manzanas, divididos en dos por las vías paralelas del ferrocarril, sin contar los caminos inacabables en los que durante decenas de kilómetros no hay una sola curva, acentúan todavía más ese carácter abstracto y geométrico de la llanura. La exuberancia, cuando se manifiesta, viene de la densidad del agrupamiento, de la repetición indefinida de lo semejante, como ocurrirá con el ganado salvaje vagando por la llanura, o como la liebre, de la que en veinte años —entre 1941 y 1960— se exportaron 35.000.000 de cueros. O como los cardos de flores azules o de un rosa azulado, de los que leemos en la página 358 de *El país de los argentinos (Las pampas)*, del Centro Editor de América Latina: "Endebles como eran, los tallos de los cardos alcanzaban normalmente los dos metros de altura y en 'años de cardos' llegaban a los tres, formando una masa compacta *a la que se podía oír crecer* porque las hojas entrecruzadas de las plantas vecinas sonaban con un suave chasquido al destrabarse por efecto de su crecimiento".

Como sucederá a menudo en años ulteriores, los indios atacaron e incendiaron el fuerte de Sancti Spiritus, y lo que quedó de la expedición de Gaboto regresó a España.

Seis años más tarde, un poco más al sur, en la entrada misma del Río de la Plata, desembarcó una nueva expedición, la de Pedro de Mendoza, para efectuar lo que se llama, impropiamente, la primera fundación de Buenos Aires, en febrero de 1536. Digo impropiamente porque, aparte del cronista bávaro de la expedición, que en el comienzo del capítulo 7 de su libro dice: "En ese sitio construimos una ciudad que se llama Buenos Aires", no existe, como es el caso con otras ciudades, ningún documento que pruebe de modo expreso la fundación. Los campamentos que se levantaban en la zona tenían el hábito tenaz de ser provisorios, y si a veces el desaliento y la inmovilidad involuntarios los obligaban a la permanencia, los indios les recordaban, arrasándolos de la superficie del llano, su provisoriedad. En lo que a Buenos Aires se refiere, no pocos sostienen que si el asiento de la expedición se produjo en la orilla sur del río y no en el actual territorio uruguayo, fue para impedir las deserciones ya que, con la vasta superficie de agua de por medio, les era más difícil, a quienes tenían la intención de hacerlo, ir a buscar refugio entre las colonias portuguesas del Brasil.

La expedición de Mendoza se inauguró con un crimen horrendo, del que nos han llegado muchos detalles vívidos y novelescos. Ese crimen no es el único material patético de ese viaje demente, que ya en las Canarias, donde las naves hicieron una etapa, se complicó con el rapto de una doncella, hecho que motivó las primeras querellas internas que dieron lugar al asesinato, perpetrado en Río de Janeiro. Muchos otros detalles se añaden para acentuar la singularidad y la ineluctabilidad del desastre. En primer lugar, la personalidad de Pedro de Mendoza, que tenía un poco más de treinta años cuando organizó la expedición, pero que debió posponer durante casi dos años la partida a causa de la sífilis que lo minaba. El nombre parálisis general que se le dio más tarde a esa enfermedad podría aplicarse, simbólicamente, al destino de los mil doscientos miembros que componían la expedición, al arbitrio de las más extrañas y contradictorias decisiones de su jefe. Después de haber hecho asesinar sin ninguna forma de proceso, basándose en vagas acusaciones, al más querido de sus oficiales, en una atmósfera de calumnias, de delirio y de recelos, empezó a clamar que ese crimen, decidido entre las pesadillas que lo visitaban en su cama febril, causaría la pérdida de la expedición entera. Solís había muerto en el río de un modo inopinado y absurdo, víctima de su cruce sin patetismo con una fuerza neutra, semejante a una calamidad natural; Mendoza, en cambio, introdujo las turbulencias psicológicas, el tironeo del bien y del mal, las vicisitudes del poder, del error y de la intriga. Un flechazo limpio, disparado desde lo arcaico, interrumpió los pensamientos atentos y desprevenidos de Solís cuando daba los primeros pasos por una tierra desconocida, y los dientes humanos que royeron sus huesos hasta dejarlos blancos y, dispersándolos, confundirlos con el suelo planetario, no eran más indiferentes o imparciales que la lluvia o la erosión. La desaparición de Mendoza, por el contrario, es la última etapa de una larga agonía, puntuada por una sucesión de catástrofes que iban aumentando, día a día, a medida que se acumulaban, la conciencia lastimosa de su fracaso.

Mendoza no era para nada un navegante, como Solís o Gaboto, ni un aventurero, como Pizarro o Cortés: era únicamente un cortesano adinerado; su expedición era lo que hoy llamaríamos una empresa privada. Por haber asumido el mando de la expedición, desplazándose personalmente a América y sufriendo en carne propia las vicisitudes trágicas de la aventura, se transformó en la cabeza visible de un grupo de capitalistas que establecieron un convenio con la Corona, la cual, mediante concesiones de territorios y porcentajes de lo que pudiera saquearse en América, como lo habían hecho Cortés y Pizarro en México y Perú, se asociaba con inversores privados, esperando obtener una parte de los beneficios sin arriesgar un centavo de su propio bolsillo. Intereses políticos y estratégicos se sumaban a los económicos, ya que uno de los motivos del viaje de Mendoza era también instalarse y tomar posesión del más grande territorio posible en América del Sur para evitar la expansión portuguesa. Con la llegada a Sevilla, en 1534, de una de las naves de Pizarro, cargada de riquezas, se estaba en el momento culminante de la leyenda dorada de América, y la prueba de ello es que Carlos V, en el contrato que firma con Mendoza y sus asociados, exige que si se logra secuestrar o matar a un *cacique,* como los Pizarro hicieron con Atahualpa, un porcentaje del pillaje corresponderá a la Corona. Estos espejismos muestran que, aun para los emperadores, el pasado es la única referencia, induciéndolos a la superstición primitiva de creer que lo que ocurrió una vez se repetirá eternamente.

Sin tener exactamente las características de un viaje organizado —un tour, como se dice ahora—, vale la pena hacer notar que las mil doscientas personas que se embarcaron en la flota de Mendoza pagaron por hacerlo y que, además del flete, a los pasajeros de una de las naves se les cobró un suplemento de un ducado y medio para, a causa de lo apretados que estaban en ellas, comprar una nave suplementaria, que en definitiva nunca se compró, y podemos preguntarnos cuál sería el estado de ánimo de esos pasajeros al comprobar en Río de Janeiro que los organizadores del viaje empezaban a asesinarse entre ellos antes de haber llegado a destino. Una parte de la expedición se perdió en alta mar y fue a dar a las Antillas, al mando de Alonso Cabrera, y llegaría a su destino varios meses más tarde. Este Alonso Cabrera acabaría en 1541 con lo que quedaba de

Buenos Aires, prendiéndole fuego. Según el pedantísimo Enrique de Gandía, "la historia de la primera Buenos Aires puede decirse, con razón, que consta de dos partes: una que estuvo en manos de un sifilítico, y otra que estuvo a merced de un loco".

Desde un punto de vista formal, y aun en lo que atañe a las intenciones de los que desembarcaron en la orilla suroeste del río en pleno verano de 1536, hay que reconocer que ya estaban presentes en el acontecimiento muchos de los elementos característicos de lo que serían después la ciudad y la región. Ese desembarco plantó, de una vez y para siempre, la semilla de nuestras suavidades y de nuestras asperezas. La imagen clásica del conquistador español que ha quedado como arquetipo de esas empresas no resiste demasiado cuando se la confronta con los hechos: entre los principales había holandeses, y también entre los soldados, tripulantes y pasajeros, del mismo modo que ingleses, portugueses, alemanes. Un barco entero venía cargado de genoveses, y la crónica de esa triste epopeya fue redactada en alemán treinta años más tarde, a orillas del Danubio, por el soldado Ulrico Schmidel, que chapaleó y guerreó durante dos décadas entre esos ríos barrosos, dos décadas al cabo de las cuales, después de pedir licencia a sus superiores, atravesó a pie el Brasil, se embarcó en la costa atlántica, y volvió a su pueblo natal. La acusación de *judío*, tan infame y peligrosa en la España del Renacimiento como en la Alemania nazi, era la primera que se profería cuando se urdían las conspiraciones o estallaban las querellas, y en ciertos casos se volvía todavía más repugnante porque era cierta. Un siglo más tarde, en 1647, sesenta y siete años después de la segunda fundación, Buenos Aires contaba con 1.500 habitantes, de los que, cuenta Busaniche, un cuarto eran portugueses, a los que se mantenía aislados por sospechar que eran judíos. De más está decir que portugueses y españoles, salvo en los momentos en que ambas coronas se unificaban, estaban permanentemente en conflicto, y que la acusación de judíos, como se ha visto tantas veces, era también una manera cómoda de neutralizarlos y tenerlos bajo vigilancia.

Ya tenemos tres elementos casi constantes de la región: un puñado de dirigentes que reivindican toda una serie de privilegios, una mayoría de pobres diablos de diversas nacionalidades a los que la miseria empujó a América con la intención de enriquecerse, y una vasta masa anónima, los indios, relegada a las tinieblas exteriores. Hacia 1875 la situación no era diferente y, sin querer exagerar, me atrevería a decir que en 1991 sigue siendo la misma, aunque la modalidad y las magnitudes hayan cambiado. El grito perplejo de los *beatniks* de Norteamérica, "¿Quién se robó el sueño americano?", nosotros, los del sur del continente, no necesitamos proferirlo, porque nuestro propio sueño, en todos los sentidos de la palabra, sabemos muy bien quién nos lo robó.

Pero lo que en el desenvolvimiento de la historia asumirá la forma circunstanciada de una novela naturalista, con sordideces jurídicas, torvas historias de familias, inversiones deshonrosas de alianzas, especulación financiera, falsificación cínica de la historia, racismo orgánico y públicamente declarado, apropiación fraudulenta de bienes públicos, arrogancia y corrupción, en los años arduos de la primera *fundación* tendrá los rasgos espesos de una farsa sangrienta, y es imposible no relacionar esos acontecimientos con la irrealidad del mundo que unos pocos años más tarde obsesionaría a los artistas del Siglo de Oro. Carlos V le otorgó a Pedro de Mendoza el título de Adelantado y Capitán General; con esos títulos, le concedía el mando en el Río de la Plata y en doscientas leguas de tierra e islas en la costa del Pacífico, al sur de las doscientas leguas, igualmente imaginarias, puesto que eran tierras totalmente desconocidas, que concedió el mismo día a quienes, a sangre y fuego, se habían apoderado del Perú. Era como decirle: "no le otorgo nada, pero si en la nada que le otorgo encuentra algo de valor, de ese algo me corresponde tanto por ciento". De adolescente, Mendoza había sido paje de Carlos V: en el Río de la Plata, el ceremonial cortesano, sedoso y delicado, se convirtió en una mueca. Sin duda para obligarlo a quedarse en el río de Solís, ya que nadie pensaba más que en el oro, la plata y las piedras preciosas del Perú, el emperador autorizaba a su antiguo paje a construir, a su costa desde luego, tres fortalezas de piedra, y lo mismo hubiese sido que lo *autorizara* a edificarlas de porcelana china, porque no había una sola piedra en quinientos kilómetros a la redonda. Lo que se construyó fue un caserío de leña, paja y barro —*ranchos* miserables que se convertirían, con el correr del tiempo, en la vivienda tradicional de los pobres de la región— con un edificio un poco más grande que las autoridades llamaban la *casa fuerte* y el resto de los pobladores *la choza del Adelantado.*

Las ilusiones de Mendoza fueron encogiendo con la rapidez con que se cierra el nudo corredizo contra la garganta del condenado. La tierra vacía y chata en la que encalló, tan propicia al delirio aun en los días más calmos de la existencia, no hizo más que acrecentar los espasmos de su propia fiebre, que era terriblemente verdadera y que, desde la partida misma de España, lo enredó en espejismos, en incongruencias, en recelos paranoicos y en caprichos sangrientos, como pretender obtener de los indios por la fuerza lo que los indios, que vivían en condiciones precarias, le habían dado de buena gana, ya que, dice Schmidel, "durante dos semanas, estos querandíes compartieron todos los días con nosotros su pobreza de pescado y carne que trajeron al campamento, salvando tan sólo un día que no vinieron. Por eso nuestro capitán general Don Pedro de Mendoza envió a ellos un alcalde llamado Juan Pavón con dos soldados…" Ya durante la travesía del Atlántico, se lo veía rara vez en cubierta, y siempre pudiendo apenas mantenerse en pie, apoyado en el brazo de su segundo. No sólo su enfermedad lo inhabilitaba para el mando, sino también su vida blanda de cortesano y de hijo de ricos que había querido multiplicar su herencia en un negocio que prometía ganancias imaginarias, sin contar los remordimientos supersticiosos por el crimen gratuito perpetrado en la costa del Brasil, que lo volvían irresoluto, desesperado y sombrío. En los desplazamientos lo tenían que transportar y alguien lo describe, en la peripecia de un viaje, con las piernas y las manos paralizadas y medio afásico, siempre sostenido por sus capitanes, a los que en sus momentos de irritación trataba de judíos, pero de los que dependía totalmente y de los que sin duda no ignoraba que, en razón de su estado de salud, ya desde la salida de España intrigaban en la sombra para sucederlo. A medida que progresaba su agonía, sus veleidades autoritarias fueron deshilachándose en suspiros, en súplicas y en lamentos. Un año y medio después de haber entrado en el Río de la Plata, cuando lo estaban embarcando para llevárselo de vuelta a España, les suplicaba a sus subalternos que abandonaran el río y que subieran hacia el Perú, para decirle a Pizarro que estaba dispuesto a venderle las doscientas leguas de continente que tenía sobre el Pacífico, que nunca llegó a ver, y que ni siquiera sabía si existían, "y por el Río de la Plata también", por lo que Pizarro, el carnicero, estuviese dispuesto a darle, "y si Dios os diere alguna joya o piedra, no dejéis de enviármela, porque tenga algún remedio de mis trabajos y de mis llagas, alguna perla o joya que ya sabéis que no tengo qué comer en España", riesgo que ciertamente no lo amenazaba, y cuya enunciación muestra hasta el fin sus divergencias con lo real, porque moriría en alta mar.

Las exigencias irrazonables de Mendoza irritaron a los indios. Los charrúas, al ver llegar a los españoles, se habían alejado, prudentes, de la costa hacia el interior de las tierras, pero los querandíes, cuya región de errabundeo comprendía el lugar donde se había asentado el campamento, empezaron, como se ha visto, a colaborar con los extranjeros, hasta que el incidente que cuenta Ulrico Schmidel los hizo cambiar de opinión. La estúpida iconografía de la conquista nos muestra a los indios americanos de rodillas, deslumbrados por la incandescencia semidivina de los conquistadores, y dispuestos a ceder, por infantilismo pragmático, el continente entero con todas sus riquezas por un puñado de cuentas de colores. Nada es más inexacto: ya se trate de la conquista de México o del Perú, o de las tribus menos evolucionadas del sur de América, salta a la vista que la actitud de los indios, sumisión, alianza o beligerancia, obedecía a razones políticas. Sin la ayuda de los pueblos que odiaban con razón la tiranía sanguinaria de los aztecas, Cortés no hubiese logrado tan fácilmente la conquista de México. Las tribus del territorio argentino, más oscuras y atrasadas, no estaban sin embargo al abrigo de esos conflictos, y vivían guerreando entre ellas, a veces a causa de antagonismos ancestrales e irreconciliables o de rencillas episódicas a las que bastaba una mera transgresión protocolar para desencadenarse. Esas transgresiones protocolares podían producirse con más facilidad entre indios y europeos en razón de la ignorancia mutua de los hábitos respectivos, y, si nos atenemos al relato de Schmidel, que toma la precaución de informarnos que fue testigo presencial de los hechos —"yo en esto he estado presente"—, el cambio de actitud de los querandíes, que no aceptaron las maneras autoritarias de los enviados de Mendoza, podemos caracterizar esa torpeza diplomática como una transgresión protocolar. Los emisarios volvieron apaleados, de modo que Mendoza organizó una expedición punitiva de trescientos hombres, al mando de su propio hermano, Diego de Mendoza. Pero cuando llegaron, descubrieron que los indios habían convocado a unas tribus aliadas formando un ejército de cuatro mil hombres.

Esa batalla será la primera de una guerra que durará, con las más variadas peripecias, tres siglos y medio. Ese entrevero sangriento es otra de las constantes que inaugura la primera *fundación* de Buenos Aires, y el intercambio de atrocidades —también los indios eran oblicuos y brutales— sólo acabará en 1880, con el exterminio definitivo de una de las partes en conflicto: dejo al lector perspicaz adivinar de cuál de las dos se trata. La proporción de bajas de la primera escaramuza puede orientarlo en ese sentido: Diego de Mendoza y seis *hidalgos* murieron a golpes de boleadoras y veinte soldados, más limpiamente, a flechazos; "por su parte, dice Utz (sobrenombre familiar de Schmidel), perecieron cerca de mil hombres, peleando valerosamente como lo pudimos probar". La mención de este detalle, así como el de que a pesar de vencerlos no lograron capturar un solo indio porque habían puesto a resguardo a las mujeres y a los niños, enaltece no únicamente a los indios, sino también al cronista que treinta años más tarde lo consignó y, por contraste, me vienen a la memoria unos versos repulsivos de Kipling, que, llamando hora de gloria a una matanza de zulúes, susurra cínicamente: "eran mucho más numerosos/ pero nosotros teníamos ametralladoras/ y ellos no".

Indios y europeos tenían, en ese lugar, un enemigo común: el hambre. Todavía hoy, en lenguaje coloquial, la expresión vivir *de la caza y de la pesca* significa carecer de recursos seguros y regulares; la extensión desmesurada de la llanura, las crecidas violentas de los ríos, la ausencia de agricultura y de frutos silvestres que más arriba, en el Paraguay, sumándose a las indias jóvenes y acogedoras, hacían de la selva, a estar con algunos, un paraíso, convertían al Río de la Plata en un lugar de indigencia. En campo abierto, los indios se morían no sólo de hambre sino también de sed, y cuando lograban matar un animal se precipitaban a beberle la sangre. De los dos mil quinientos europeos que, en sucesivos desembarcos, habían ido llegando, al cabo de tres años quedaban un poco más de quinientos, y la mayor parte había muerto de hambre. Conscientes de que el tiempo trabajaba de su lado, los indios sitiaron el campamento e introdujeron en él un caballo de Troya ineluctable, el hambre, que diezmó a los europeos, hasta que los sitiadores mismos debieron retirarse, víctimas del mismo mal que infligían a sus enemigos. No habían desmantelado únicamente sus defensas y sus construcciones precarias a golpes de maza y, haciéndolas vibrar certeras a través del aire límpido, de sus flechas incendiarias, sino que también habían ido retirando, a medida que pasaban los días, de la intimidad de sus conciencias, capas y capas de hábitos y de prohibiciones inmemoriales que habían hecho de ellos hombres civilizados. Los primeros pasos de Solís por el territorio americano lo condujeron a un encuentro rápido y desastroso con lo arcaico, pero con lo arcaico en su forma exterior, llegando, igual que una flecha lanzada desde los primeros tiempos, a clavarse en la garganta del descubridor. En el primer asiento de Buenos Aires lo arcaico fue manifestándose, en esos hombres, desde dentro, no como la flecha de Solís, sino igual que el río en cuya orilla naufragaban, por crecimiento gradual de sus aguas oscuras, que poco a poco sumergen todo el paisaje conocido y al retirarse dejan por todas partes los rastros de su paso: "Era tanta la pobreza y el hambre que no había bastantes ratas, ratones, serpientes ni otros bichejos inmundos para aplacar el hambre tan grande e infame. No quedaron zapatos ni cuero alguno, todo se comía. Y sucedió que tres españoles robaron un caballo y se lo comieron. La cosa fue sabida y los prendieron y, sometidos a tormento, lo confesaron, y fueron condenados y ahorcados. Aquella misma noche, tres españoles se juntaron y fueron al cadalso donde estaban los ahorcados, cortaron los muslos y otros grandes pedazos de carne y los llevaron para matar el hambre incontenible. Así, hubo también un español que por el hambre grandísima comió a su hermano muerto en la ciudad de Buenos Aires". La reciente traducción, un poco edulcorada, de la que saco este fragmento omite un detalle que la edición de Edmundo Wernicke, de 1928, presenta, aumentando el prestigio del azar objetivo, de la siguiente manera: "Esto ha sucedido… en nuestro día de Corpus Christi en la sobredicha ciudad de Buenos Aires".

El caballo que robaron era uno de los pocos que iban quedando de los 72 que, según Schmidel, habían llegado a

América con la expedición de Mendoza. Pero cuando, en 1541, la ciudad fue incendiada y abandonada, de los cien que habían salido de España quedaban cinco yeguas y siete caballos, que los pobladores no quisieron o no pudieron llevar con ellos y que se perdieron en la llanura: unos años más tarde reaparecerían multiplicados al infinito, en esas manadas salvajes y trashumantes que fueron la primera singularidad viviente de la pampa, y que ya es indisociable de su esencia. Es conocido el chiste de Macedonio Fernández según el cual los gauchos no fueron más que un invento que fraguaron los caballos para entretenerse en la monotonía de la pampa, pero desde el punto de vista cronológico no es para nada un chiste, porque el caballo ocupó la pampa y únicamente después aparecieron los gauchos, en total dependencia respecto del caballo; y la expresión *andar de a pie* para expresar el abandono más absoluto demuestra que, sin caballo, el hombre estaba condenado a la inexistencia.

El origen de las vacas salvajes, tan multitudinarias como los caballos y como lo serían más tarde los perros cimarrones, bandas infinitas de perros feroces que vagaban por la llanura, es más incierto, y se produjo por dispersión sucesiva y azarosa, como ocurrió en los llanos escitas con los bueyes de Gerión, cuyo arreo desde la isla Eritia hasta Grecia constituye el décimo de los doce trabajos impuestos a Hércules por su primo Euristeo. (La sumisión de Hércules a su primo, tan afeminado y cobarde que se escondía cada vez que veía llegar al héroe de vuelta de uno de sus trabajos, todavía tiene perplejos a filólogos y estudiosos de la mitología.)

Puede decirse que en la pampa, es el ganado, vacuno y caballar, lo que creó la civilización, y no lo contrario. Sin vacas y caballos, el Río de la Plata, en tanto que cultura específica, no hubiese existido independientemente de los aspectos económicos del problema —y nunca la palabra *problema* ha sido más adecuada a un objeto—; es necesario afirmar del modo más categórico que ese ganado infinito disperso en la llanura, esas masas vivientes de pelo, carne y vísceras, que ejemplificaban hasta la náusea la manía repetitiva y serial de lo existente, trotan desde su aparición no únicamente sobre el suelo chato de la pampa, sino sobre todo, a través de muchas metamorfosis, en la imaginación de sus habitantes. En el bestiario rioplatense, la vaca y el caballo, así como el unicornio y el cordero en el cristiano, ocupan el primer lugar.

A mediados de los años setenta, después de varios de ausencia, volvía a pasar algunas semanas en la Argentina. La primera transcurrió en Buenos Aires, y hay que decir que la alegría de ciertos reencuentros fue contaminada por el clima de terror que reinaba, ya que eran los primeros días del golpe militar de 1976. Al terror se sumaban el peligro real, el extrañamiento de estar en una ciudad ocupada, la circunspección prudente y agobiada de la gente, la violencia subrepticia o explícita que podía estallar, del modo más inesperado, en cualquier esquina. Pero aun olvidando ese clima trágico, que anulaba nuestra alegría y nos obligaba a susurrar nuestra indignación y en ciertos casos hasta nuestros afectos, la ciudad no logró despertar en mí sensaciones dormidas o apelmazadas después de tantos años de ausencia, ese sentimiento de pertenencia que, para bien o para mal, y aun cuando sea puramente asociativo, nos une con el lugar donde transcurrió nuestra infancia. Es verdad que conocí Buenos Aires a los diecinueve años, pero *su Ersatz* restringida, Rosario, me es familiar desde los primeros años de mi vida. Al cabo de una semana emprendimos, con la persona que me acompañaba, el viaje hasta la casa de mi familia, en Santa Fe, a quinientos kilómetros al norte de Buenos Aires, atravesando en ómnibus la pampa, por el camino recto de asfalto que va bordeando el río Paraná. Salimos de la terminal de ómnibus como a las cuatro de la tarde y, poco a poco, a medida que se iban enrareciendo las ciudades que rodean la capital, arracimadas en la periferia y conocidas con el nombre de Gran Buenos Aires, fuimos internándonos, con el día que declinaba, en pleno campo. Se habrá notado que, antes del crepúsculo propiamente dicho, de lo más lento, espectacular y fastuoso en la llanura, hay una hora, precrepuscular, en que antes de descomponerse en muchos tonos que van del naranja al violeta, la luz del sol empalidece, se vuelve exangüe y descolorida, con tintes verdosos que vuelven desolados los paisajes más pintorescos y angustiosos los estados de ánimo más apacibles. Fue bajo esa luz insoportable que íbamos penetrando en el campo lo que, sumado a la situación general del país, me daba la impresión de estar atravesando el lugar más triste del mundo, la llanura monótona y casi sin cultivar, interrumpida de tanto en tanto por pantanos, cañadas, arbolitos raquíticos, alguna chacra perdida, oculta entre eucaliptos que la anuncian de lejos, algún hombre a caballo. Así hasta que, al anochecer, el colectivo se detuvo en la primera parada, un bar-restaurante flanqueado de una estación de servicio y de un taller mecánico, al costado del camino, separado de la cinta de asfalto por una vasta explanada de tierra endurecida, alto ritual de colectivos, autos y camiones, que van y vienen de la capital al norte del país e incluso al Paraguay.

Los quince minutos de parada que habitualmente anuncia el conductor suelen prolongarse hasta la media hora, de modo que después de tomar un café en el mostrador del bar-restaurante, queda tiempo de sobra todavía para estirar las piernas dando un paseo por la explanada, con la última luz del día —una raya rojiza en el horizonte— en pleno campo abierto, detrás del edificio largo y chato del bar-restaurante. Empecé a pasearme en la penumbra del anochecer, por primera vez después de cinco años de ausencia, en un lugar insignificante, idéntico a todos los otros que lo constituyen, del campo argentino. Recuerdos y sensaciones informuladas, al mero contacto del aire de un anochecer un poco fresco al final del verano, empezaron a insinuarse, indecisos y todavía sin nitidez, en mi interior. Las suelas de mis zapatos, que se deslizaban chasqueando sobre el suelo de tierra endurecida por el ir y venir de colectivos y camiones tropezaron, de pronto, con una superficie más blanda y accidentada, unos rebordes de barro seco irregulares, gruesos y rugosos, que aun en la oscuridad creciente, no me llevó más que una fracción de segundo reconocer: comprendí que debía detenerme, porque sin duda había llovido un par de días antes, y esas anfractuosidades del terreno eran unas huellas resecas que, con la punta del pie, pude identificar fácilmente como hechas por patas de animales, debido a su forma atormentada, constituida por muchos pocitos yuxtapuestos, en tanto que si las hubiese hecho un vehículo motorizado, hubiesen consistido en dos surcos rectos y paralelos. Estaba pensando en los adoquines desiguales de Proust, cuando una aparición brusca perfeccionó el momento: un camión de ganado empezó a bajar despacio por el terraplén que une el camino con la explanada, y el olor a bosta, los mugidos y el tumulto animal de las vacas apretujadas en el camión me instalaron, de golpe, en esa sensación de familiaridad y pertenencia que venía negándoseme desde hacía una semana. Una impresión contradictoria de unidad y, al mismo tiempo, de diversidad, me asaltó de repente, o mejor dicho, de una unidad en sí inmóvil y permanente, pero que contenía una diversidad vivaz y vívida de asociaciones, de imágenes, de emociones. Siguiendo el consejo que M. Paul Souday daba ya en 1913 a Marcel Proust, exhortándolo a no teorizar, consejo que afortunadamente le petit Marcel desoyó, me limitaré a señalar que, en medio del desastre histórico y personal que atravesaba en ese momento, una felicidad sin límites, que duró unos minutos, me arrasó, y cuya sensación dura todavía quince años más tarde, en este momento en que estoy describiéndola. Me he permitido este nuevo desliz autobiográfico para que el lector comprenda hasta qué punto, para el hombre de la pampa, aun para el hijo de inmigrantes de primera generación, como es mi caso, ese ganado multitudinario que puebla la tierra chata y sin gracia, es un elemento constitutivo de los pliegues más íntimos de su horizonte empírico, de su memoria, y de su imaginación.

Esos mugidos lánguidos y como desesperados del ganado vacuno que pueden oírse, insistentes, en el silencio del anochecer, el relincho o el estornudo de algún caballo, la avalancha estereofónica de ladridos que, al menor sobresalto, se desencadena en la noche, dividiendo en infinitos planos sonoros la oscuridad: tales son algunas voces animales familiares en la pampa. Y esas tres especies domésticas, compañía ancestral del hombre en sus reductos civilizados, señorearon en estado salvaje, durante dos siglos, en la llanura. Los lomos de sus manadas numerosas hicieron ondular, sin encontrar ningún obstáculo en sus desplazamientos, el horizonte de la pampa. La palabra designa ese estado salvaje. Es un americanismo (vocablo español forjado en cualquiera de las tres Américas) difundido universalmente gracias a una de las interminables novelas que Edna Ferber dedica al *curriculum vitae* de los millonarios texanos. Etimológicamente, es la menos adecuada para designar algo relativo a la pampa, porque según los diccionarios de Corominas y de la Real Academia, proviene de *cima* o de *cerro*, y Corominas lo da como sinónimo de *cerril*, pero en su sentido amplio, el que posee en la actualidad, significa *silvestre* o *salvaje*. Como la palabra *gaucho* —tema que el lector ya debe estar esperando con impaciencia—, de sus intenciones despectivas originarias pasó, con el correr del tiempo, a ser un encomio. En las orillas del Río de la Plata tiene un prestigio varonil, primitivo y libertario. Se lo usa en su sentido histórico para designar a los animales domésticos vueltos al estado salvaje, pero también nombraba a los indios o negros que, rebelándose contra la esclavitud, huían a la pampa o a la selva. Es sinónimo de mate amargo, tal vez porque los indios lo tomaban así o porque se considera que el gusto azucarado es indigno de hombres de pelo en pecho, y adecuado únicamente para inmigrantes y señoritas, lo cual es un error de óptica, porque los gauchos más feroces no dejaban las pulperías sin su consabida provisión de azúcar. Tanto prestigio tiene la palabra cimarrón que, en los años 30, Borges, muy afecto en esos años a exaltar a los gauchos y a calumniar, según su propia confesión, a los italianos, o a los inmigrantes en general, la utiliza para caracterizar un estilo literario: "la buena prosa cimarrona del también oriental D. Vicente Rossi".

Semejante encumbramiento verbal viene de esas bestias multitudinarias que, con su proliferación desmedida, fundaron, prescindiendo en un primer tiempo del hombre, nuestra cultura. El guanaco y el avestruz, así como otros animales enteramente salvajes, también desde luego forman parte de ella, sobre todo para los indios, pero en cierto sentido tienen algo de exótico, en tanto que el hallo, la vaca y el perro integran la intimidad de lo imaginario. Habiendo sido sus primeros pobladores, fueron también la primera riqueza y la primera leyenda que atrajo hacia el interior de la pampa a los hombres que hasta ese entonces la evitaban. También como los hombres, habían llegado de otra parte, de paso hacia regiones más prometedoras, y a medida que fueron disipándose las quimeras de la conquista, fueron convirtiéndose en la única realidad. Trashumantes como eran, tuvieron la virtud de fijar, en una franja estrecha entre el río y la llanura, hacia finales del siglo XVI, a los primeros habitantes auténticos de la región y, en un siglo y medio, hacer de ella, que era la más pobre de todas, una de las más ricas de América.

Puede afirmárselo sin vacilar: en el principio fue el caballo. La retórica criollista no se cansa de alabar al caballo, atribuyendo a sus características físicas y psicológicas los más variados rasgos antropomórficos, con epítetos que no serían menos válidos aplicados a un patricio romano. Mezcla de *fair play*, honestidad puntillosa y musculatura, el caballo ocupa en la imaginación argentina un lugar semejante al del gentleman en la de los ingleses. Pero aun dejando de lado esos tópicos irrazonables, hay que reconocer que, gracias al caballo, la pampa, de magma informe en lo imaginario, se volvió espacio humano, paisaje y lugar, aunque hasta 1900 más o menos, muchos de sus peligros y de sus enigmas perduraban todavía.

Los indios lo adoptaron casi en seguida. El primer testimonio escrito sobre un indio a caballo es de 1584; y, por primera vez, los indios del suroeste, de la Patagonia septentrional y de la cordillera, los indios del otro lado de la pampa, empezaron a atravesarla y a llegar hasta las inmediaciones del Río de la Plata. (Los indios fluviales nunca fueron jinetes.) A pesar del gran número de tribus de indios del suroeste, algunas muy diferenciadas entre sí, enemigas desde tiempos inmemoriales, la gente del río empezó a conocerlos genéricamente con el nombre de indios pampas: la palabra *pampa* es de origen quechua y significa campo abierto. Al principio era el ganado, que consideraban como propio, lo que los atraía; más tarde realizarían sus interminables cabalgatas para comerciar, robar ganado, guerrear y, según tortuosas necesidades diplomáticas de ambas partes, parlamentar con los blancos o, como ellos los llamaban, los cristianos. Dicho sea de paso, un ejemplo de su instinto político lo da el hecho de que, cuando debían unirse con blancos, lo hacían casi siempre con sectores que tenían intereses contrarios a la potencia dominante: así, los indios del Brasil solían aliarse con los franceses en contra de los portugueses, y los indios argentinos eran anglófilos y sentían un odio sin matices por los españoles.

El segundo habitante de la llanura entonces, después del ganado, fue el indio. Los gauchos y los blancos vinieron más tarde. En el rubro *matanzas* de mi libro, hablaré un poco de los conflictos que generó esta situación, ya que por ahora estoy tratando de exponer cómo ese lugar vacío y desolado de América, en el que, desde los orígenes mismos del universo, nunca había habido nadie, aparte de lo que hormiguea, vuela, repta, pica y se entredevora en los pantanos, saldrían Buenos Aires, la *reina del Plata* o, para los poetas modernistas, *la Atenas americana*, y las ciudades y los pueblos del litoral del delta y del estuario. Todos sus habitantes venían de otra parte, y estaban siempre de paso, y podría decirse que fue la imposibilidad de seguir avanzando o de retroceder al punto de partida lo que fue engrosando pueblos y ciudades, y los primeros grupos humanos que se fijaron fueron un residuo de expediciones fracasadas, de funcionarios olvidados por la administración, de prófugos y tránsfugas, de indios o enemigos hechos prisioneros a los que ni valía la pena mantener en la cárcel, porque la franja estrecha de casas de paja y barro entre el río y la llanura era en sí misma una prisión. El Buenos Aires colonial era un ranchería lánguido, exiguo y pobre, en el que predominaban la queja, el desaliento y el suspiro. Los testimonios de habitantes y de viajeros que, por obligación, la frecuentaron en el siglo XVII, no se privan de hacer notar su indigencia y su insignificancia. Lo primero que hacen resaltar, después del tedio generalizado, es el barro del centro y el salvajismo de las afueras. Hay que decir que estas características sobresalientes persistirán en descripciones más tardías: el barro, el salvajismo jovial y el tedio, en las ciudades del Río de la Plata, constituyen, a decir verdad, junto con las famosas tormentas, la obsesión de los viajeros. Recién a mediados del siglo XVIII —con la riqueza obtenida mediante la trata de negros, la explotación del ganado y el contrabando— le empiezan a aparecer los primeros encantos. La trata de negros depositó en la región otro de sus elementos humanos constitutivos que se instalaron en ella por obligación: los negros mismos.

Pero no hay que adelantarse: pongamos primero en la llanura vacía, las cinco yeguas y los siete caballos abandonados después del incendio del primer asiento de Buenos Aires, y las primeras vacas que, escapándose al campo abierto por descuido, abandono o muerte de sus arrieros, se dispersan en el desierto, sin que ningún obstáculo, a no ser los grandes ríos por el lado del este, interrumpa su vagabundeo. A causa de la obstinación ciega de lo viviente por proferir ilimitadamente lo Mismo en el aire de este mundo, sin otra finalidad que la de perpetuar su sinrazón, esos pocos ejemplares se multiplicarán al infinito y harán retumbar el suelo duro del campo en sus desplazamientos tumultuosos siguiendo, según las variantes climáticas, el rastro de agua dulce abundante y de pasto fresco. Y, del mismo modo que a los ganados los complacía el trébol, ellos mismos empezaron a ser como trébol para los indios que, viviendo desde tiempos inmemoriales de las incertidumbres de la caza y de la recolección, tenían la obsesión, vital para su supervivencia, de los alimentos. No era la carne de vaca la que preferían, sino la de yegua. Pero para poder obtenerla, debían previamente convertirse en jinetes. Nunca adaptación fue más estrecha y minuciosa; más que un medio de locomoción, el caballo era para los indios como un apéndice de su persona, un atributo corporal que utilizaban con la misma naturalidad con que otros utilizan los dedos de la mano para rascarse.

El caballo fue su principal factor de aculturación y, en el siglo XIX, gracias a él se convirtió en un personaje de fábula, en un arquetipo del que únicamente unos pocos testigos que convivieron con él fueron capaces de distinguir algunos matices. La importancia del caballo en la llanura es tan grande que modifica los hábitos y las percepciones de los seres humanos: "Un escritor del siglo pasado, Emilio Daireaux, decía que la llanura sin el caballo es inaccesible para un europeo (y, podemos agregar, para el hombre en general); que la inmensidad impone su uso permanente y que este uso debilita ciertas facultades desarrollando otras: hace perder la afición y la costumbre del trabajo a pie; aumenta la fuerza de la vista; ante un horizonte sin límites, los ojos se habitúan sin esfuerzos a distinguir cada día más lejos y la imaginación se acostumbra a escudriñar más que a obrar, a esperar un acontecimiento que de lejos se viene, más bien que a anticipársele".[4]

Los primeros testimonios sobre los indios del sur remontan a las Memorias de Pigafetta, el cronista de Magallanes, y encontramos sus ecos hasta en *The tempest* de Shakespeare:

he could command my dam's god Setebos

---

[4] Agustín Zapata Gaetán: "El caballo en la vida de Santa Fe".

Andaban desnudos por la intemperie de Tierra del Fuego, se cubrían de ceniza como Job, se comían crudos a los animales que podían atrapar y, embadurnándose con su sangre, se pegaban en el cuerpo las plumas de los pájaros que acababan de devorar, tal vez en una tentativa arcaica y basta de identificación. La extrañeza y la compasión coloran esos primeros testimonios. La imagen del indio del desierto, jinete y guerrero que alcanza su perfección típica en el siglo XIX, es muy diferente: indisociable del caballo, es el dueño de la llanura y, desde el punto de vista de las ciudades, no una curiosidad etnológica, sino un *problema*. Habiendo sido los primeros en explotar el ganado, lo consideraban, lo mismo que al guanaco o al avestruz, como presa de caza, y hallándose fuera del mercado capitalista, ignoraban la acumulación y adscribían vacas y caballos al dominio de la naturaleza, perpetuamente renovable. En busca de caza, pastos, agua y leña, recorrían incansables la llanura, cubiertos con ponchos de lana que a veces venían de los suburbios industriales de Manchester, transformando las monedas de plata que obtenían del comercio, mediante manipulaciones diestras, en adornos corporales, sujetándose el pelo con vinchas de colores, embadurnando con pinturas rituales las partes descubiertas del cuerpo. Propensos a lo exótico como cualquier hijo de vecino, nada les gustaba más que fornicar con una blanca, rubia en lo posible, que no se privaban de secuestrar en las poblaciones. A pesar de que la derramaban con facilidad, la sangre no los dejaba indiferentes, porque si una criatura se lastimaba o una virgen tenía sus primeras reglas, sacrificaban inmediatamente una yegua. Tenían una inclinación notoria por la retórica, que practicaban en parlamentos inacabables; sabían adoptar el tono épico: "Tengo el caballo pronto, el pie en el estribo, y la lanza en la mano, y voy a hacer la guerra a los cristianos, que me tienen cansado con su falsía", o la ironía que, por su entonación negligente y distanciada, no hacía más que reforzar sus amenazas: "Choeque debía haberse figurado que él, Foyel, se había olvidado de andar a caballo y de manejar su lanza".

Después del indio vino el gaucho. Con esta figura de la pampa hay que ser prudente, porque es antes que nada un personaje literario, forjado por el romanticismo de Sarmiento siguiendo, como lo señalo más arriba, los prototipos de Fenimore Cooper y de Chateaubriand. (Un testigo refiere que, poco después de 1824, vio en el toldo de un indio pampa un volumen de las *Memoires d'outre tombe*.) Aunque de verdad ha habido un tipo étnico y social que corresponde a las características del gaucho, un simple cálculo cronológico demuestra que su existencia literaria ha sido más larga que su existencia histórica. La imagen universalmente conocida del gaucho rioplatense es el producto de un deslizamiento semántico: tratar de gaucho a un hombre de campo hacia fines del siglo XVIII era exponerse a recibir como respuesta una puñalada ofendida en pleno vientre. Por uno de esos misterios frecuentes del habla, hacia 1840, el término se volvió como diría Boyle, "no una definición sino un encomio". De etimología confusa, india, portuguesa o macarrónica (de la frontera con el Brasil), la palabra evolucionó, como en las lenguas aglutinantes de Tovar, o el egipcio antiguo que tanto interesara a Freud, hasta llegar a significar lo contrario del concepto para el cual había sido forjada: en lenguaje coloquial, *hacer una gauchada* significa hoy hacer un favor y gaucho es sinónimo de *noble y generoso*.

Como es sabido que la naturaleza imita al arte, no es improbable que, después del florecimiento de la literatura gauchesca (1815-1879) y del teatro popular que la sucedió, muy en boga en el campo, haya habido gauchos que se parecían a los de la literatura, así como los jóvenes europeos se suicidaban después de haber leído *Werther;* pero, del mismo modo que Goethe, después de propagar el suicidio por toda Europa, alcanzó una feliz longevidad, no es difícil observar que los mismos que forjaron el mito del gaucho son quizá los responsables de su desaparición. Mito es poco decir: podríamos hablar de entidad sagrada: el ostracismo inexplicable que sufre desde hace años uno de los textos fundamentales de la literatura argentina del siglo XX, *Muerte y transfiguración de Martín Fierro*, de Ezequiel Martínez Estrada, que analiza nuestro poema nacional, podría muy bien provenir de una afirmación, que la crítica ha velado púdicamente, según la cual, los dos gauchos protagonistas del poema, Martín Fierro y Cruz, denotarían tendencias homosexuales que, con toda lógica, Martínez Estrada, apoyándose en detalles biográficos, atribuye al autor, José Hernández, el poeta nacional por excelencia.

El gaucho real, construido con pruebas documentales, anterior a la literatura y divergente de ella, es un producto de la indigencia general de la región y, como el resto, habitante obligado de ese territorio sin límites y sin embargo sin salida. La pobreza de la ciudad lo empujó al campo y, ya en plena pampa, no tuvo más remedio que hacer de la intemperie un oficio. Sus atributos son el caballo, el lazo, las boleadoras y el cuchillo. La guitarra infaltable que le atribuyen debe ser, si se quiere ser prudente, considerada como opcional. No pocas veces era algún delito lo que lo expelía de las poblaciones. De origen mestizo, a veces se traspapelaba entre los indios. La leyenda lo ha hecho solitario y amante de la libertad, pero no pocas veces los gauchos se desplazaban en bandas erráticas y, apenas la ocasión se presentaba, caían a las poblaciones. Cuando tenía hambre, mataba una vaca, le sacaba la lengua (que debía hervir, pero nunca se menciona la cacerola entre sus utensilios), que era lo que más le gustaba, o quizá porque no tenía muchos dientes, y también el cuero, que vendía a los acopiadores: cuando aparecen los primeros testimonios escritos sobre el gaucho, ya ha comenzado en la pampa la explotación masiva del ganado, tan desenfrenada que empieza a temerse su desaparición. Por su vida errante en la pampa, el gaucho se hace *especialista* del ganado. Y los comerciantes y acopiadores de las ciudades, que exportan los cueros a Europa, comienzan a requerir sus servicios, para buscarlo, arrearlo, marcarlo, sacrificarlo y desollarlo. Cómo sería la reputación del gaucho *noble y generoso*, que los primeros ganaderos que lo contrataban para sus expediciones debían contratar a su vez un pequeño ejército para que los protegiera de él. Es verdad que, por cualquier motivo, el cuchillo salía rápido de la cintura y se clavaba hasta el mango en el vientre y que acto seguido, para terminar la operación, un buen tajo en la garganta separaba el cuello de la cabeza. Todavía en 1950, los duelos a *primera sangre* eran frecuentes en el campo argentino, como pasatiempo de los domingos. El primero que le hacía un tajo superficial en la cara a su adversario, ganaba. Y en 1967, en Colastiné Norte, a siete kilómetros del centro de Santa Fe, una fiesta vecinal en una cancha de bochas, después de una serie de bromas pesadas, degeneró en refriega general con rebenques y cuchillos, en la que el único rasgo de civilización consistía en la aplicación del planazo, es decir en golpear de plano con la hoja del cuchillo, en vez de hacerlo con el filo y la punta, para no herir. Muchos de los que participaron en la refriega, de la que, en consideración de mi afición a las letras, los dos bandos me excluyeron, lo mismo que a los niños y a las mujeres que no paraban de gritar, eran mis amigos y siguieron siéndolo después del incidente que, a decir verdad, los protagonistas del mismo, que una hora más tarde estaban riéndose y bebiendo juntos otra vez, se representaban como una diversión o como una especie de actividad deportiva.

Después del ganado cimarrón, del indio y del gaucho, después de siglos de indigencia y vagabundeo aparecen por fin los primeros (y casi los únicos) ricos de la Argentina, la famosa oligarquía vacuna. Los millonarios argentinos que un siglo más tarde frecuentarán los mismos salones que Proust y Robert de Montesquieu (antes de que celos literarios los distanciaran), o el engominado que en 1926 se deja embrujar por los encantos de Greta Garbo en *La tentadora* de Niblo y Stiller, pertenecen a esa clase. La edad de oro de esta clase social se sitúa entre 1880 y 1930, y durante esos años su reputación de riqueza era análoga a la que en la actualidad tienen los emires del golfo Pérsico. Hacia 1920 *el rico argentino* era un estereotipo frecuente en las novelas mundanas que se publicaban en París; los fundillos de sus pantalones solían gastar las banquetas aterciopeladas de *chez Maxim's*. La sensación exaltante de ser propietarios exclusivos del país era tal, que, por aquellos años, un miembro de esa clase, el escritor Ricardo Güiraldes, autor no totalmente desprovisto de talento, para convencer a su amigo Valery Larbaud de venir a visitarlo a la Argentina, le prometía el encanto de *chinitas* de 13 años.

Aunque al principio la evitaban, la ignoraban incluso, poco a poco fueron apropiándose de la llanura. Pero lo que no ha dicho lo suficiente es que, antes de poseer la llanura, debieron dominar, asentados en la pinza derecha del escorpión, el gran río. Como los perros feroces en la cintura de Escila, devoraban todo lo que pasaba por las cercanías. El solipsismo administrativo de la Corona española le imponía a Buenos Aires el monopolio comercial desde 1594, a pesar de que, la mayor parte del tiempo, España no tenía nada que vender ni que comprar. Un ejemplo del subjetivismo un poco extravagante de la administración española lo muestra el hecho de que en 1780, bajo el ilustre Carlos III, como Francia y España estaban en guerra contra Inglaterra, y el conflicto lo suscitó el reconocimiento por esos países de la independencia de los Estados Unidos, estableciendo un nexo entre los patriotas americanos y las tribus del Río de la Plata, el gobierno español decretó que cada indio debía aportar un peso plata para contribuir al esfuerzo de guerra. Los ingleses, inventando la noción de libre comercio, querían en realidad reivindicar su derecho a infiltrarse en las colonias sometidas al monopolio de España, lo cual desarrolló la primera fuente de riqueza del Río de la Plata, el contrabando.

Esta palabra evoca inmediatamente manejos nocturnos y subrepticios y pasajes pacientes y reducidos, por líneas fronterizas, de mercancías superfluas y un poco pecaminosas, de circulación prohibida menos por razones económicas que morales, como las drogas, el alcohol o los afrodisíacos. La descripción de barcos franceses, holandeses o ingleses que venían a efectuar intercambio comercial con los habitantes de Buenos Aires en las barbas mismas de la Corona, por la abundancia, la variedad, la ostentación y el colorido, evocan más bien una *féerie* o un parque de diversiones. Cuando gracias al soborno de las autoridades podían hacerlo, los contrabandistas bajaban la mercadería a tierra y la cambiaban por cueros de vaca o plata de Bolivia; cuando no lograban ponerse de acuerdo, buscaban algún lugar seguro donde anclar en el río —*el infierno del navegante*— y, literalmente, abrían el barco como, a las 9 de la mañana, abren sus puertas los grandes almacenes del bulevar Haussman: aceite, vino, sedas, cintas, agujas, herramientas de todo tipo, espadas, telas de hilo fabricadas en Rouan, en Holanda, drogas, especias de todas clases venidas de Oriente, cordobanes para calzado, jabones, libros, agujas, hilo, medias, herraduras, todo lo necesario para la vida. En 1660, el procurador general de Buenos Aires suspira que el único alivio de Buenos Aires, "desde su población, han sido algunos navíos, así de permiso de esclavos, como de ropa y otros de arribada a quienes hemos vendido el pan, fruta, melones, sandías, que con el rocío con que el cielo fertiliza esta tierra cada uno en su casa hace su huerta de hortalizas o legumbres que vende a los demás".

"Así de permiso de esclavos": pero a decir verdad, los comerciantes de Buenos Aires no sólo traficaban esclavos, sino que lo hacían de contrabando. Recién en 1791 España concedió la libertad de comercio de esclavos al Río de la Plata, lo que permitió no que ese comercio por fin se realizara sino que quienes venían efectuándolo desde hacía más de un siglo pudieran agruparse en una asociación. Esa asociación es también la primera asociación de ganaderos, porque, como escaseaba la plata boliviana, los negros se cambiaban por cueros de vaca: piel por piel, podría decirse. Las funciones de contrabandista, negrero y ganadero eran por lo tanto tres aspectos diferentes de la misma actividad económica, y la única manera de obtener riquezas era abocándose a ella. Que no quepa la menor duda: la riqueza de Buenos Aires se debió al trueque de cueros de vaca por negros y otras mercancías. Todos eran negreros: incluso la Iglesia y los propios virreyes. Pero los negros en gran escala no tenían ninguna utilidad en el Río de la Plata, de modo que se los exportaba a las minas de la cordillera o a las plantaciones del Brasil. Los que se quedaban en Buenos Aires eran empleados en el servicio doméstico y en las tareas campestres propias de la ganadería, que requieren muy poco personal. Según testimonios de varios viajeros, los únicos que trabajaban en Buenos Aires eran los negros: en primer lugar había muy pocas ocupaciones; además, los españoles consideraban el trabajo como deshonroso para ellos y para los miembros de sus familias, los indios no veían el menor interés en la cosa, en tanto que los gauchos vagabundeaban por la llanura. Todo lo que requería esfuerzos era asunto de negros, y los negros realizaban gustosos esos trabajos que, por rudos que fuesen, eran infinitamente más livianos que el que los esperaba en las minas o en las plantaciones del Brasil. Todavía en el Río de la Plata, y en toda América, y hasta en el mundo entero quizá, por *trabajar mucho* se dice: *trabajar como un negro*.

No sé si el lector recordará mi punto de partida; después de una primera visita infructuosa, en la primavera de 1989, un poco más tarde, al principio del verano, me instalé, en una saliente de la costanera, en un atardecer de diciembre, a contemplar el río con la sensación de estar, no en la orilla, sí en el centro de un inmenso círculo de agua. A mis espaldas, más allá de la avenida, estaba el aeropuerto de vuelos interiores, del que a cada rato despegaba un avión que, antes de perderse en el cielo en dirección a los puntos más opuestos de la república, realizaba una curva graciosa sobre el agua del río. Y más allá del aeropuerto, se desplegaba la interminable ciudad que mandaba, constante, a pesar de los parques que la separan del río y de los terrenos del aeropuerto, un ronroneo o zumbido apagado, algodonoso y febril, producto de la actividad intensa que desarrollan, al anochecer, las grandes ciudades. Fijando la vista en el agua tornasolada y turbulenta, se me dio por preguntarme cómo habían llegado hasta ese lugar, que había estado vacío desde la solidificación misma de la costra terrestre, los diez millones de personas que ahora lo poblaban. El lugar del que todos escapaban como de la peste se transformó en el lugar al que todos querían venir; el lugar en el que todos estaban de paso —indios, europeos, ganado—, el río al que ni los caballos querían acercarse, prefiriendo morir de sed en alguna loma alejada del agua, se volvió con el correr del tiempo el lugar de permanencia; más del tercio de los habitantes de la Argentina, por no decir la mitad, viven en la región pampeana. Esa contradicción inicial le ha dado a los habitantes una mentalidad generalizada de desterrados.

A propósito de la primera mitad del siglo XIX, podría hablarse de una Argentina *clásica*, de la que la región pampeana suministraría los grandes arquetipos: la llanura, el ganado, el indio, el gaucho, el estanciero, los grandes ríos del litoral. La palabra clásica se justifica porque, a pesar de las violentas guerras civiles, entre Buenos Aires y las provincias, entre liberales y conservadores, entre zonas rurales y ciudades, entre indios, blancos y mestizos, hasta 1860 por lo menos, un sistema patriarcal del que los grandes propietarios eran la cúspide, se autorrepresentaba imaginariamente como una totalidad cultural, por rudimentaria que fuera esa cultura. Los más irreconciliables enemigos tienen ciertos valores comunes, y comparten imágenes familiares, que consideran como naturales, del lugar que habitan. Propietarios, indios, gauchos y soldados pasan el tiempo degollándose mutuamente, pero comparten el mismo desprecio por el que no sabe andar a caballo. Aun Sarmiento que venía de la cordillera, y que escribió *Facundo* para denostar la barbarie de la cultura de los gauchos, cayó, como ya ha sido señalado tantas veces, en las redes sutiles de la fascinación que ejerció sobre él aquello que denostaba. En la sociedad patriarcal de la llanura, es el propietario el que fija las normas subjetivas de aprehensión del mundo. Su sentimiento de propietario modifica obligatoriamente las relaciones entre hombres, tierras y ganado en la llanura, y aun aquellos que no aceptan las normas con que esas relaciones han sido modificadas, sólo pueden actuar por referencia a ellas, aunque sea en forma negativa. La Argentina del siglo XIX es *clásica* en ese sentido: por arbitrarias, por salvajes incluso que sean, por injustas que le parezcan a la mayoría, sus normas son transparentes para todos, aunque se las acepte o se las rechace. Las sociedades patriarcales existen gracias a esa transparencia; y el subalterno servil que acepta un castigo después de una transgresión, e inmediatamente después un premio por haberse sometido al castigo, se hace ante los ojos del propietario merecedor del premio, por haber demostrado, aceptando el castigo, estar al tanto de la ley no escrita que rige sus relaciones.

La inmigración masiva a partir de 1860 inauguró la opacidad. Para los grandes propietarios, los inmigrantes fueron otra horda semejante a la de los indios, que venía a reivindicar sus derechos sobre la tierra. A medida que los ganaderos, mediante expediciones militares, iban empujando a los indios hacia el sudoeste, y apropiándose de las tierras fiscales, iban llegando a Buenos Aires desde el noreste los inmigrantes europeos. Los liberales progresistas del siglo XIX habían querido modernizar el país, según los ideales de la revolución francesa y de la revolución americana, y en 1853 habían promulgado una Constitución inspirada en la de los Estados Unidos. Y la Argentina actual, con su opacidad turbulenta, nació a partir de un hecho contradictorio, a saber, que, cuando se obtuvieron los medios institucionales para poner en práctica los ideales progresistas, el país que pretendían regir esas instituciones había cambiado. Instituciones fantasmas se disponían a representar un país fantasmático. La pérdida de las prerrogativas patriarcales generó en los propietarios la irascibilidad y los excesos de lenguaje: si hasta ese momento al enemigo principal, el indio, se lo llamaba *el salvaje*, acordándole una humanidad todavía no modelada por la civilización, el inmigrante pasó a ser *el aluvión zoológico*. El debate sobre la humanidad posible de los indios, a pesar de las guerras atroces, empezó temprano entre los conquistadores españoles y, cuando los indios empezaron a aceptar los preceptos cristianos, los negros fueron instalados en el campo de lo no humano. Cuando los indios fueron esclavizados, se disimuló esa esclavitud con instituciones que simulaban la protección; con los negros esas precauciones formales se consideraban innecesarias, y se los cambiaba, como a una mercancía, por cueros de vaca. En la sociedad patriarcal, el indio era todavía el salvaje y el negro sólo un rastro morfológico, "en la gracia de la señorita de tal", como diría Borges. Y como con su llegada masiva los inmigrantes trastocaron las leyes de esa sociedad, se los comparó a un aluvión zoológico. Pero que las reglas se habían confundido para todos y que una nueva época comenzaba lo prueba el hecho de que, después de 1894, los grandes propietarios de la Patagonia pagaban una libra esterlina por cada oreja de indio que se les traía.

James Scobie, en su libro *Revolución en las pampas* (1964), escribe: "Las estadísticas de los censos nacionales demuestran la extensión y concentración de la inmigración en la zona costera. De un total de 1.800.000 habitantes registrado por el censo de 1869, 200.000 habían nacido en el extranjero; en 1895, casi una cuarta parte de los 4.000.000 de habitantes eran inmigrantes; en 1914, más de 2.300.000, sobre una población de 8.000.000, habían nacido en el exterior. En esta última fecha, la región costera contenía dos terceras partes de la población total; allí la relación de los inmigrantes respecto de los argentinos nativos era de dos a uno. En la ciudad de Buenos Aires, tres de cuatro adultos eran extranjeros".

Italianos, españoles, bearneses, judíos, árabes, armenios, griegos, japoneses. Como si fuera poco, a causa del desarrollo de la región litoral, y particularmente de Buenos Aires, en las primeras décadas del siglo comienza la inmigración interna de los llamados *cabecitas negras*, es decir los mestizos de las zonas rurales de todo el país, que corridos por la pobreza de sus provincias respectivas, vienen a probar suerte en las capitales, formando el cinturón de villas miseria que las rodea. El lugar vacío de los orígenes está a partir de 1930 repleto y, en los mapas en que figura la densidad demográfica, si en las otras regiones la población aparece señalada con unos puntitos aislados que rara vez forman grupos significativos, en las orillas del Río de la Plata y del delta del Paraná aparece representada por una enorme mancha negra. Es lo que los sociólogos llaman "la Argentina moderna", adjetivo que en muchos aspectos únicamente es válido en su acepción cronológica.

En el paisaje sin accidentes de la pampa, empiezan a aparecer las *colonias* —la vocación serial del universo verificándose de nuevo, igual que con los avestruces o los lirios salvajes. En un determinado perímetro del campo, el gobierno instalaba un grupo de inmigrantes, les daba un poco de tierra, herramientas y semillas y los inducía a cultivar trigo. Estas colonias comenzaron a prosperar sobre todo en mi provincia, Santa Fe. En general, sus miembros pertenecían a la misma nacionalidad, y a veces incluso a la misma región europea. La primera, Esperanza, fundada en 1856, estaba compuesta de suizos; las había españolas, judías, bearnesas. Mientras fue el gobierno el encargado de organizarlas, las cosas anduvieron más o menos correctamente; cuando se interpuso la iniciativa privada, los conflictos comenzaron; y cuando la multiplicación de colonias empezó a demostrar que el trigo podía ser un buen negocio, la distribución de tierras cesó y los colonos, de la ilusión de ser pequeños propietarios, tuvieron que resignarse a la realidad de ser simples arrendatarios de los latifundistas. A medida que los inmigrantes llegaban al país el gobierno iba liberando las tierras fiscales en el sur de la llanura, pero en vez de redistribuírselas a los colonos, prefería acordárselas a los ganaderos, que las añadían a los ya grandes latifundios que poseían.

Así como el ganado, el caballo y el gaucho han sido el tema principal de los poetas conservadores de Buenos Aires, el trigo y los cereales en general lo fueron más tarde para los poetas progresistas de la provincia de Santa Fe. Con la aparición de la agricultura, dos universos se opusieron en la llanura que, en plena época moderna, reproducían el antagonismo inmemorial entre pastores y agricultores: el universo errático y masculino del ganado y el femenino y doméstico de la agricultura. Es sorprendente observar la cantidad de nombres femeninos con que fueron bautizadas las colonias agrícolas: Rafaela, La Rubia, María Teresa, Pilar, Emilia, Hersilia, Casilda, Teodelina, Margarita, y hasta Ceres, la diosa romana de la tierra cultivada y patrona del trigo. La vida de esos primeros agricultores no fue un lecho de rosas; según Scobie, "durante los cuatro años iniciales, las sequías, la langosta, y la ignorancia de los colonos en materia de agricultura anularon la más leve esperanza de una cosecha, y la colonia [Esperanza] sufrió una pérdida total. La constante amenaza de ataques de los indios, que obligaba a los colonos a ir armados a los campos; el arduo trabajo necesario para transportar la cosecha treinta o cuarenta kilómetros, hasta una ciudad o un río, y la frecuente hostilidad de la población argentina nativa, no podían facilitar la vida de esos recién llegados". Y sin embargo, a pesar de la constancia con que afrontaban esas asperezas, los sobrevivientes de la sociedad patriarcal los consideraban como cobardes, blandos y afeminados. Que no se valieran del cuchillo para dirimir sus conflictos o que prefiriesen desplazarse en carro y no a caballo, les parecía el colmo de la molicie; porque trabajaban duro y ahorraban para traer al resto de la familia o para mejorar sus condiciones de vida, los tildaban de avaros. Inversamente, para los inmigrantes todos los criollos eran vagos y haraganes. El término *negro*, aplicado a todo no europeo, y sumamente despectivo, es sin duda de origen inmigrante. La palabra puede ser en la actualidad cariñosa y familiar, pero aplicada con la entonación adecuada; con expresión de desprecio furibundo bien subrayado, es el peor de los insultos. Por regla general, son los pobres sus destinatarios.

En un principio, la endogamia era la norma entre los inmigrantes, y en algunos casos, sólo la novia traída del país de origen era debidamente apreciada. Todavía en los años cuarenta, se dice en una letra de tango:

> *Decile a la Rosina*
> *que siempre pienso en ella,*
> *que aquí en la Argentina*
> *trabajo con amor…*
> *(Una carta para Italia)*

Pero poco a poco, la integración fue operando. El resultado de ese entrecruzamiento múltiple, que ha dejado sus rastros en la economía, en la organización social, en las tradiciones culturales, en los tipos físicos, en el habla, en la gastronomía, esa diversidad unificada por ciertos rasgos específicos, es lo que denominamos con el nombre genérico de una región, el Río de la Plata, o más abusivamente, la Argentina. Porque del mismo modo que para designar a Francia suele usarse la perífrasis *de Lille à Marseille*, también para referirse a la Argentina se dice *de la Quiaca a Tierra del Fuego*, que se encuentran respectivamente en el extremo norte y en el extremo sur del país, pero para la mayoría de sus habitantes, arracimados en las inmediaciones del estuario, esos dos topónimos son tan exóticos como Helsinki y Singapur.

De esos habitantes tan numerosos como las mariposas blancas que veían llover los marineros de Darwin, ninguno es un aborigen en el sentido estricto de la palabra. Como una fuerza magnética que hubiese cambiado de polo, el gran río los atrae con el mismo poder irresistible con que antes los repelía; cuando se ve en el mapa demográfico la acumulación de puntos negros precipitados en el estuario, no se puede dejar de evocar la imagen de limaduras de hierro arracimadas en la punta de un imán. Y sin embargo, todos estaban al principio de paso, y si vinieron y se quedaron fue más bien por obligación. Aun los inmigrantes iban y venían, y, de verlos partir, puntuales, a sus países de origen, al principio y al final de cada temporada triguera, empezó a conocérselos con el nombre de golondrinas. Muchos habían sido empujados por la pobreza; otros, como eran anarquistas, socialistas, sindicalistas (originando de ese modo en la Argentina los primeros movimientos sociales), venían escapando no únicamente de la pobreza sino también de la justicia. Muchos de los que se quedaban tenían la intención de *hacerse la América*, es decir enriquecerse a costa de terribles sacrificios, lo cual consolidó su reputación de avaros, y volverse después a su patria. Ni vale la pena aclarar que la inmensa mayoría no sólo siguió siendo pobre, sino que tampoco se pudo volver y terminó siendo tragada por la llanura, o, peor aún, por Buenos Aires.

Los indios fluviales fueron desapareciendo diezmados por las enfermedades, las guerras, las miserias, o sobreviviendo en reservas cada vez más reducidas, y sus descendientes se confunden, a causa del mestizaje, con el pobrerío amontonado en las villas miseria que rodean las ciudades del litoral: en casi todos esos pobres, los rasgos originales aparecen inconfundibles, un poco borroneados por décadas y décadas de humillación y de miseria. Y en cuanto a las temibles tribus del sur, los manzaneros, los ranqueles, los pehuenches, los tehuelches, o los pampas, los guerreros joviales y susceptibles, aficionados a la oratoria, a los caballos y a las mujeres rubias, los jinetes que gustaban llevar sacos de sarga blanca, adornos de plata y ponchos de Manchester, los caciques a los que nada les parecía más chic que tener un cristiano como secretario, y que cuando dignaban llegarse hasta Buenos Aires era para parlamentar con los representantes oficiales del gobierno, fueron borrados de la costra terrestre, y sus pocos descendientes mendigan todavía, lerdos y desdentados, en los pueblos de la Patagonia o de la cordillera austral. De los pocos que han quedado en el estuario, no es posible saber si tienen o no nostalgia de los tiempos pasados porque, rígidos e inmóviles, únicamente sobreviven embalsamados en el Museo de Ciencias Naturales.

El gaucho, por su parte, perpetuando su destino literario, persiste en la retórica criollista, de la cual, hasta hace poco, ni los mejores estaban completamente a salvo: retórica forjada en el período inmigratorio para sugerir que, en la época patriarcal, se estaba mejor sin extranjeros. A partir de 1880 más o menos, la figura del gaucho, ya prácticamente desaparecido, fue erigida como modelo de la transparencia clásica que venía a turbar, con sus conflictos irrazonables, la opacidad de la historia. Tampoco los terratenientes estaban totalmente a gusto en lo que poseían: una de las constantes del latifundio, *el ausentismo del propietario*, se verificaba más que nunca en los alrededores de Buenos Aires. A pesar de su identificación superficial con los gauchos, con su afectación de lenguaje consistente en mechar la conversación con arcaísmos de la época patriarcal, era en el extranjero, en París o Londres, y más tarde en Nueva York, donde iban a buscar su legitimidad. Hay que decir que esa ansiedad por existir ante los ojos de Europa es una obsesión nacional: el que vuelve del extranjero sabe que, en algún momento de la conversación, será formulada la pregunta inevitable: "Che, y allá, ¿cómo nos ven a nosotros?"

Uno de los problemas de la singularidad argentina es que su cristalización coincide con las tendencias a la uniformización planetaria. Los intelectuales, por ejemplo, deben realizar esfuerzos suplementarios, impensables actualmente en un europeo, para conciliar la tradición nacional y las exigencias de un saber objetivo que es independiente de imperativos locales. Es cierto que, en el dominio de la microfísica por ejemplo, es sensato esperar que las partículas se comporten de manera semejante en Heidelberg y en Trenque Lauquen, pero en el modo de pensar la sociedad y la cultura las cosas se complican. En ese plano, una sensación de destierro acecha tanto a nacionalistas como a extranjerizantes. Ya hemos visto cómo el profesor Heidegger encontró la idea, satisfactoria para él lo mismo que para la Gestapo, de que el idioma y el suelo alemán eran la cuna natural de la filosofía. Con menos tecnicidad, muchos nacionalistas argentinos piensan lo mismo, lo que ha dado una metafísica más bien rudimentaria. Como corolario al período inmigratorio, interminables discusiones sobre la supuesta esencia de un no menos supuesto ser nacional ennegrecieron páginas y páginas de libros y revistas. Únicamente nuestros mejores pensadores, como Ezequiel Martínez Estrada, igualmente calumniado por nacionalistas emocionales y cientificistas *extranjerizantes*, comprendieron que un país no es una esencia que se debe venerar sino una serie de problemas a desentrañar e, inventando sus propios métodos, forjados de ese entrecruzamiento local y planetario, se abocaron a la tarea.

Ostracismo o destierro fue el salario que percibieron. A diferencia de otros países latinoamericanos, como México por ejemplo, donde, para bien o para mal, los intelectuales se integran en la sociedad y pueden aspirar a influir en ella, en la Argentina, salvo rarísimas excepciones, son marginales, estén dentro o fuera del país. Este hecho no es necesariamente nefasto para la independencia de pensamiento, pero es un síntoma inequívoco que merece ser señalado. El exilio es un desenlace frecuente de esa situación, de la que los más deshonestos, como los dictadores y sus escribas, pretenden sugerir que es un privilegio. La lista de exiliados, interiores o exteriores, es demasiado larga como para permitirme fatigar al lector con ella, pero un hecho significativo es que cada gobierno que llega al poder incluye en su programa, a menudo bastante brumoso, la *repatriación* de los restos de Fulano o de Mengano. En ese sentido, la fuga precipitada de un anciano ciego, dejando a los 85 años su querida ciudad para ir a morir en Ginebra, más allá de los sórdidos problemas de herencia que según dicen la motivaron, es un emblema patético.

Ya tenemos, entonces, un lugar lleno, agitado por la diversidad de la vida como, por la brisa del atardecer, el río cada vez más oscuro que se sacude a mis pies. El lector que ha venido siguiendo mi relato ya sabe, a grandes rasgos (en todo caso así lo espero) cómo se fue formando esa región que llamamos *el Río de Plata*. Es obvio que la Banda Oriental, es decir el Uruguay, no ha entrado en mis consideraciones, no porque ignore la legitimidad de su carácter rioplatense, sino porque, no habiéndolo visitado nunca, no me atrevo, desguarnecido como estoy de todo dato empírico, a aventurarme en sus, según me han dicho muchas veces, apacibles colinas. La única vez que estuve a punto de visitar Montevideo, el río caprichoso, valiéndose de una bajante exagerada, le impidió al trasatlántico en el que viajaba a Europa entrar en el puerto. El *infierno del navegante se* rebajó a ser, ese domingo de septiembre de 1971, la frustración del turista. Las peripecias del lado occidental, sin embargo, son muy semejantes a las de la otra banda y ambas comparten muchos de sus mitos. Hay más puntos comunes entre el Uruguay y el litoral argentino, que entre ese mismo litoral y el resto de la república.

Como diría Walter Benjamin, "convencer es infecundo", pero quiero asegurarle al lector cuya paciencia le ha permitido sobrellevar las páginas que anteceden

> *…que a mi historia*
> *le faltaba lo mejor.*

Le doy cita, entonces, para la próxima sección.

OTOÑO

Ocupados en denostar a sus adversarios políticos, en tratar de parecerse a los europeos, concibiéndose imaginariamente según arquetipos que les parecían el colmo de lo perfecto, muchos escritores argentinos del siglo XIX, cuando hablaban del paisaje y de sus habitantes, cuidaban más sus gestos retóricos que la pertinencia de sus observaciones. Abriendo un camino paralelo, a partir de 1815, la literatura gauchesca, culminando magistralmente en la década del setenta con el *Martín Fierro*, introdujo un poco de realidad. Pero muchos escritores cultos la despreciaban. Esos escritores *cultos* se obstinaban en idealizar: así, el primer autor que se ocupa sistemáticamente del delta del Paraná, Marcos Sastre, en su libro *Tempe argentino* dice que en el delta hay animales feroces, pero cuando nos los describe, afirma que no son peligrosos. El libro tiene la dialéctica obtusa de quien ignora la duda: "Véase pues, cómo las mismas conclusiones de la ciencia vienen a desvanecer la pretendida vetustez de los deltas; porque si hay alguna cosa demostrada en la teología es la poca antigüedad de la raza humana sobre la Tierra". El oscurantismo no es el solo atributo de este autor, sino también la mala suerte, ya que hizo esta afirmación en 1858, o sea un año antes de la aparición de *El origen de las especies*.

Casi con tres décadas de anticipación, Darwin, en su *Viaje de un naturalista*, había refutado esas nimiedades con sus observaciones magistrales. De los veintiún capítulos de su libro, diecisiete están dedicados a América del Sur, y, de esos diecisiete, ocho se ocupan exclusivamente del Río de la Plata y de la Argentina. Lo primero que llama la atención en las páginas exaltantes del *Viaje* es que para su autor ningún hecho era indiferente y que todo debía tener su explicación —aun ciertos aspectos de la vida política que él mencionaba al pasar y que son todavía válidos 160 años más tarde, no como explicación de sucesos contemporáneos de su viaje, sino del momento actual: "Y el pueblo espera todavía poder establecer una república democrática a pesar de la ausencia de todo principio en los hombres públicos y mientras el país rebalsa de oficiales turbulentos y mal pagos".

Darwin es conocido porque supo descifrar el pasado de las especies vivientes; el porvenir tampoco le era extranjero: "Esto da una idea del inmenso territorio por el que vagan los indios, y sin embargo, a pesar de su inmensidad, creo que en medio siglo no habrá más un solo indio salvaje al norte del río Negro. Esta guerra es demasiado cruel como para durar demasiado. Es sin cuartel; los blancos matan a todos los indios que les caen entre manos, y los indios hacen lo mismo con los blancos. Uno se siente un poco melancólico cuando piensa en la rapidez con que los indios desaparecieron ante los invasores". Exactamente cincuenta años después, su profecía se había cumplido. Igual que el padre Cattáneo un siglo antes, Darwin también observó que, en determinado punto del Río de la Plata, las orillas desaparecen. La decepción frecuente de los viajeros que después de soñar ante un mapa deben enfrentarse con la banalidad de la geografía verdadera, también lo asaltó al penetrar en las aguas barrosas del estuario.

Cuando emprendió su viaje, el 27 de diciembre de 1831, tenía veintidós años, y había abandonado los estudios de medicina a causa de su hipersensibilidad; además de la química, de la geología y de las ciencias naturales en general, practicaba de a ratos la poesía y la pintura. Volvió de su viaje de cinco años con la salud un poco arruinada y se instaló en el campo, no lejos de Londres, a clasificar los datos que había recogido y a elaborar su teoría de la evolución. Fitz Roy, el capitán del *Beagle*, apenas si tenía 25 años. Eran a decir verdad dos jóvenes ingleses de buena familia que salieron a recorrer el mundo, Fitz Roy en tanto que marino experto en cronometría y en meteorología y Darwin en tanto que naturalista. La fuerte amistad que trabaron durante el viaje no resistió a la aparición de *El origen de las especies;* humillado primero por el éxito del *Viaje de un naturalista*, que había hecho sombra a su propio relato de la expedición, Fitz Roy pasó más tarde a la indignación ante las teorías evolucionistas que socavaban sus convicciones religiosas, y se dedicó, monomaníaco, a refutarlas; se volvió un conservador vehemente, en tanto que Darwin, apacible y discreto, fue haciéndose cada vez más liberal.

La curiosidad siempre despierta de Darwin tiene algo de euforizante, de festivo. Nunca la palabra *naturalista* fue tan pertinente para calificar a alguien: *el libro del mundo*, que para Diderot era más interesante que el de cualquier otro editor, le interesaba en cada una de sus páginas: de la fosforescencia del mar a la ignorancia de los ganaderos, que dudaban de que en el hemisferio norte hiciera frío, pasando por los duelos a *primera sangre* entre los gauchos, la altura de los cardos, el despilfarro de la carne vacuna, los árboles sagrados de los indios del sur, los tubos vitrificados que forman los rayos cuando penetran en la arena, los diferentes aspectos de la sociedad argentina y la psicología del hombre de campo, sin contar la poca distancia a la que cae el horizonte en la llanura (ya volveré sobre este punto), además de sus intereses específicos de naturalista profesional, de geólogo, de paleontólogo, de botánico. Para alguien que proviene de la llanura, la lectura del *Viaje* es un modo de poner un orden, de revivificar y de comprender, no las leyes que rigen el mundo, sino sensaciones íntimas que parecían inseparables del propio ser y que van desplegándose en lo exterior, al mismo tiempo autónomas y familiares.

En 1989, en el avión en el que volvía a Europa, abrí un

vespertino de Buenos Aires, un diario popular que en otras épocas fue de los más vendidos y, en la página cultural, o como quiera llamarse a eso, había un largo artículo que se encarnizaba en demostrar que Darwin había sido un espía del Imperio Británico. Su lectura generó en mí indignación y tristeza. Una vez más, un escriba nacionalista se permitía, por ignorancia y por resentimiento, tergiversar demagógicamente sobre hechos o textos que no justificaban de ninguna manera esas calumnias. Acusar de extranjero a todo aquello que opone cierta resistencia es desde luego un reflejo corriente: el famoso lobby internacional judeo-marxista es el caballito de batalla del fascismo en todas las latitudes, y nuestros dictadores, en general oficiales de caballería, no se han privado de montar en él. Pero las calumnias sobre Darwin se inscriben en una convicción más grave, que consiste en creer que hay una esencia argentina tan específica que todo lo exterior le es obligatoriamente refractario, una entelequia tan rarificada que linda con lo *inhumano*. Durante la moda existencialista, por ejemplo, ciertos intelectuales, en lugar de hacer notar con justicia que muchos pretendían ser discípulos de Sartre porque se habían enterado de su existencia por los diarios, preferían blandir el argumento sorprendente de que la angustia era un concepto foráneo, de que la angustia no podía alcanzar a un argentino. Ernesto Sábato ridiculizó en su momento a esos *pensadores*.

Esos dislates son particularmente ridículos si se tiene en cuenta que muchas de las mejores páginas que existen sobre Argentina fueron escritas por extranjeros. En muchos idiomas del mundo existen textos excelentes sobre nuestro paisaje, nuestro modo de ser, nuestra sociedad, y también sobre hechos ínfimos pero profundamente significativos que, de no haberse producido en el momento en que esos extranjeros pasaban, en una coincidencia rápida y feliz, se hubiesen perdido para siempre. Esos detalles, un autóctono, por estar demasiado habituado a ellos, no los hubiese percibido; era necesaria la mirada desprejuiciada y virgen de un viajero para reparar en ellos. Los franceses se autoconsideran cartesianos y los ingleses creen saber qué cosa es un gentleman; en este último caso, se da por sobreentendido que la primera condición para serlo es ser inglés, y si la palabra se aplica a un extranjero, es porque se considera que ese extranjero se comporta como un inglés. Basta pasar una semana en París o en Londres para percibir la ingenuidad de esa mitología. Los arquetipos nacionales se diluyen en el irracionalismo salvaje de la sociedad contemporánea. Para describir un objeto, es mejor no tener ningún prejuicio sobre él en el momento de hacer la descripción; y, teniendo en cuenta que se trata de una condición casi imposible, no deja de ser cierto que es cuando, confrontados a los hechos, los prejuicios comienzan a disiparse, que un texto empieza a ponerse interesante: así, cuando Ulrico Schmidel comprueba el valor con que guerrean sus enemigos, una emoción más fuerte que la mera curiosidad histórica nos invade durante la lectura.

La lista de autores que han escrito sobre el Río de la Plata es impresionante: objetos de veneración y de estudio de nuestros sociólogos, etnólogos e historiadores, que han puesto en circulación muchos de ellos en excelentes ediciones críticas, sus textos son en general desconocidos para el gran público. Comerciantes, embajadores, soldados, naturalistas, trotamundos, periodistas, ingenieros y desterrados, cuando no escritores profesionales, conferencistas, religiosos, filántropos, filósofos, aventureros. De Pigafetta a Gombrowicz, pasando por Schmidel, los curas Falkner y Cattáneo, o el padre Florian Paucke, que vivió siete años entre los indios mocobíes y dejó unas ilustraciones magníficas, naturalistas como Félix de Azara, Darwin o D'Orbigny, ingenieros como Alfred Ebelot, exploradores como George Chaworth Musters, periodistas como Albert Londres, escritores como Ortega y Gasset o Roger Caillois, a quien le ocurrió una aventura semejante a la de Gombrowicz, ya que habiendo viajado a Buenos Aires para dar unas conferencias, lo sorprendió la ocupación alemana impidiéndole volver. En 1910, Clemenceau, invitado a los festejos del Centenario, escribió páginas entusiastas al regresar. Los argentinos hemos sido objetos de reflexión de André Maurois, de Drieu La Rochelle, de Graham Greene, de Waldo Frank y de Rabindranath Tagore. Eugene O'Neill trabajó un año como obrero en el puerto de Buenos Aires y escribió algunas obras de teatro. Graham Greene, que estuvo varias veces, escribió sobre la Argentina una de sus novelas, *El cónsul honorario*. La *Escuela de Francfort* existió gracias al trigo argentino. Félix Weill, nacido en Buenos Aires en 1898, hijo de un inmigrante alemán que se enriqueció con la exportación de cereales, concibió las investigaciones del grupo en un marco institucional, y convenció a su padre, Hermann Weill, de financiar al Instituto. Amigo de Adorno, de Horkheimer, de Marcuse, Weill se doctoró en ciencias políticas en Francfort, donde su padre lo había mandado a estudiar, y su disertación de doctorado versó sobre los problemas prácticos de realización del socialismo. Cuando la ascensión del nazismo obligó a los miembros del Instituto a emigrar, a mediados de los años 30, Weill regresó a la Argentina.

Obviamente, esos relatos no son infalibles, y muchos de ellos pueden ser olvidados sin remordimientos. El frenesí geográfico y seudoetnológico que se apoderó de Europa a mediados del siglo XIX, en pleno auge colonialista, y que empezó a decaer hacia 1930, suministró toneladas de páginas abominables. En cualquier librería de viejo de Londres o de París los libros sobre *Las pampas*, *El Río de la Plata*, o *La América del Sur* pululan, igualmente insípidos, y en muchos casos a la primera ojeada se adivina que sus autores, o bien no han salido de Buenos Aires más que para ir a comer un asado a una estancia vecina, o han hecho una escala de 48 horas en algún crucero o, en casos extremos, ni siquiera han salido de París. En esos libros, los temas predominantes son por lo general la belleza de las señoritas porteñas, la ferocidad de los gauchos, el número ilimitado de vacas, o lo bien que habla francés o inglés Fulano o Mengano. Cualquier embajador, cualquier esposa de embajador, acostumbraba llenar sus ocios escribiendo un libro sobre *Las pampas*, siempre en plural. Los más perspicaces suelen copiar a Azara, a Darwin o a D'Orbigny. En 1948, André Maurois nos depara, no sin un poco de autosatisfacción, un *Journal d'un tour en Amerique Latine*, consecuencia pálida de una misión oficial destinada a hacer un balance de la influencia espiritual de Francia en el continente, ante el avance subrepticio de los consejeros culturales de la embajada inglesa, que dicho sea de paso, un poco más tarde instalaría en la Argentina uno de sus agentes más temerarios, Lawrence Durrell. Maurois nos describe momentos apasionantes: "En el hotel Alvear, encuentro mi habitación llena de rosas rojas y blancas.

"—No sabíamos qué hacer, me dicen mis huéspedes; en *Climas*, a su héroe sólo le gustan las flores blancas; en *Tierra Prometida*, tiene el fetichismo de las rosas rojas. Para no equivocarnos, pusimos las dos…

"—No lo sé por mis héroes, pero a mí me gustan las rosas. Rojas y blancas." Al día siguiente, nos quedamos pasmados ante la importancia de sus revelaciones: "Mis anfitriones han puesto a mi disposición, para toda mi estadía, un auto y un chofer, Antonio, que es un ser sorprendente. Aunque es español, habla bien el francés…"

Cuando hablo de autores extranjeros me refiero, desde luego, a otra clase de literatura —aunque probablemente literatura no sea el nombre adecuado para los textos que dejaron—. Internándose en sitios inexplorados, aun en el corazón mismo de la gran ciudad, como Gombrowicz, fueron capaces de iluminar y nombrar cosas que antes de su paso se confundían en un magma indiferenciado. Los indios tehuelches de Chaworth Musters, la calandria de Darwin *(Mimus orpheus)*, o los adolescentes pobres y un poco venales que frecuentaba Gombrowicz y en los que veía *la única aristocracia* del país, fueron captados por esa mirada exterior, al mismo tiempo imparcial y benévola, que les asignaba su lugar exacto en el mundo.

En muchos casos, tenemos la impresión, maravillada y nítida, de que las cosas están siendo percibidas y nombradas por primera vez desde los comienzos del mundo.

En el Río de la Plata, y en América en general, la toponimia oscila entre lo simbólico y lo sensorial. Los nombres religiosos de los españoles y los nombres femeninos de los inmigrantes del siglo XIX alternan, en la superficie coloreada de los mapas, con los que evocan la inmediatez de las sensaciones. Esa tendencia es sobre todo fuerte en lo que se refiere a los nombres fluviales. En la toponimia indígena, a menudo el plano sensorial y el plano simbólico se confunden: así, el nombre Paraná significa padre de ríos, nombre que evoca la supremacía de su corriente poderosa y a la vez describe su curso atormentado y los numerosos riachos y arroyos que engendra a medida que baja hacia el estuario. Los nombres simbólicos o conmemorativos convocan el pasado, la historia o la tradición, pero los nombres sensoriales de los lugares, y sobre todo de los ríos, parecen resonar en un presente constante, y se confunden con lo que nombran. La toponimia acuática fue surgiendo, gradual, de los desplazamientos humanos, y en su simplicidad repetitiva, las pocas variaciones que se acuerda corresponden a los pocos contrastes que surgen de las sensaciones más elementales.

Vista, oído, gusto, tacto, olfato, sirvieron para clasificar para siempre la mayoría de los cursos acuáticos. El mismo Río de la Plata fue llamado por Solís el "Mar Dulce", identificándolo gracias a la vista y al gusto antes de que la historia y la tradición se lo apropiaran, llamándolo primero con el nombre de su descubridor y corrigiendo la impresión visual que daba la ausencia de orillas ("el río de Solís"), y después con el espejismo de los metales preciosos a los que daba presuntamente acceso, el *argentino río*, que daría más tarde su nombre al territorio entero. A veces esas denominaciones sensoriales son de orden pragmático, no solamente por razones de orientación, sino también para distinguir, a causa del ganado, las aguas potables de las salitrosas. Pero en la mayoría de los casos, es la pura impresión de los sentidos, estilizada hasta la simplicidad emblemática, lo que establece la denominación. El río Negro, el Colorado, el Bermejo, el río Verde, el Blanco, los ríos Grande y Chico, lo mismo que el río Seco o la laguna Mar Chiquita perpetúan impresiones visuales; los ríos Dulce, Salado, Saladillo, Amargo, el río Agrio, gustativas: en las orillas vacías no es difícil imaginarnos al hombre que, recogiendo un poco de agua en el hueco de la mano, se inclina y se concentra para probarla. El Cerro Agua Hedionda en cambio, en la provincia de San Luis, nos hace pensar en viajeros que, para no sufrir los malos olores, perturbados, se apresuran; la temperatura del agua sugiere a veces el nombre, y no pocas el ruido que hace al correr. Los ríos Primero, Segundo, Tercero, Cuarto y Quinto en la provincia de Córdoba, no hacen más que ir marcando, de norte a sur, el avance lineal de sus descubridores. El orden convencional con que los han designado, en vez de clasificar lo exterior, no hace más que sugerir la cronología de sus percepciones.

Este método empírico no puede evitar, como podía esperarse, la repetición. En un radio de unos quinientos kilómetros a partir de Buenos Aires, dejando de lado el Uruguay, se cuentan por lo menos catorce ríos y arroyos que se llaman Salado o Saladillo; sumados a los del resto de la república, no deben ser menos de treinta o cuarenta. Los ríos Dulce son muchos menos, pero tampoco se quedan atrás. La provincia de Santiago del Estero es considerada como una de las más áridas del país, y sin embargo se las arregla para que, de los tres ríos más importantes que la surcan, uno sea el Salado, otro el Dulce y el tercero el Saladillo, que afluye, infructuosamente al parecer, en el segundo de los nombrados. Casi en el mismo radio, y siempre en la pampa, hay dos lagunas Mar Chiquita; obviamente, todas las lagunitas que no figuran en los mapas y que se llaman La Salada ni se cuentan. Al sur de Rosario, hay un arroyo que se llama Saladillo; simétricamente, al norte de Santa Fe hay otro arroyo Saladillo; y entre los dos, el larguísimo río Salado que atraviesa varias provincias y que se junta, en la misma ciudad, con el Paraná.

Esta tendencia decididamente reiterativa, a la que se agregan auténticos matices perceptivos, ha traído como consecuencia ciertas combinaciones de tipo analítico, destinadas a precisar las sensaciones y a evitar la confusión. De esta manera, al Arroyo Saladillo de Santa Fe lo forman dos afluentes: el Saladillo Dulce y el Saladillo Amargo que, al juntarse, curiosamente, se neutralizan, porque, al formarse un solo arroyo, los adjetivos desaparecen. A veces, Grande y Chico son adjetivos que, usados con tanta frecuencia, a fuerza de querer aclarar, como dice el refrán, más bien oscurecen. En unos pocos kilómetros, en el sur de la provincia de Buenos Aires, campean, en forma de riachos, arroyos y lagunas (no lejos de un arroyo Salado, de un río Quequén Salado, y de una tercera laguna Mar Chiquita), las Tunas Grandes y las Tunas Chicas, un arroyo Grande a secas, un río Quequén Grande (cerca de un arroyo Dulce), una cañada Grande al lado de una laguna Salada Grande, un arroyo Napostá Grande, además de un río Sauce Chico, un río Sauce Grande, y un tercero, inesperado pero luminoso, el río Sauce Corto, que viene a sugerirnos que tal vez los adjetivos Grande y Chico de los dos primeros no se referían al sauce sino al río.

Es obvio que esta toponimia empírica se extiende a todo el territorio de la república, y que la reaparición de Dulce, Salado, Chico, Grande, Colorado y Negro se repite, entreverada con los nombres indígenas de cada región, en todas las latitudes. Los nombres conmemorativos que, como en el resto del planeta, recuerdan hombres, fechas y sucesos que acaecieron, tienen a veces resonancias inesperadas. En la provincia de Río Negro, por ejemplo, hay un cerro que se llama *Caín*, enfrente de otro que se llama *Dos Her-*

manos, y ambos forman un triángulo con un tercero que, como por casualidad, tiene el nombre de *Dos Amigos*. Un hecho misterioso que nos parece adivinar emana de esos nombres. Aun para los que ignoran los idiomas indígenas, la sonoridad de los nombres indios trae por sí sola el sabor inconfundible de cada región. Y para los que los conocen un poco, esos nombres evocan personajes, animales y lugares legendarios. Muchos viajeros, misioneros, técnicos, científicos, han dejado sus nombres a una montaña, un puerto, un glaciar, una bahía. Bougainville, Darwin, Fitz Roy, Musters, Falkner, Magallanes, alternan con desconocidos, de los que a veces no queda más que alguna mención genérica, oscura, circunstancial, como Don Cristóbal, por ejemplo, de quien ni conocemos el apellido, o Negro Muerto, o el Tío, o Los Ahogados. El bestiario es interminable, y está compuesto de animales domésticos y salvajes, aves, mamíferos o reptiles, locales y exóticos, vivientes, extinguidos, y aun anacrónicos, como un cerro que en el sur de la Patagonia se llama el Cocodrilo. Pero sin duda los más evocadores son aquellos que se refieren a la inmensidad vacía del territorio, o que la sugieren por confusión etimológica, como ocurre con el maravilloso *El Nochero*, que el diccionario define como un sereno, pero que en la pampa se aplica al caballo hábil en la oscuridad, y la imaginación, más rápida que todos los léxicos, interpreta como el amigo de la noche. La misma confusión enriquece *El Pensamiento*, que debe referirse quizás a la flor, pero en el que sentimos, antes que nada, la gravedad meditativa, o *Soledad*, que conmemora sin duda el nombre de una mujer, aunque lo atribuyamos de inmediato al aislamiento extremo del lugar en el que se encuentra el pueblo. Ese aislamiento y ese vacío son con frecuencia la causa de la toponimia: de esta manera, nombres como *El Perdido* aparecen más de una vez, y otros como *Malabrigo*, o *Pozo Borrado* los evocan en seguida. Pero es únicamente cuando la distancia, la soledad, la lejanía y el desierto se vuelven indefinibles e inabarcables, haciendo que no persista otra cosa que una serie improbable de estremecimientos interiores, que empiezan a aparecer nombres que reflejan, no los accidentes de lo exterior, sino estados morales o emocionales: bahía Engaño, punta Desengaño, bahía de los Desvelos o río Deseado. Hasta que en el extremo sur, en Tierra del Fuego, encontramos el nombre por excelencia, reducido a su mínima expresión, el más abstracto de todos, no lejos de otros objetos abstractos como el cerro *Pirámide o* el cerro *Cónico*, la denominación genérica extrema, que sólo hace el gesto estilizado de nombrar lo innominado, prescindiendo de toda referencia interna o exterior, el cabo *Nombre*.

La toponimia representa a decir verdad la primera constelación verbal que se despliega en la superficie atormentada del universo, proyectiles verbales lanzados por el aliento codificado del hombre y que van a incrustarse no en los lugares sino en los mapas que les sirven de emblema. Los lugares en sí son desde luego mudos y neutros, de esencia radicalmente contradictoria respecto de sus nombres y, del mismo modo que a Darwin lo desencantaron las aguas barrosas y las márgenes chatas de lo que en el esquema ideal de los mapas se llama pomposamente el Río de la Plata, así también a los que le dieron ese nombre, sustituyendo el de *Mar Dulce* o *río de Solís*, la tierra indigente que ellos creían repleta de tesoros no les acordó más que muerte y desilusión. Ese espejismo en el que chapotearon sirvió para nombrar al país entero, la Argentina, gracias a un deslizamiento poético, más neoclásico que clásico, consistente en llamar primero al agua turbulenta, valiéndose de un epíteto, *el argentino río,* feminizándolo un poco más tarde, *las argentinas aguas*, y aplicándolo por fin al territorio circundante, *la argentina tierra*. La Revolución de Mayo, en 1810, que comenzó la separación de la colonia española, ocurrida en pleno neoclasicismo poético (el Himno Nacional, escrito en 1811, es un ejemplo académico de esa escuela), no podía menos que institucionalizar el gesto retórico, probablemente uno de los más engañosos de todo el repertorio toponímico universal. Los Estados Unidos de Norteamérica poseen efectivamente una organización política que corresponde a su nombre, así como en los de Brasil abundaba sin la menor duda esa madera, del mismo modo que es desgraciadamente incontestable que Rodhesia recibió la visita de Cecil Rodhes, pero el nombre de la República Argentina, o del Río de la Plata, constituyen un abuso verbal flagrante, porque en todo el territorio nacional no hubo jamás ni un solo gramo de ese metal que, según Sherlock Holmes, cuando es no de primera, sino de primerísima calidad, debe lustrarse con la yema de los pulgares y no con un pedazo de franela.

La denominación Mar Dulce correspondía a cierta verdad empírica, y el ulterior río de Solís tenía su razón de ser conmemorativa, pero el definitivo nombre de Río de la Plata no designa más que una quimera. Los nombres, por lacónicos, y aun impenetrables que sean, son el primer texto que leemos sobre, y la preposición nunca ha sido más literal, un país, y a menudo únicamente los nombres existen para muchas cosas, como sucede no ya con las estrellas inabordables, sino sobre todo con la parte interna de nuestro propio cuerpo, reticulado por una toponimia minuciosa que no deja en el anonimato ni la más oscura terminación nerviosa:

Allá, en el desfiladero de mis nervios…!

como se queja dulcemente César Vallejo, comparando sus estados de ánimo con un campamento militar griego antes de la batalla. Esa reducción realista de la cosa al mero nombre es el punto de partida de una retórica oficial insistente, que confunde, a sabiendas o no, una figura poética demasiado fechada con la realidad del país. Aunque nadie piensa que es posible sentarse a descansar en la silla turca del esfenoides, ni que haya verdaderamente un perro guardián en el punto del mapa del cielo en el que figura la palabra Cerbero, hay todavía muchos que simulan creer o, lo que es peor, que creen realmente, que el nombre de Argentina sintetiza de verdad riqueza y transparencia.

Ya hemos visto la distribución tripartita de la toponimia, indígena, empírica y conmemorativa; a esa distribución habría que agregar ciertas particularidades, que tal vez no son específicamente locales, pero que en la Argentina son lo bastante frecuentes como para que merezcan ser señaladas. La primera de estas particularidades, consecuencia del carácter desértico del territorio, es cierta arbitrariedad en los nombres, a veces residuo del paso fugaz de alguno, y a veces incluso prebenda injustificada, producto del capricho de gobernantes o de propietarios, decididos a premiar con la inmortalidad a algún pariente o amigo. El caso más sonado es el del general Emilio Mitre, que se cubrió de ridículo en una guerra fantasma contra los indios, que duró varios meses y en la que no vio un solo indio, volviendo a Buenos Aires con sus tropas diezmadas por la fatiga, el hambre, la sed y su propia incompetencia. Lo mismo que una calle de Buenos Aires, un pueblo de la provincia de La Pampa, en la Patagonia septentrional, inmortaliza su nombre, en el escenario mismo en el que tuvo lugar su fanfarronada grotesca. Es verdad que esta tendencia a desfigurar la corteza terrestre con homenajes inmerecidos es inmemorial y universal, pero el porcentaje de ineptos y de pícaros que sirven de referencia toponímica en nuestro territorio es mayor quizá que en otros países. En su mayoría, son un resabio de la época patriarcal, los últimos gestos de una clase que durante casi dos siglos confundió el vasto mundo con su propio delirio.

El primer rasgo de salvajismo que observé en Europa fueron los residuos toponímicos de las guerras napoleónicas, simétricamente opuestos en París y en Londres. Esa petrificación sin matices de un antagonismo ancestral que se obstinaba en perennizar de cada lado la porción más autogratificante de la historia, me incitó al desprecio, al temor y a la desilusión y me hizo pensar en una prolongación toponímica del estado de guerra que mantenía continuamente en vilo la posibilidad inminente de una revancha. En el Río de la Plata, además de esa toponimia de guerra, más o menos universal, existe un fenómeno local, la guerra toponímica. No me refiero a las islas Malvinas, llamadas así después de la ocupación ilegal por los franceses y devueltas a la Corona española por Bougainville durante su famoso *Viaje* (de lo que fue gratificado toponímicamente con una isla en ese archipiélago), y a las que los ingleses, cuando las ocuparon ilegalmente en 1833 (cosa que siguen haciendo todavía con el aval de las Naciones Unidas), volvieron a bautizar con el nombre de Falklands, y se obstinan en no querer llamar de ninguna otra manera. Ese empecinamiento onomástico es del mismo orden que el que incita a ingleses y franceses a no querer ver más que el lado complaciente de las cosas. En la Argentina la guerra toponímica es una consecuencia de las agitaciones políticas y de las pretensiones revolucionarias de cada gobierno que sube al poder.

La tábula rasa que Aristóteles recomienda al buen pensador parece ser el principio fundamental de todos nuestros gobernantes, especialmente de los usurpadores militares, que, después de anular la Constitución, profieren ex nihilo el Comunicado N° 1, que a menudo consiste en una interminable lista de cesaciones, exclusiones y prohibiciones. Estos amagos de renovación cósmica naufragan en general en la corrupción más desvergonzada, en el inmovilismo más deprimente y en el oprobio de la inepcia recompensada, cuando no en masacre (pero de esto me ocuparé en la próxima sección, donde hablo exclusivamente de violencias, escarnio y asesinatos). A diferencia de muchos países, donde a cada cambio de gobierno sólo cambian las cabezas visibles del Estado, y aun ni siquiera eso, en la Argentina suelen cambiar desde el presidente de la República hasta los choferes y los ordenanzas de los ministerios, los proveedores de café de las oficinas públicas y las porteras de las escuelas. Tal vez un lector europeo me objete que idealizo los países civilizados y que esa tendencia es universal, argumento que estoy dispuesto a aceptar, pero si es así, puedo decir que en la Argentina, sobre todo con un gobierno militar, esa tendencia a gobernar ex nihilo, sin tener en cuenta para nada la continuidad del Estado y aun de la sociedad, se acentúa hasta la caricatura: cambian no únicamente los ministros y los legisladores (que a decir verdad desaparecen lisa y llanamente), sino también muchos empleados públicos, cambian los proveedores del Estado, los aduladores y los bufones. Cambian los animadores de televisión y las estrellitas de moda, los obispos y los traficantes de droga, los directores de los diarios e incluso los diarios, cambian los embajadores, los agregados culturales y las secretarias, los novelistas consagrados y los cómicos de music hall; un general, jefe de un distrito militar, se pronunció contra el psicoanálisis, la teoría de la relatividad, las matemáticas modernas y el arte abstracto; como se podrá imaginar, la toponimia, la nomenclatura de las calles, no tienen nada de eterno para quien está dispuesto a cambiar el nombre y el valor de la moneda y a anular retrospectivamente la vigencia de la geometría no euclidiana. Cuando el peronismo llegó al poder en 1946 se dedicó a bautizar con los nombres de Perón y Evita, en todas sus variantes posibles (General Perón, General Juan Domingo Perón, Juan Domingo Perón, Presidente Perón, Evita, María Eva Duarte de Perón, Eva Perón, etc.), avenidas, hospitales, ciudades, provincias y monumentos, así como también con las fechas y los nombres de personalidades sobresalientes del régimen. Cuando, en 1955, el gobierno fue derrocado, la autodenominada *Revolución Libertadora* cambió todos los nombres, restaurando los antiguos o agregando algunos nuevos, pero cuando el peronismo volvió al poder en 1973 el vals onomástico recomenzó. La calle Canning, nombre de un ministro inglés bastante indecente a decir verdad, se transformó en Raúl Scalabrini Ortiz, uno de los mejores escritores nacionalistas argentinos; obviamente, un decreto del gobierno militar de 1976, restituyó el homenaje al ministro inglés, homenaje que muestra nuestro *fair play*, ya que ese ministro pasó su vida en intrigar contra el Río de la Plata. Afortunadamente, la administración Alfonsín reintegró a nuestro escritor, probablemente porque Scalabrini, antes de ser peronista, se había destacado como intelectual radical. Pero la costumbre beneficia a los pícaros: indiferentes a todas estas peripecias, los habitantes de Buenos Aires siguen llamando Canning a la calle.

Creo haber agotado el tópico toponímico, si se me permite la aliteración y, por qué no, el casi pleonasmo. Pero como el tema de esta sección es el entrecruzamiento de textos, particularmente extranjeros, que han elaborado las imágenes de la región, me pareció pertinente comenzar por los más lapidarios, que son la toponimia. Ya podemos aventurarnos a, como dicen los lingüistas, unidades sintácticas mayores, y estudiar ciertas descripciones o definiciones. Algunas de ellas son sumamente célebres, y cada vez que un periodista literario de *Le Monde* o de *Liberación* (y de todos los otros diarios europeos que han sido capaces de superar sus prejuicios antifranceses) se refiere a la pampa, o al Río de la Plata, no se abstiene de recordárnoslas; la más frecuente de todas esas expresiones, la que encontraremos pase lo que pase y caiga quien caiga, es la famosa definición de Drieu La Rochelle: la pampa: "vértigo horizontal". Hay un resabio postsimbolista en esta expresión, que a mi juicio gana mucho cuando es proferida lentamente y entrecerrando levemente los ojos, tal vez haciendo un largo ademán mesurado, ligeramente ondulatorio, con la mano derecha elevada ante sí mismo, como si el borde inferior de la palma remara en el aire, el brazo blandamente estirado. El efecto causado por esa manera de proferir la expresión será sin duda intenso, pero la expresión es falsa.

Desde hace años, viajo en tren a Bretaña una y a veces dos veces por semana, de manera que, instalado cómodamente junto a la ventanilla, cruzo la llanura de la Beauce por lo menos dos veces cada siete días, unas treinta y cinco semanas por año, lo que da unas setenta pasadas por año, y si pensamos que hace un poco más de veinte años que realizo ese viaje, puedo calcular que la he atravesado unas mil cuatrocientas veces (en números redondos). Indiferente al resto del paisaje, siempre interrumpo mi lectura cuando el tren se interna en la llanura y me preparo para observarla, con el fin de percibir la mayor cantidad posible de los detalles que componen el paisaje. Cuando puedo, trato de viajar de espaldas al sentido de la marcha, para que lo que voy viendo por la ventanilla permanezca mucho tiempo en mi campo visual que, en razón de esa persistencia, va enriqueciéndose con los nuevos elementos que se incorporan en él a causa del desplazamiento del tren. Mi inclinación por la llanura no disminuye ni siquiera de noche sino que, muy por el contrario, encuentra estímulos suplementarios a causa de la ilusión perfecta de identidad que dan las hileras rectas de las luces del alumbrado público de los pueblos de la Beauce con las de la llanura argentina. Como soy consciente de que los campanarios de las iglesias de Illiers y de otros pueblos de la llanura no están lejos, el sabor plácido de la infancia me vuelve durante esas travesías nocturnas.

Mi interés por esa tierra chata nunca decae y puedo decir que la he visto, como Francis Ponge a la *crevette*, "dans tous ses états". Semana tras semana, puedo seguir los progresos de los vastos campos de trigo, de los rectángulos amarillos de colza, puedo observar la fila de autos diminutos igual que si fueran de juguete, que ruedan pueriles por las cintas rectas de asfalto, los cilindros erectos, dobles o triples de los elevadores de granos, los senderos sin asfaltar que bordean el campo. Esa llanura tan desierta como la pampa argentina, y muy semejante a la región cerealera en la que nací, es un poco más *peinada* que ella, más civilizada, sin que me sea posible definir totalmente las razones: quizá porque es más reducida, hay un mayor aprovechamiento de la tierra, y por lo tanto los campos parecen más cuidados: o quizá, como el sol es más clemente, la sensación de aplastamiento y de agostamiento de los verdes sea menor; o porque siendo todo más rico en este continente, esa riqueza se contagia también al campo. Pero, de todos modos, la ilusión es casi perfecta y, estudiando con deleite la llanura, tengo la impresión no solamente de aprender cosas ciertas sobre ella sino también sobre mí mismo.

Hay algo que no falta nunca en la llanura, y es el horizonte. Los objetos voluminosos —las casas, los árboles, las casas flanqueadas por sus árboles— se elevan en el mismo plano horizontal, y cuanto más lejos están del ojo que las mira mayor impresión dan de ser chatas, sin volumen, apenas apoyadas en la superficie, más o menos evanescentes según los caprichos de la luz y de la bruma. Paradójicamente, no siempre las más cercanas son las menos tenues o las más consistentes. En lo que más hacen pensar es en esas siluetas de cartón que representan casas y árboles en un juego de criaturas y que se mantienen erectas gracias a un pequeño pedestal de madera. A medida que el tren se desplaza, esos simulacros van desplazándose a distinta velocidad, más rápidas las más cercanas al ojo, más lentas las más alejadas, como si el círculo cuyo límite es el horizonte estuviera en realidad constituido por una serie de aros concéntricos que giran en diferente dirección y a velocidades diferentes.

Mi vista no es de las más poderosas, y unos anteojos corrigen mi miopía. Sin embargo, siempre alcanzo a divisar alguna masa tenue erecta, aunque diminuta, en el horizonte, lo cual prueba (sería incapaz de calcular la distancia) que el horizonte no se encuentra demasiado lejos. Si sumamos la altura del terraplén del ferrocarril más la altura del tren, comprobaremos que, cuando estoy instalado en mi asiento junto a la ventanilla, debo encontrarme por lo menos a un metro y medio por encima del suelo propiamente dicho. Y, para agregar un elemento eminentemente subjetivo a esta descripción, debo decir que muchas veces tengo el sentimiento de que si me bajara de este punto de observación privilegiado y me pusiese a caminar por la llanura, mi campo visual se estrecharía bruscamente —se volvería a decir en verdad de lo más reducido. Como la soga contra el cuello del condenado, para usar una comparación ya familiar a mi lector, el horizonte supuestamente infinito se cerraría a mi alrededor. El famoso *vértigo horizontal* de Drieu La Rochelle, entonces, es una figura poética afortunada, pero un error de percepción. Ese error ya había ocupado los pensamientos de Darwin el 30 de septiembre de 1833, y me siento particularmente autorizado a comentarlos ya que el sabio inglés, en su pretendida labor de espionaje, efectuó sus observaciones no lejos del que sería un poco más de un siglo más tarde mi lugar natal (unas diez leguas al norte de Rosario, o sea enfrente de donde, no sé si el lector recordará, Sebastián Gaboto fundó, en 1527, el primer fuerte español en todo el territorio de la Argentina).

"Durante muchas leguas —escribe Darwin— al norte y al sur de San Nicolás y de Rosario, el país es realmente chato. No se puede considerar exagerado nada de lo que los viajeros han escrito a propósito de esa nivelación perfecta. Sin embargo, nunca he podido encontrar un solo lugar en el que, girando lentamente, no haya distinguido objetos a una distancia más o menos grande, lo que prueba evidentemente un desnivelamiento en el suelo de la llanura. En el mar, cuando el ojo se encuentra seis pies por encima de las olas, el horizonte está a dos millas y cuatro quintos de distancia. Del mismo modo, cuanto más la llanura es nivelada, más el horizonte se aproxima de esos límites estrechos: de modo que a mi juicio, esto es suficiente para destruir ese aspecto de grandeza que se cree encontrar obligatoriamente en una vasta llanura."

La historia ha juzgado a Drieu por otros errores, pero como se ve, faltaba disipar el último para tener un panorama completo de su ceguera. Sus otras equivocaciones eran injustificadas e imperdonables, pero ésta de la que me estoy ocupando ahora tiene una explicación plausible, y no es privativa del individuo Drieu La Rochelle, sino del hecho más universal de que la mayoría de nuestras supuestas percepciones son meras proyecciones imaginarias. Buen psicólogo, Darwin se refiere al "aspecto de grandeza que se cree encontrar obligatoriamente en una vasta llanura", sugiriendo de ese modo la influencia que las ideas preconcebidas tienen en nuestras percepciones. A lo que vemos, sumamos en una misma operación mental lo que recordamos, sabemos o imaginamos. Lo singular de la llanura no es su horizonte infinito, sino su capacidad de perturbar, de muchas maneras, nuestras percepciones. La primera manera de hacerlo, viene del espacio vacío y desmedido que facilita la proliferación de lo idéntico. Ya hemos visto cómo en la llanura se pone en evidencia, más que en otros lugares, la tendencia serial y repetitiva del mundo, cómo en ciertos fragmentos del espacio hay lirios y sólo lirios, vacas y sólo vacas, dando la impresión de que todo, en la llanura, se agrupa en colonias. Lo mismo pasa con el espacio vacío, que se yuxtapone, sobre todo para el ojo del viajero, siempre igual a sí mismo, y como en apariencia nada cambia con el desplazamiento del ojo, la imaginación adiciona los fragmentos y crea la ilusión de infinitud.

Pero ese paisaje tiene otro modo de perturbar nuestras percepciones, en el caso opuesto al del vacío, es decir cuando hay algo en él, o cuando algún objeto, viviente o inorgánico, rápido o lento, compacto o tenue, lo atraviesa. Un pájaro que pasa por el aire vacío, por ejemplo, va comprimiéndose a medida que se aleja y, sin haber salido del espacio que el ojo percibe, llega a un punto de su vuelo en que, literalmente, desaparece, igual que si hubiese sido escamoteado por el vacío. Pero lo que dura no es menos problemático: un caballo que pasta, abstraído y tranquilo, en algún lugar del campo, al convertirse en el único polo de atracción de la mirada, va perdiendo poco a poco su carácter familiar, para volverse extraño e incluso misterioso. Su aislamiento lo desfamiliariza, su Unicidad, que me permito reforzar con una mayúscula, magnetiza la mirada y promueve, instintivamente, la abstracción del espacio en el que está inscripto, incitando una serie de interrogaciones: qué es un caballo, por qué existen los caballos, por qué llamamos caballos a esa presencia que en definitiva no tiene nombre ni razón ninguna de estar en el mundo; su esencia y su finalidad, cuanto más se afirma su presencia material, se vuelven inciertas y brumosas. Al cabo de cierto lapso de extrañamiento la percepción ya no ve un caballo, tal como lo conocía antes de su aparición en el campo visual, sino una masa oscura y palpitante, un ente problemático cuya problematicidad contamina todo lo existente, y que adquiere la nitidez enigmática de una visión.

Para volver a la imagen famosa de Drieu La Rochelle, habría que oponerle, a causa de la presencia constante del cielo en la llanura, otro casi pleonasmo, unos de esos pleonasmos afirmativos que todos los idiomas toleran, y hablar de *vértigo vertical*. Nombre y adjetivo derivan, a través de las peripecias de la etimología, del latín *vertere*, girar, y lo hacen en torno a las ideas de cumbre y de rotación, en relación, desde luego, con la cúpula celeste. Esa cúpula acompaña todo el tiempo al hombre de la llanura que como ya lo he dicho se encuentra siempre, vaya para donde vaya, ya esté inmóvil o en movimiento, se desplace rápida o lentamente, en el centro exacto de la semiesfera que la tierra chata forma con la cúpula del cielo. Esta particularidad (ya veremos más adelante que no es la única) es vagamente kafkiana, en la medida en que la impresión de progresión se debilita. La uniformidad del desierto desbarata la superstición del movimiento y en los siglos pasados más de un viajero, víctima de la ilusión de avanzar giró en redondo durante días hasta que lo voltearon el cansancio, el hambre y la sed. (La toponimia *"El perdido"*, aunque también puede querer significar "el lejano" o "el remoto", conmemora varias veces, en los mapas de la pampa, esa desgracia.) Los dos tipos mayores del saber pampeano, el baquiano y el rastreador, han forjado su leyenda en la capacidad que se les atribuye de leer lo invisible, ya que eran capaces de reconocer pastos, huellas, lugares y toda clase de indicios inexistentes para los sentidos de los demás. Muchos viajeros dignos de crédito exaltan ese conocimiento seguro, múltiple y sutil capaz de percibir, igual que lo blanco en lo blanco de los pintores suprematistas, los matices de lo neutro y de lo idéntico. Pero el tamaño legendario que esos especialistas tenían no hace más que corroborar, por contraste, el carácter ilegible, para el ojo humano, del paisaje de la llanura. Para un extranjero, salir al campo sin un baquiano era exponerse a una muerte segura, y aun para los buenos conocedores de los caminos abiertos, alejarse de ellos no estaba exento de peligro, e incluso a veces hasta los indios se perdían.

El cielo domina ese paisaje. Incesante, lento, puntual, el firmamento desfila, inmediato y desplegado en su totalidad, apoyándose en el horizonte circular, y fluyendo desde él para ir a desaparecer en él en un punto opuesto de la circunferencia, para volver a surgir unas horas más tarde, con las ligeras variaciones cósmicas, los ciclos lunares, el desplazamiento de las constelaciones, el disco rojo del sol que, a la hora crepuscular, después de haber dado la impresión de inmovilizarse a cierta altura, empieza a caer con tanta rapidez que se ve a la tierra girar. Ciertas mañanas de verano la cúpula es de un azul tan oscuro y al mismo tiempo brillante, que pierde un poco su uniformidad y, tal vez a causa de las ondas térmicas, parece compuesta de una sustancia fluida y turbulenta. Únicamente en los bordes del horizonte empalidece un poco. Cuando se nubla por completo es —el lector ya lo habrá adivinado— igual que una bóveda de cemento. La sensación de libertad, tan obligatoria como la de grandeza desenmascarada por Darwin, que tantos poetas han creído experimentar en la llanura, es un mito, a causa justamente de la omnipresencia del cielo, que transforma esa supuesta libertad en opresión. Hemos salido efectivamente de la cárcel de las ciudades, y esa sensación puede aliviarnos en los primeros momentos en que gozamos del espacio abierto, pero casi en seguida nos damos cuenta de que, escapándonos de nuestra celda, hemos caído en una más grande, la gran prisión cósmica hecha, ésta sí, sin salida, y que se manifiesta con insistencia y con exceso en esa explanada interminable expuesta a unos fastos indiferentes. Aplastantes, cuantiosas, pétreas, las nubes no decoran el paisaje sino que, literalmente, lo ocupan. Semejante a un baldío planetario, sobre la gran llanura pasan bajas y compactas, y esa proximidad de la parte floja y cambiante del cielo, por oposición o la relojería rígida del firmamento, no se percibe como algo propio de la esfera terrestre, como unos vapores algodonosos producto de la humedad única del planeta, del proceso circular de evaporación y condensación, sino como una fuerza prisionera que, imposibilitada de dispersarse indefinidamente por el universo, vuelve a caer otra vez en la tierra en forma de lluvia. Esas masas algodonosas, llamadas nubes, y repertoriadas por su forma aproximativa en una serie de denominaciones latinas, suelen teñirse, con la luz que cambia, de colores químicos, inhumanos: las bajas, cargadas de lluvia, de un gris de aluminio con rebordes plomizos un poco más oscuros, y las más altas, de un blanco absoluto, polar, ligeramente centelleantes a causa del hielo en flotación, en tanto que por todo el cielo, según la altura y en posición respecto de la luz solar, lentas y espesas como copos de chantilly embebidos en colorantes de mala calidad, pasan las masas frambuesa, ladrillo claro, verdosas con un tinte de menta sintética, azuladas y aun celestes, para no hablar, en el atardecer, del amarillo sulfuroso, del rojo amarillento, del malva, del violeta. En la llanura, los hombres se dan cuenta, más rápido probablemente que en cualquier otro paisaje, de que

> *no están aquí porque llegaron*
> *ni porque busquen ningún lugar*
> *y hay un lugar más grande*
> *en el que están y no saben.*

A cambio de esas impresiones un poco angustiosas (que tienen, hay que reconocerlo, su porción de goce), el famoso "vértigo horizontal" de Drieu se vuelve de lo más módico. El lector puede pensar que finjo exaltar a los viajeros que han escrito sobre el Río de la Plata con el fin de traerlos a colación para poder denostarlos más cómodamente, pero una astucia semejante no entra para nada en mis intenciones. Más todavía: al evocar a esos autores extranjeros me expongo a que más de un autor nacionalista, sistema de pensamiento muy arraigado en la Argentina, me critique con aspereza por haberme ocupado demasiado de esos sicarios del Foreign Office, o de oficinas similares en el resto de los países colonialistas. Para conformar a *idiotas* y *no-idiotas* a la vez, debo aclarar que, del mismo modo que aunque los *snobs* del Faubourg Saint-Germain me parecen una sarta de parásitos ininteresantes *le petit Marcel* es uno de mis dioses, los textos de los viajeros extranjeros, aunque vengan de países tradicionalmente perjudiciales para la Argentina, me han enseñado más cosas que muchos autores locales (de los cuales hay cinco o seis que pongo, de más está decir, en el mismo olimpo que a Proust). Hechas estas salvedades, puedo continuar exaltando a quien me sea útil para la coherencia interna de mi relato.

Cada uno de esos autores ve los detalles por primera vez, y pensando que sus observaciones son únicas, las estampa sin prevenciones en la página blanca. Cuando leemos a varios, encontramos sin embargo que no pocos, en distintas épocas, han visto su atención atraída por los mismos detalles, lo que nos provee de una acumulación de testimonios sobre lo Mismo, acumulación que a veces hace resaltar coincidencias previsibles y a veces sorprendentes contradicciones. El género dirige a menudo el interés, y los naturalistas por ejemplo (Azara, D'Orbigny, Darwin) no fijan su atención en los mismos detalles que los misioneros (Cattáneo, Falkner, Paucke) o que los meros viajeros (Chaworth Musters, Un Inglés), o periodistas (Albert Londres). La duración de la estadía, ya sea breve (Clemenceau) o larga (Caillois), voluntaria (Alfred Ebelot) o involuntaria (Gombrowicz), influye desde luego en la percepción de las cosas; y que se haya pasado por Buenos Aires como conferenciante célebre (Ortega y Gasset, García Lorca, John Dos Passos, o el evanescente Rabindranath Tagore), o como perfecto desconocido (O'Neill, Lawrence Durrell y, durante muchos años, el propio Gombrowicz), también colora, de más está decirlo, los juicios. La generosidad rápida de Graham Greene desbarata todos los esquemas, porque un par de pasadas por Buenos Aires le permitieron escribir una inenarrable novela sobre la política argentina, *El cónsul honorario*.

La coincidencia persistente en la desilusión tiene algo de cómico: los chicos que se divierten dejando en la vereda un papel que parece un billete y se quedan a espiar a los diferentes peatones que se inclinan a recogerlo esperanzados, para dejarlo caer apenas comprueban el error, lo saben muy bien. "En el mapa, la desembocadura del Río de la Plata parece algo muy bello, pero la realidad está muy lejos de corresponder a las ilusiones que uno se ha hecho. No hay ni grandeza ni belleza en esta inmensa extensión de agua barrosa." Esta decepción de Darwin es tanto más definitiva y convincente en razón de que los juicios estéticos son bastante raros en su *Viaje*, y al mismo tiempo es corroborada por muchos de sus predecesores y seguidores. El único elemento no depresivo de su descripción es la inmensidad. Para atenernos al juicio meramente estético, creo que esta coincidencia en la desilusión tiene que ver con el nombre fabuloso del río, con el poder que tiene el lenguaje de incrustar espejismos en la imaginación. Varios viajeros mencionan esa disidencia entre el nombre y la cosa, y, como sucede con la giganta de Baudelaire, no es la belleza propiamente dicha lo que origina el *pathos*, sino el tamaño. Azara no lo considera un estuario sino un golfo de mar "que conserva el agua dulce", pero debemos atribuir esa clasificación a un capricho expeditivo de ese naturalista, que hacía abstracción de los ríos infinitos que se juntan para formarlo en la desembocadura. El padre Cattaneo (1729) dice que no hay en Europa "especie ni ejemplar de ríos tan desmesurados. Y entrando en él, cuando se está hacia la mitad de su curso, se pierde de vista la playa y no se ve otra cosa que cielo y agua a guisa de un vastísimo mar. Por tal se podría tomar, si no quitara toda duda el agua dulce corriente y turbia exactamente como la del Po". Unos años más tarde, en 1761, un austríaco, Tadeus Haenke, afirma que "lo que el río gana en anchura, lo pierde en profundidad". Y fue el inglés desconocido que conocemos con la apelación vaga de "An Englishman" quien, pasando por alto lo grandioso, estimó en 1820 que el Río de la Plata podía "ser bautizado con justicia el infierno del navegante".

A diferencia del otro, en el que según Dante el demonio principal tritura con sus tres bocas, por traidores, los cuerpos de Judas, Casio y el noble Bruto, y que se encuentra en lo más hondo de la tierra, el infierno de nuestro Englishman se caracteriza justamente por su falta de profundidad, lo que obliga a los navegantes, para evitar los bancos de arena, a desplazarse por sus aguas con la misma prudencia espantada con que Dante y Virgilio escalando el cuerpo del gigante tricéfalo, logran salir del foso expiatorio:

> *e s'io divenni allora travagliato,*
> *la gente grossa il pensi, que non vede*
> *qual é quel punto ch'io avea passato.*

El 28 de febrero de 1817, un diplomático norteamericano, cruzando hacia Buenos Aires en un bergantín llamado, para su preocupación, la *Malacabada*, constató que se veían obligados a fondear en la rada exterior de Buenos Aires, "como a seis millas de tierra, pues hay muy poca agua para poder aproximarse más". Tan bajo estaba el río, que ni aun las canoas podían llegar hasta la costa, de modo que, más o menos como Phileas Fogg, los viajeros debían valerse de cualquier medio de transporte o locomoción para llegar a destino. El traslado de las canoas a tierra firme se hacía en carreta, a caballo o incluso en hombros. En marzo de 1830, un francés llamado Arsène Isabelle, que Eduardo H. Pinasco nos presenta como "hombre interesante y múltiple, ya que se le conoce como comerciante, industrial, naturalista, geógrafo, historiador, canciller, funcionario público, profesor de latín y periodista, poseído además del irresistible afán de los viajes", llegó al puerto de Buenos Aires con la modesta intención de explorar sólo 743.000 millas cuadradas del territorio americano. Por oscuras razones comerciales, nunca salió de Buenos Aires, donde montó una industria de sebo, que quebró al poco tiempo, lo que nos hace dudar de su inventiva en el resto de sus especialidades, ya que instalar una fábrica de sebo en Buenos Aires en 1830 equivalía a exportar naranjas al Paraguay o, como lo dice más lindamente Theodor Adorno (y sospecho que a propósito de una conferencia de Heidegger sobre la diosa de la sabiduría al pie del Partenón) lechuzas a Atenas. De su fracaso industrial infirió no su propia inepcia, sino "la inferioridad del comercio francés con relación al de otras naciones marítimas". A la humillación que supone llegar a tierra en hombros de un changador, o en una carreta precaria, lentísima y traqueteante, Isabelle suma su indignación ante la costumbre deplorable de los changadores que, aprovechando la ignorancia del idioma español de los viajeros, no dejaban de insultarlos durante el traslado: "Es verdaderamente duro estar expuesto a las injurias y a los epítetos envilecedores de *gringo, carcamán, godo o sarraceno* que los carretilleros acompañan con mil obscenidades, prodigándolas al extranjero que, no conociendo su idioma, opone algunas dificultades antes de someterse a sus exigentes pretensiones". Insultar y reírse de los extranjeros porque ignoran el idioma local, sin ser desde luego un ejemplo de relativismo cultural, es a decir verdad una costumbre pintoresca difundida en muchas latitudes.

John Miers, que en 1819 atravesó el país de este a oeste en viaje a Chile y a quien lo maravillaron la abundancia del rocío y la variedad infinita de plantas solanáceas, sin contar la novedad e incluso la extrañeza que lo asaltaron al encontrar en Río Cuarto, provincia de Córdoba, después de atravesar 700 kilómetros de llanura, "el primer guijarro", describe las grandes carretas, hechas de cuero y madera, sin piso, a no ser unas lonjas de cuero que las atraviesan a lo ancho para que se apoyen los pies, mientras las manos se aferran, para paliar las sacudidas y no caer en el agua, a los travesaños de palo tosco que forman la caja, y hace notar que no hay en ellas ningún clavo ni pieza de metal, del mismo modo que, como Musters lo dirá más tarde, en los toldos de los indios y en el hábitat clásico de los pobres de la pampa, el rancho era hecho de barro, paja, estiércol, palo y cuero. Esas carretas precarias eran por otra parte el único medio de transporte de cargas en la pampa, y decir que avanzaban a paso de hombre sería atribuirles una velocidad excesiva; con su mujer embarazada y varias toneladas de material de explotación minera, Miers le puso dos días para llegar a Morón, un suburbio de Buenos Aires. En las inmediaciones del río, y bien adentro de las aguas, todo se hacía en carretas, y a caballo, sobre todo la pesca, que un franciscano, el padre Parras, describe así en 1749: "Montan dos hombres en sus caballos. Cada uno coge la punta o extremo de una grandísima red, que tendrá de largo cien varas, y algunas más. Entran los jinetes en el río juntos; andan los caballos mientras hallan tierra y, en perdiendo el fondo, continúan río adentro, nadando. Cuando ya están en paraje donde juzgan no quedar al caballo aliento más que para el regreso, se apartan los jinetes para rumbos contrarios, cuanto la red permite. Ellos están puestos de pie sobre el caballo, y así, tendida la red, vienen para tierra, tirándola los caballos de la cincha; y como la parte inferior viene barriendo el fondo, en fuerza de las balas que lleva pendientes, sacan innumerables peces unas veces, y unos días más que otros, según el tiempo". Según Bougainville, los barcos no podían acercarse a más de tres leguas de la costa. Como-tantos otros antes y después de él, Bougainville, para tratar de transformar el infierno del navegante en purgatorio, estableció una carta del Río de la Plata que precisaba la profundidad de los diferentes derroteros y los accidentes geográficos en la vasta planicie acuática. Pero los caprichos del fondo no eran, para los que se adentraban en el río, la única dificultad; adversidades más impredecibles los esperaban: los vientos, los temporales, y las bajantes y crecientes súbitas de las aguas que podían, en unos pocos minutos, y sin que nada lo hubiese permitido adivinar unos momentos antes, dejar un barco en tierra firme.

El anteaño pasado, el 13 de noviembre de 1989, para ser más exactos —yo estaba en Buenos Aires— tuvo lugar un fenómeno meteorológico que los diarios, en primera plana, llamaron "la segunda sudestada del siglo". Este título que casi destila orgullo significa que, a causa de los vientos fuertes del sudeste, es decir del Atlántico, el nivel del río subió bruscamente 4 metros 20 por encima de su altura habitual, o sea unos centímetros menos que el dieciséis de abril de 1940, cuando alcanzó 4 metros 65 —la primera del siglo, y, según un diario de la época, "una de las sudestadas más fuertes entre todas las que han tirado las aguas del Plata en nuestra ribera, ayer inundó barrios metropolitanos, pueblos de la costa, caminos y vías férreas; sembró la muerte, hizo cundir la alarma y perturbó la vida normal de millones de seres". Esta famosa sudestada, o suestada, es uno de los tres vientos más frecuentes que soplan en la región; los otros dos son el viento norte, que viene de la región tropical, y el pampero, o viento del suroeste, y que viene de la Patagonia. En la imaginación popular, estos vientos tienen atributos distintos, independientes de sus propiedades propiamente físicas. El pampero, o viento de la pampa, es el más literario de los tres, el que tiene, como se dice ahora, *mejor prensa*. Es el viento nacionalista por excelencia, el que, en sus ráfagas frías y a estar con la verdad nada clementes, arrastra consigo más torbellinos de color local, en los que vienen envueltos, girando en una hojarasca de adjetivos épicos, la pampa en la que nace, el gaucho, el indio, el caballo, la tradición nacional, el pasado patriarcal, etc. Cuando en la radio, en la televisión o en el suplemento dominical de algún diario aparece alguna alusión a ese viento, debemos estar seguros de que oiremos o leeremos, proferida con una entonación ritual, una lista insoportable de tópicos criollistas. Esa especificidad nacional del pampero no tiene, aparte de sus orígenes patagónicos, o más australes todavía, mucha razón de ser objeto de admiración, porque es un viento frío, molesto, que puede durar varios días y que los verdaderos habitantes de la pampa, indios y gauchos, consideraban como abominable. "Al cabo de una marcha que hicimos transidos de frío y hambre, afrontando un viento cruel y penetrante", dice Chaworth Musters, "acampamos a orillas de una laguna algo extensa llamada Hoshelkaik, término que significa colina ventosa y que es realmente apropiado al caso, porque durante nuestra estancia allí una serie de vientos del sudeste sopló con gran violencia". El mismo viento helado que obligaba a los seminómadas de la pampa a buscar, sin resultado desde luego, un abrigo y a interrumpir sus actividades, estimula la pluma de los escritores nacionalistas, y con la misma inexorabilidad con que hambreaba a indios, gauchos y viajeros, les procura a ellos el sustento.

El segundo de estos vientos predominantes es el viento norte. Este viento, típico de la región litoral, y que sopla principalmente en primavera y a principios del verano, es un soplo caliente que baja de la selva brasileña, y que trae, al clásico clima templado del Río de la Plata, turbulencias tropicales. A los hombres sudorosos, agobiados por el calor de un mediodía de diciembre, que recibirían con alivio la frescura de alguna brisa clemente, el viento norte, tautológico, les superpone, contra la piel ya ardiente, unas ondas tibias y húmedas que la lamen con insistencia. Como el siroco, pero sobre todo como el simún, que etimológicamente significa en árabe *viento caliente y pestilencial*, el viento norte influye sobre el sistema nervioso, de manera negativa por supuesto, y de una persona irascible, irritada, violenta, se dice: *está con el viento norte*. En el Río de la Plata, las influencias psíquicas que se le atribuyen al viento norte son probablemente superiores a las de la luna, y la prensa popular, reflejando de esa manera el rumor público, destaca regularmente en sus titulares los efectos devastadores de ese flagelo. La inducción a la reyerta, al incendio, al divorcio, al suicidio, al drama familiar o al asesinato múltiple y repentino que la luna llena se encarga de desencadenar en tantos rincones del mundo, en la proximidad de estos grandes ríos, con sus ráfagas calientes y pegajosas, que soplan durante varios días, es el viento norte quien la provoca. El índice de enceguecimiento destructivo y autodestructivo, ya demasiado alto en tiempos normales, al soplo del viento norte, según la convicción popular, brusco, se acrecienta, y las estadísticas se abarrotan con lo luctuoso. Un polvo rojizo flota a lo lejos, dispersándose al paso de cada hálito que lo levanta en remolino, en los baldíos, en los caminos, en los pueblos desiertos a la hora de la siesta que, atontadas por el calor, ni las moscas frecuentan, en los patios traseros de los talleres mecánicos en los que un viejo camión oxidado, sin ruedas, medio hundido entre los pastos amarillentos, sueña, en tanto que objeto contingente pero típico de la estética postindustrial, con la sala fresca de algún museo de arte contemporáneo. En las azoteas de las ciudades, cubiertas de baldosas color ladrillo, la ropa blanca puesta a secar se sacude con espasmos intermitentes y un tanto dramáticos, a causa quizá de un desgarramiento entre la brutalidad del sol y la insidia del porcentaje de humedad; y las copas de los árboles, los arbustos, la hierba, agrisados y un poco achicharrados por el calor, habiendo perdido el brillo y la energía con que se sacuden en la brisa fresca, brillo y energía que les hizo merecer, en la pluma de más de un poeta, el adjetivo *rientes*, apenas si se mueven en el viento abrasador, aplastadas por ese peso universal que tira las cosas hacia abajo, y que aun en la luz cruda de noviembre o diciembre, no se abstiene de desplegar la fatiga, la fragilidad, el agobio. Y en el interior de las casas, en las habitaciones más oscuras y más frescas, esa gran exterioridad desolada y sometida a las ráfagas periódicas de aire caliente y pegajoso, subsiste dentro de los hombres en forma de imágenes mentales diminutas y al mismo tiempo inconmensurables, que desfilan centelleantes y silenciosas suscitando, en los pobres cuerpos sudorosos, echados casi desnudos o completamente desnudos sobre la sábana, e incluso sobre las baldosas más frescas del piso, contracciones de opresión, de ahogo o de rechazo.

La instalación invasora y persistente del pampero y del viento norte, cuya duración no tiene la supuesta regularidad del mistral, al que se le atribuye la propiedad de soplar siempre un número de días múltiplo de tres, de modo que si no para al tercer día de estar soplando no parará hasta el sexto, y si no para el sexto, no parará ni el séptimo ni el octavo, sino el noveno, y así sucesivamente, la instalación y la persistencia, decía, de esos vientos, que pueden ser de intensidad gradual, los diferencian por completo de la suestada, ráfaga imprevisible y súbita, que puede alcanzar hasta ciento cincuenta kilómetros por hora. Ya el lector habrá notado que hay una diferencia de género entre el pampero y el viento norte por un lado y la suestada por el otro, que los dos primeros se benefician de un artículo y de una desinencia viriles, en tanto que la última es femenina. Quiero aclarar que, del mismo modo que todos los autores de novelas policiales no son necesariamente asesinos despiadados, no debe inferirse de este rapidísimo análisis semántico que yo apruebo el sexismo implícito en el habla rioplatense: los especialistas en escorpiones no son forzosamente venenosos. El género femenino del viento que nos ocupa no es su única particularidad gramatical; la desinencia en *ada* suele indicar en castellano abundancia, incluso exceso, y a veces tiene una connotación de violencia, como en cachetada, por ejemplo, que significa *golpe fuerte en el cachete o mejilla*. A diferencia del pampero cortante y viril y del viento norte insistente y untuoso, la suestada tiene, en la imaginación popular, el carácter súbito de una reacción emocional que se considera como típicamente femenina. Mi admiración sin límites por Safo de Lesbos, Santa Teresa, Louise Labbé, Sor Juana Inés de la Cruz, Mary Shelley, Emily Dickinson, Djuna Barnes, Virginia Woolf, Katherine Ann Porter, Carson Mc Cullers y Nathalie Sarraute, de quien tuve el placer hace unos años de traducir por primera vez en castellano los *Tropismos* sutilísimos, me autoriza, creo, a proseguir, sin temor de que, igual que en la mecánica cuántica, el fenómeno se confunda con el observador, confusión que, si ocurriese, podría exponerme a críticas feministas, movimiento con el que por otra parte coincido en todo, salvo con la tesis irrazonable de una escritura específicamente femenina.

Pues bien, esta terrible suestada debe también, me parece, su esencia femenina a su origen oceánico; nacida del mar tan súbitamente como Afrodita cuando los genitales de Uranos, cortados limpiamente por el cuchillo de Cronos, tocaron el agua, la suestada comparte con la diosa su temperamento colérico y arrasador. Su imprevisibilidad no está en relación con el carácter súbito de sus apariciones, sino también con la indiferencia con que considera las estaciones, ya que cualquier mes del año le es propicio para manifestarse; como ya lo hemos visto, la *primera del siglo* tuvo lugar en abril, es decir en otoño, la *segunda del siglo* en noviembre, bien entrada la primavera, en tanto que las otras que mencionan las estadísticas se reparten a lo largo de los meses. El penado de *Wild Palms*, que arracimado en un camión con otros presidiarios durante la crecida del Mississippi en 1927, observa, al pasar sobre un puente, que el agua corre para atrás, tiene a decir verdad una ilusión óptica, semejante a la de Drieu La Rochelle en la pampa, ya que para hacer esa observación, contraria a la física de los líquidos, debía estar agregando, a sus datos empíricos, su recuerdo de la dirección habitual de las aguas. Durante la suestada, en el Río de la Plata esa observación hubiese sido pertinente. Durante la suestada, el agua, literalmente, retrocede. Los cuatro metros y sesenta y cinco centímetros que, en la noche del 16 de abril de 1940, o los cuatro metros veinte de 1989, que el río alcanzó por encima de su altura normal, y esto hasta quinientos kilómetros al norte de la desembocadura, no solamente hasta Rosario, sino incluso hasta Santa Fe y Paraná, como lo anuncia en el diario el recuadro titulado "Serios daños en el litoral", no son otra cosa que las aguas que, debido a la fuerza del viento, en vez de seguir su curso normal hacia el estuario, se acumulan primero contra un dique invisible, y después, estimuladas por la fuerza contraria, se ponen a correr para atrás, hasta que, ya demasiado altas, desbordan.

Todos los ríos del mundo conocen un ritmo de crecientes y de bajantes y aunque las del Paraná saben ser espectaculares, no vale la pena que nos detengamos en el fenómeno, ya que cuando crecen, por ejemplo, lo hacen de manera gradual, y si al desbordar súbitamente causan tantos estragos a su alrededor, la culpa no es de los ríos sino de la imprevisión de los gobernantes. Únicamente en el Río de la Plata crecientes y bajantes son súbitas. En 1795, Azara descubrió con estupor que un día de calma total la playa se encontró de golpe a 15 kilómetros de Buenos Aires, y que quedó así durante un día entero; estas tres leguas de playa, sin una sola gota de agua, vaciadas de la noche a la mañana, le hicieron pensar al gran naturalista que en el fondo del río o en algún punto próximo del suelo marino, debía haberse abierto un agujero por el que el agua se desagotó, exactamente igual que en una bañadera. Pinasco refiere que el 7 de octubre de 1827, durante la guerra con el Brasil, en plena batalla naval, quizá con el mismo pánico con que un soñador que está por decir un discurso ante una muchedumbre descubre de pronto que está en calzoncillos, la escuadra brasileña se encontró casi a seco, y la bajante, "terminó con nuestra *25 de Mayo*, en la que tantas proezas llevara a cabo nuestro gran Almirante". Un francés que pasó por la región en 1657, Acarete du Biscay, cuenta que unos pocos años antes de que él llegara a Buenos Aires, "el río se quedó casi en seco durante algunos días, no conservando más que una poca agua en el canal central, y en realidad tan poca que la podían atravesar a caballo". Podría decirse que el lecho del río, y nunca la palabra lecho fue más apropiada, queda al descubierto como un colchón cuando, con un gesto brusco, tiramos sábanas y frazadas para atrás y las dejamos caer en un montón al pie de la cama.

La Furia que llaman suestada suele venir en compañía de otra divinidad acuática, la lluvia. Un viejo manual de geografía consigna que "la región más beneficiada por la lluvia es la del litoral, en la sección norte, donde la cantidad media anual es superior a 1.500 milímetros". Aun corriendo el riesgo de parecer pedante, quiero recordarle al lector que esta dichosa sección norte del litoral no es otra que aquella en la que se encuentra mi pueblo natal, Serodino, una colonia italiana fundada en 1886, en pleno auge inmigratorio, ya que en esa década entraron al país más de un millón de inmigrantes. (Como detalle poético para añadir a la lista de toponimias, debo decir que Serodino, el nombre del fundador, significa en italiano algo así como "el que llega al atardecer", y que hubo un discípulo de Caravaggio con ese nombre, Giovanni Serodine, que murió en Roma en 1630 a los 30 años de edad y de quien una enciclopedia nos dice que su arte original, elevado y solitario prenuncia a Rembrandt y a ciertos efectos impresionistas.)

"En la tarde del 2 de noviembre de 1890 —informa la geografía, autorizada por el Ministerio de Educación, a que me estoy refiriendo—, se registraron 23 milímetros en 14 minutos, y el 18 de diciembre del mismo año, entre 5 horas y 46 minutos y 5 horas y 58 minutos cayeron 27,3 milímetros, cuyas cantidades representan respectivamente 99 y 136 milímetros por hora, si los aguaceros hubieran durado este tiempo. El aguacero más fuerte de que se tiene conocimiento en la República fue el que se desencadenó sobre la ciudad de Rosario[1] en la mañana del 26 de marzo de 1880, pues se registraron 255 milímetros en menos de treinta minutos." Estos datos de un geógrafo autorizado provienen desde luego de las estadísticas oficiales, pero la lluvia y *el buen tiempo* ocupan un lugar importante en la literatura de los viajeros, y las variaciones en la apreciación de unos y otros son tan grandes, que un lector escéptico podría preguntarse si el estado de ánimo en el momento de la redacción de sus respectivos viajes no ha influido en su concepción de las características climáticas. Es verdad que los libros han sido redactados en épocas diferentes, pero las contradicciones se refieren a veces al mismo período, e incluso en algunos casos al mismo fenómeno concreto. Uno de los placeres mayores de la lectura es encontrar la descripción de un mismo objeto tratado por autores diferentes, sobre todo por autores que pretenden referirse a su experiencia directa y que ignoran que otros testigos se han ocupado de lo mismo. El tiempo en el Río de la Plata ha ocupado, durante varios siglos, la pluma de numerosos viajeros.

Una explicación malévola y superficial podría sugerir que la causa estaba en que eran en su mayor parte ingleses y franceses, para los que las condiciones climáticas suelen servir de tema a las más apasionantes conversaciones, pero la razón más justa reside, me parece, en el hecho de que muchos eran marinos, militares, exploradores, comerciantes, naturalistas, y tenían por lo tanto una relación pragmática con el clima, y ninguna con la poética o con la metafísica. En su inmensa mayoría, no tenían ninguna pretensión literaria, y los peores libros sobre el Río de la Plata, salvo raras excepciones, son aquellos que han sido escritos por escritores profesionales, como las notas de Maurois, por ejemplo, los devaneos de

[1] A 40 kilómetros de Serodino.

Ortega y Gasset, o el mediocrísimo *Itinéraire de Paris a Buenos-Ayres*, de Jean-Jacques Brousson, secretario de Anatole France, que acompañó al Maestro en una gira de conferencias, donde se nos presenta el anacronismo verídico de Anatole France tomando mate y esperando con escepticismo el efecto revigorizador de la yerba. (La literatura universal se enriquece también con otra obra de Brousson: *Anatole France en pantoufles*, 102.000 ejemplares vendidos.) La literatura de los viajeros sólo es literatura a posteriori, sin habérselo propuesto, y excepción hecha de grandes naturalistas como Darwin, Azara o D'Orbigny, el interés de cuyos libros es universal, la mayor parte de los otros, habiendo perdido actualidad en los idiomas en que fueron escritos, guardan sin embargo un fuerte interés local, y son clásicos locales, clásicos de esencia paradójica puesto que han sido escritos en un idioma extranjero.

Entre la suestada que produce las crecientes, y el pampero que produce las bajantes, "en la que los bancos de arena quedan al descubierto y la gente pasea a caballo entre ellos" (*An Englishman*), todos los matices climáticos son registrados, y casi siempre de manera superlativa. El buen tiempo nunca es un banal día agradable, sino "el clima más templado y benéfico que la Providencia haya tenido la bondad de otorgar a comarca alguna en la tierra", y cuando se trata de evocar la humedad, particularmente elevada en la región del delta y del estuario, los consabidos *miasmas deletéreos* que flotan todo el tiempo hacen del Río de la Plata el punto más insalubre del planeta. Probablemente, muchos escribían sus libros al tiempo de regresar (aunque algunos son anotaciones directas, en forma de diario, lo que por otra parte no prueba nada), confortablemente instalados en sus *cottages* o en sus departamentos de la Rive Droite, y confundían el color de sus recuerdos con las tonalidades de lo exterior, y sin duda se munían de una bibliografía especializada, lo que crea un sistema intertextual para ciertos temas, y aun para ciertos hechos que, de otra manera, se hubiesen perdido en la pulverización incesante del acontecer. A veces, las confusiones semánticas, una especialidad regional, originan interpretaciones climáticas y temperamentales, verdaderamente inesperadas, como en esa enciclopedia francesa de la primera mitad del siglo XIX en la que su autor, un tal César Famin, persiste en el error de creer que el nombre de Buenos Aires es una consecuencia de su clima agradable, cuando en realidad proviene del de una virgen andaluza, Santa María del Buen Aire, o de los Buenos Vientos, patrona de los marineros. De ese error, nuestro autor, siguiendo a uno de sus contemporáneos, extrae las conclusiones más sorprendentes: "La primera cualidad del aire produce, sobre los habitantes, un efecto mas fácil de sentir que de explicar: lo llamaremos una confianza en la vida. Algunos extranjeros nos han comunicado esa sensación exquisita. El autor de este artículo la ha comparado con una sensación de naturaleza enteramente opuesta, que encontró en otros países malsanos de América, donde encontró, al contrario, una desconfianza en la vida, y una advertencia, casi continua, de la necesidad de morir. Al parecer los habitantes de Buenos Aires, del mismo modo que la juventud en otros lugares, no logran tener ninguna idea de la muerte".

Estas conclusiones nos dejan doblemente perplejos si tenemos en cuenta que su autor, en el párrafo siguiente, dos líneas más abajo, menciona la terrible tormenta eléctrica del 21 de enero de 1793, en la que cayeron 39 rayos en Buenos Aires, matando 19 personas, "mientras que el país más civilizado de Europa era sacudido por las tempestades políticas".[2] Sin decirlo, este autor proveniente del *país más civilizado de Europa*, saca estos datos de Azara, y también Darwin

[2] El 21 de enero de 1793 tuvo lugar la decapitación de Luis XVI. Podríamos considerar una posible relación causal entre la ejecución del monarca y la tormenta eléctrica en el Río de la Plata, semejante a los disturbios meteorológicos que desencadenó la crucifixión de Cristo. Desde un punto de vista simbólico, es obvio que el deicidio y regicidio, en ciertas sociedades, perturban a tal punto el orden social, que esa perturbación alcanza también al orden natural. Pero algún pensador nacionalista (estos

se refiere a ellos, sin omitir desde luego la referencia, y atribuyéndonos la supremacía en la materia a los argentinos, ya felices poseedores de las avenidas respectivamente más larga y más ancha del mundo: "tal vez una de las tormentas más terribles de que la historia haya conservado el recuerdo". No puedo reprimir el deseo de transcribir enteramente el pasaje: "Según los hechos que he podido encontrar en muchos relatos de viajes, me inclino a creer que las tormentas son muy comunes cerca de la desembocadura de los grandes ríos. ¿Será porque la mezcla de cantidades considerables de agua dulce y de agua salada perturba el equilibrio eléctrico? Incluso durante nuestras visitas accidentales a esta parte de América del Sur, oímos decir que el rayo había caído sobre un barco, sobre dos iglesias, y sobre una casa. Pude ver, poco tiempo después, una de esas iglesias y la casa, que pertenecía a Mr. Hood, cónsul general de Inglaterra en Montevideo. Algunos efectos de los rayos eran sumamente curiosos: el empapelado, sobre un pie de ancho más o menos de cada lado de los alambres del llamador, estaba enteramente ennegrecido. Esos alambres se habían fundido, y aunque la pieza tenía quince pies de alto, las bolitas de metal en fusión cayendo sobre las sillas y los muebles, los habían atravesado dejando un montón de agujeritos. Una parte de la pared estaba despedazada como si una mina cargada de pólvora hubiese estallado en la casa, y los pedazos de esa

---

dos términos no siempre son contradictorios) podría observar que, en tanto que los trastornos meteorológicos causados por el deicidio ocurrieron en el lugar mismo del crimen, perjudicando a sus responsables, los 39 rayos del regicidio cayeron a 14.000 kilómetros de la Place de la Concorde, y que las 19 víctimas carbonizadas no habían ni siquiera deseado, o en todo caso ni instigado, la decapitación ni participado en ella, lo cual vendría a inaugurar, junto con la era burguesa, una distribución poco equitativa de la ira divina: los crímenes se cometen en la metrópoli, en tanto que las represalias, según una curiosa división del trabajo, se ejercen en el área colonial.

pared habían sido proyectados con tanta fuerza, que se habían incrustado en la pared de enfrente, al otro lado de la pieza. El marco dorado de un espejo estaba completamente ennegrecido; la pintura dorada se había sin duda volatilizado porque un frasco, colocado en la chimenea cerca del espejo, había sido revestido de parcelas metálicas brillantes que, como un esmalte, adherían completamente al vidrio".

No únicamente el clima genera desacuerdos entre estos cronistas deliciosos; todo entre ellos puede ser materia de disidencias; los tigres, por ejemplo, de ferocidad tan supuestamente reconocida en cualquier latitud, ven confirmada su reputación en la pluma de muchos viajeros, aunque una cantidad no menos grande desmantela la superchería y nos demuestra, gracias a experiencias personales, que es uno de los seres más delicados, y que únicamente la mala fe podría llamar cobardía a su recato infinito y a su timidez. A decir verdad, descubrimos tantos temperamentos de tigres como autores se han ocupado del problema. Chaworth Musters, sensato casi siempre en sus observaciones, cuando se pone a describirlos, no logra convencernos ni de su ferocidad ni de su dulzura, ya que acumula los detalles contradictorios, aun en su aspecto físico, y nos lo presenta alternativamente flaco y robusto. En esa descripción, su libro, excelente en casi todo, incurre en un curioso rasgo de oscurantismo: como un tigre se abstiene de atacar y de matar a sus perseguidores, lo trata de *degenerado*, en razón, podemos suponer, de que el animal se obstinaba en no amoldarse a la idea preconcebida que tienen los exploradores ingleses de esa rama de los felinos. Primero nos dice que son muy tímidos y que invariablemente huyen de los jinetes e incluso de un hombre a pie, pero unas líneas más abajo anota que los indios, a los que siempre acuerda crédito, "aseguran que el puma ataca a un hombre solo y a pie, y la verdad es que después llegó a mi conocimiento un caso de ésos". La descripción de los pumas acurrucados detrás de un matorral, limitándose a escupir preocupadamente como un gato mientras los gauchos se le acercan para ultimarlos de un golpe de boleadoras en la cabeza, o simplemente enlazarlo, lo que lo induce a desplomarse de miedo y a hacerse el muerto, es desmentida por la frase que viene inmediatamente después: "Me llamaron particularmente la atención, como a todos los cazadores, sus ojos grandes y oscuros y de muy lindo brillo, pero dotados de una mirada feroz que no inspira el menor sentimiento de compasión".

Estoy tentado de sospechar que en la literatura sobre la pampa, el tigre tiene, como ciertos sujetos en la terapia de grupo, un papel de *emergente:* las tendencias oscuras de los miembros se concentran en un individuo que, asumiéndolas y expresándolas, de ocultas que estaban, las hace *emerger*. La leyenda que asegura que los perros muerden únicamente a quienes les tienen miedo le asigna al perro el papel de castigar una reacción que únicamente desde el punto de vista humano es degradante, y la injuria que se le hace al tigre de ser casi vegetariano o, como en el chiste jovial de Borges, de "no perdonar el ruibarbo", para suministrar un poco más tarde ejemplos espeluznantes de su ferocidad, debería hacernos meditar sobre los resortes fantasmáticos de toda escritura, aun aquella que nace de la convicción más firme acerca de los privilegios de lo empírico. Otro viajero, denotando el inevitable síndrome contradictorio, después de argumentar sobre la poca afición de los tigres por la carne humana, nos dice que en realidad lo que los atrae por encima de todo es comerse a los negros, en segundo lugar a los indios y por último, y sólo en casos de extrema necesidad, al hombre blanco. No estamos lejos del melón al que la Providencia proveyó de rayas que lo dividen en tajadas naturales para ser comido más cómodamente en familia.

Hasta los baños en el río, costumbre casi obligatoria a causa de los grandes calores, son motivo de consideraciones opuestas, sobre todo desde el punto de vista moral, pero en tanto que un jesuita del siglo XVIII, el padre Arroyo, se queja de que se cierren los templos de noche para evitar delitos, cuando se permiten los baños, "entremezclándose los sexos en ruidosa algarabía", un viajero inglés, William Mc Cann, que atraído por unas luces que se desplazaban en la orilla del río, y aun en el agua, descubrió a los habitantes de Buenos Aires bañándose en plena noche, se atreve a asegurar, en 1847, que en todos se observaba "el mayor decoro". Sin embargo, un compatriota suyo, el oficial de marina Mackinnon, el más agradable de nuestros invasores, que participó en el indecente bloqueo anglo-francés del Río de la Plata en 1846, pudo ver, cuando su barco, remontando el río Paraná, pasaba por las barrancas de Rosario, una multitud de muchachas que se bañaban desnudas en el río en pleno día, y que de ningún modo se sobresaltaron al ver aparecer el barco.

Tal vez el ejemplo extremo de esta literatura que, aplicando los más rigurosos criterios empíricos, a fuerza de describir lo mismo a lo largo de los siglos termina por naufragar en la más inextricable confusión, lo encontremos en un tema que no solamente conocen los argentinos o los chilenos, sino que forma parte de los mitos planetarios: los indios gigantes de la Patagonia. Como sucede a menudo, la confusión es en primer lugar de tipo semántico, ya que se piensa que la Patagonia toma su nombre de las huellas desmesuradas de pies humanos que los hombres de Magallanes pudieron observar, atribuyéndolas a los pies enormes de una raza de gigantes. Esa explicación no es más que una posible entre muchas otras, y según ciertos autores el nombre aludiría de manera más verosímil a la pobreza de los indios, derivándolo del término *patacón*, originariamente moneda portuguesa de poco valor, término empleado corrientemente en el Río de la Plata hasta el siglo pasado y que subsiste todavía como vocablo popular para designar, por arcaísmo irónico, el dinero. La cuestión de los gigantes de la Patagonia fue tan debatida durante cuatro siglos, que Musters cree necesario exponerla en apéndice al final de su libro: "Testimonios sucesivos sobre la estatura de los patagones: Pigafetta (1520) por lo menos son más altos que los hombres más altos de Castilla; Drake (1578) no son más altos que algunos ingleses; Knyvet (1591) tienen de quince a dieciséis palmos de estatura; Van Noort (1598) los naturales son de alta estatura; Schouten (1615) hay esqueletos humanos de diez a once pies de largo; Narborough (1669) Mr. Wood era más alto que cualquiera de ellos; Falkner (1750) un cacique medía siete pies y unas cuantas pulgadas de estatura; Byron (1764) un jefe tenía siete pies de altura y pocos eran más bajos; Wallis (1766) medía a algunos de los más altos: uno tenía seis pies siete pulgadas y varios seis pies cinco pulgadas. El término medio era de cinco pies diez pulgadas a seis pies; Viedma (1783) por lo general tienen seis pies de estatura; D'Orbigny (1829) nunca encontré a ninguno que excediera de cinco pies once pulgadas; el término medio de estatura era de cinco pies cuatro pulgadas; Fitz Roy y Darwin (1833) su estatura, término medio, es más alta que la de cualquier otro pueblo; algunos tienen más de seis pies y pocos tienen menos; Cunningham (1867-8) es raro que midan menos de cinco pies once pulgadas de estatura y a menudo tienen unas cuantas pulgadas arriba de los seis pies; uno de ellos medía seis pies y diez pulgadas".

La pereza me retiene de calcular un término medio entre todas estas opiniones, pero pienso que 1 metro 70 no debe andar lejos de la solución y como no he tenido la oportunidad de leer el artículo de José Imbeloni "Los Patagones: características corporales y psicológicas de una población que agoniza" (1949), citado por Rey Balmaceda en su bibliografía minuciosa, opto, un poco a ciegas, por mantener ese cálculo. De todos modos, la primera descripción, que es la que dejó Pigafetta, toma como referencia "los hombres más altos de Castilla", y ya sabemos que en esa región únicamente los molinos de viento presentan un aspecto de gigantes. Otra referencia constante eran los demás indios de América, de baja estatura en su mayor parte. Es de hacer notar que, en razón de la leyenda, los viajeros querían encontrar gigantes a toda costa, y probablemente, cuando se ponían a medir, elegían a los más altos de la tribu. De todas maneras, los testimonios muestran que la polémica duró cuatro siglos, y en ella se mezclan leyendas antiquísimas, una de las cuales sostenía que los hombres, a causa de oscuras correspondencias geográficas y cósmicas, iban siendo cada vez más altos a medida que la región en la que vivían iba alejándose de la línea del ecuador en dirección a los polos.

La obstinación por medir a los patagones, a pesar de que aumenta en vez de disminuir la incertidumbre en lo relativo a su altura verídica, se justifica ya que viene a inscribirse en el programa desilusionado de Ñuflo de Chaves que, como hemos dicho, en 1559 aconsejaba seguir avanzando por el territorio de América "aunque no se siguiese de la empresa otro interés que desencantar la tierra". Internándose en el Río de la Plata y en la llanura, los viajeros iban revelando, a través de la experiencia y la observación, la geografía real de lo desconocido, poblando el espacio abstracto de acontecimientos, de singularidades, de matices, de regiones. Cuando palpaban esa singularidad, descubrían que no estaba exenta de seducción y que, igual que esos objetos eróticos que nos estimulan a causa de su indiferencia, la simplicidad del paisaje y de las cosas, lo rudimentario de la presencia material y de los comportamientos, lo neutro de la ausencia de orillas y de relieves, eran capaces de despertar, cuando se estaba frente a ellos, la exaltación, y cuando se los consideraba desde lejos, la nostalgia. Algunos, obligados por sus ocupaciones a volver a sus respectivos países, no bien se instalaban en ellos se ponían a escribir y aunque a menudo lo hacían por razones profesionales e incluso porque —sobre todo en los siglos XVIII y XIX los libros de viajes gozaban de una demanda muy fuerte, semejante a los libros de memorias en la actualidad— en muchos de sus textos, aun cuando fuesen de circunstancias, trasuntan la familiaridad, la reminiscencia exaltante e incluso la fascinación. Muchos fueron por unos meses y se quedaron para siempre; otros volvían continuamente; y algunos de ellos que fueron de visita por unos días, y forzados por las circunstancias históricas, estuvieron obligados a quedarse durante años, como Roger Caillois o Witold Gombrowicz, transformaron esa residencia obligada en una patria de adopción.

Menos célebre, Alfred Ebelot, que dejó unos textos magníficos sobre la llanura, merece que nos detengamos un momento a recordarlo. Nacido cerca de Toulouse en 1839, Ebelot, ingeniero de formación, llegó a la Argentina en 1870, contratado por el gobierno, que en esos años de fuerte política inmigratoria quería poblar las tierras que iba conquistando en las guerras contra los indios. Dos políticas se oponían entonces: una, más tolerante, de integración, y otra de exterminio, que, al cabo de una década, terminaría predominando. El plan de los integracionistas era evitar en lo posible los actos de guerra e ir extendiendo poco a poco las fronteras hacia el sur y el oeste por medio de tratados y de alianzas. Los ingenieros europeos tenían como función, a medida que se iban empujando las fronteras, instalar pueblos, con inmigrantes, soldados, indios leales, de modo tal que, una vez ganado el terreno, las poblaciones hicieran irreversible el proceso de *civilización*. Durante muchos años, Ebelot, por razones de trabajo, o por puro gusto, solo o acompañado, a caballo o en diligencia, anduvo recorriendo la llanura, especialmente el suroeste de Buenos Aires y el extremo norte de la Patagonia. Si mal no me equivoco, alguna toponimia lo conmemora en el sur, y si no es así, la hubiese merecido más que el coronel Emilio Mitre, de quien Ebelot define la campaña contra los indios como "una veleidad de guerra ofensiva". Durante años, Ebelot colaboró en la *Revue de deux Mondes*, y cuando, en 1890, reunió algunos de esos artículos en su libro *La Pampa*, escribió en el prólogo que una de las principales ventajas de su vida fue "la de haber podido observar de cerca costumbres originales, de haberme interiorizado de ellas a mis anchas, de haber llegado a juzgarlas en sí mismas, sin estar obsesionado por las comparaciones, nunca lo bastante equitativas, y como alguien de la casa... Cuando una cosa es para nosotros totalmente nueva, no la percibimos tal como es. Sólo nos hacemos una idea de ella, con la ayuda de reminiscencias de cosas análogas u opuestas. Son asimilaciones o contrastes los que dictan nuestro juicio, y no la realidad misma que tenemos ante los ojos. Incluso los objetos materiales, que impresionan nuestros sentidos, no escapan a esta ley. Los interpretamos y los desfiguramos por una serie de operaciones mentales involuntarias en el mismo momento en que nuestra vista nos revela con precisión la forma exterior, las proporciones, el color, todos los elementos de lo que llamamos el carácter de las cosas. Les atribuimos, forjado por nosotros, un carácter que no tiene nada que ver con el verdadero.

"He observado muchos ejemplos durante mi vida en la frontera. Un día, nos daban por objetivo de una expedición, un valle ubicado muy lejos, en pleno territorio indio, y del que los civilizados apenas si conocían de nombre. Teníamos proyectos estratégicos para ese valle, y era necesario averiguar antes que nada si el suelo, el pasto y el agua eran adecuados para la instalación de un campamento. Recogíamos información donde la encontrábamos: en las relaciones de viajes impresas el siglo pasado, de algún piloto español, o de algún jesuita inglés que en otros tiempos había pasado por ahí; en los relatos actuales de tránsfugas, de cautivos evadidos, de misioneros. Toda esa gente había visto, con sus propios ojos, el valle. Todos hacían una descripción diferente.

"Para tener una idea exacta, íbamos nosotros mismos. Era el camino más corto y a primera vista parecía el más seguro. Un buen día, una columna se instalaba en el valle. Pasábamos la jornada a abrir brechas en todos los sentidos, a observar todo con los ojos bien abiertos. Al caer la noche, junto al fuego del vivac, entre oficiales, intercambiábamos nuestras apreciaciones. Eran todas absolutamente contradictorias. Imposible determinar esa noche si el pasto era bueno y el agua suficiente. Se trataba sin embargo de gente entendida en esas materias y dotada por su raza, su educación y su oficio, de un sentido de la observación de lo más fino."

Este cronista de la pampa, ecuánime y vivaz, que concebía a los indios como el estado originario de toda sociedad y los consideraba menos salvajes o degenerados que anacrónicos, fue, en tanto que ingeniero, uno de los protagonistas del más singular proyecto gubernamental que conoció la llanura: la zanja de Alsina. "El foso que se intentaba excavar a lo largo de la nueva línea se extendería en una longitud de 400 kilómetros, con una abertura de 2 metros 60 de ancho, y una profundidad de 1 metro 75. El talud de los bordes había sido determinado según la consistencia de los terrenos que se atravesaran para evitar así los derrumbamientos. Por el lado de adentro se guarnecería el foso con un parapeto de adobe de 1 metro de alto, contra el cual se echaría la tierra sacada de las excavaciones, formando falda, y ésta se cubriría con un seto espeso de arbustos espinosos. En las partes donde el subsuelo estuviera formado por rocas duras, se reemplazaría la trinchera por un terraplén sostenido entre dos muros de adobe, lo cual presentaría en relieve el mismo perfil que la trinchera en hueco. La obra bastaba para impedir la salida de los rebaños, aunque los salvajes los arrearan y los aguijonearan, y haría casi imposible el paso de los abundantes caballos de repuesto sin los cuales los indios no cometerían la locura de intentar una invasión. Fue inútil reducir a lo estrictamente necesario las dimensiones de esa barrera encespedada; había que remover dos millones de metros cúbicos de tierra y mandar ejércitos de zapadores hasta el corazón del desierto para que ejecutaran el trabajo."

Este "foso de cien leguas", que toma su nombre del ministro que lo concibió con el fin de estorbar, ya que no de detener, las invasiones indias, Adolfo Alsina, y que murió sin ver su terminación, explica, de un modo inesperado, las causas de la fuerte tradición fantástica en la literatura del Río de la Plata, porque además de ser una empresa gubernamental, es una tentativa kafkiana *avant la lettre*. Tal vez, igual que Kafka, nuestro ministro se inspiró en las grandes murallas del norte de la China, que tenían exactamente la misma finalidad, defender un vasto territorio de las invasiones bárbaras, pero el resultado, en lugar de ser una reedición moderna, y con los medios locales, de la arquitectura china, es una anticipación del texto de Kafka. Las grandes murallas eran sólidas y eficaces, y Kafka las toma como pretexto o como metáfora para representar el universo inabarcable, inacabado, y cuya totalidad es brumosa para el individuo aislado: un proyecto que excede, por sus dimensiones descabelladas, a sus ejecutantes, una empresa tan desmedida en el tiempo y en el espacio que conducirá inevitablemente a la incomunicación entre arquitectos y albañiles, a la fragmentariedad deprimente o melancólica, al deterioro y a la corrosión de las partes antes de la terminación del todo, al desgaste ruinoso de muchas generaciones que siguen trabajando después de haber perdido no ya la forma global de su tarea sino incluso su sentido.

La zanja de Alsina no sólo previó *De la construcción de la muralla China*, sino incluso *El castillo* y *El proceso*. El nepotismo, la burocracia y la especulación retardaron varias veces sus comienzos y, semejante en eso al universo en expansión, su conclusión queda relegada a un futuro hipotético. El propio Ebelot, que es un progresista entusiasta, que cree en una evolución ascendente de la humanidad y que manda su artículo a la *Revue de deux Mondes* en la euforia de los comienzos de la magna obra, se ve obligado a reconocer que la guardia nacional levantada para realizarla es diezmada antes de la partida por las rupturas masivas de contratos y durante el camino por las deserciones. No sin rencor, arguye que, después de todo, los que quedan son los mejores, pero en seguida nos enteramos de que los soldados zapadores, organizados militarmente, se ven obligados a trabajar con el revólver al cinto, "en previsión de las discordias intestinas", y que los fusiles, en cambio, estaban reservados para recibir a los indios. Los funcionarios gubernamentales no se privan de especular y de comerciar con los víveres y las mercancías asignadas por la administración a los soldados; la proximidad de los territorios indios produce un efecto paradójico en los soldados, ya que en vez de acelerar la excavación de la zanja que se supone impedirá las invasiones, a causa de las condiciones terribles del trabajo a la intemperie, optan por desertar para ir a traspapelarse con los indios cuyo contacto estaban tratando de evitar. Mientras el foso avanzaba, los indios hacían un rodeo por las zonas todavía no excavadas y, de vuelta de sus expediciones, para no perder la mano quizás, atacaban por el norte a los destacamentos que, noche y día, para no ser tomados por sorpresa, escrutaban el sur. No bien se cavaban unas leguas, la lluvia desmoronaba lo ya consolidado, y había que recomenzar, en una atmósfera de lejanía, de olvido, de abandono, de abstracto taylorismo monumental. Como el objeto era menos impedir las invasiones que retardar el regreso de los indios a sus tolderías con el botín, es decir las innumerables cabezas de ganado que les robaban a los ganaderos de la provincia de Buenos Aires (que, dicho sea de paso, se habían apropiado previamente de las tierras indias), en cierto sentido el remedio resultaba ser peor que la enfermedad porque, en previsión de la abertura que debían franquear, los indios robaban animales suplementarios que les servían para rellenar el foso, pasando sobre un puente viviente de bestias pisoteadas que formaban un amasijo sanguinolento a ras de la zanja. Esa melancólica zanja de Alsina merece sin embargo nuestra benevolencia, porque fue el último intento de guerra defensiva, o, parafraseando a Ebelot, de "veleidad" de guerra defensiva antes de la campaña definitiva del general Roca, en 1879, que aplicó, con éxito indudable, la tesis del exterminio. Otro aspecto interesante de la zanja es que se inscribe, tal vez de modo emblemático, en la tradición pública y privada, de trabajos inacabados que pululan en el territorio argentino: rascacielos, puertos, autopistas, estadios, represas, obras de arte, y aun gobiernos constitucionales; de este modo, en pleno centro de Buenos Aires, o de cualquier ciudad del litoral, pueden verse, desde hace años, las ruinas de estructuras que nunca llegaron a ser edificios, crecer el pasto en pozos que nunca vieron llegar los cimientos tan esperados, o en algún camino nacional, aminorar el convoy de automóviles, antes de empezar a rodar por una ruta sin pavimentar, ante un cartel que, ya oxidado y borroso, señala, en razón de los trabajos de modernización, un desvío provisorio desde hace décadas.

Para la mentalidad positivista de Ebelot, la pampa era una especie de laboratorio donde, del cruce de razas, los pueblos de occidente podían salir regenerados, y esa acción regeneradora se la atribuye a la sangre india justamente: "No despreciemos demasiado a los representantes, contemporáneos nuestros, de las antiguas tribus errantes. ¿Quién podía decir qué destino les habría estado reservado en circunstancias más favorables? Ese destino, ellos no lo cumplirán; desaparecerán, mas no sin infiltrar en sus vencedores algunas gotas de su sangre inculta, veneno quizá, pero quizá también fermento que hará hervir energías desconocidas en la entraña de los pueblos de aquellas comarcas". Una de las características que llama la atención en este cronista singular es su imparcialidad, su desparpajo, la naturalidad con que expresa sus ideas y sus observaciones, que pueden parecer contradictorias porque no se alimentan de ningún prejuicio; sin ninguna contemplación, critica a indios y gauchos por su crueldad, y unas líneas más abajo, exalta su resistencia física, su abnegación, su destreza y coraje para sobreponerse a las penurias del desierto, de la guerra o de la pobreza. Leyendo atentamente sus artículos, adivinamos que algunos pasajes se inspiran en ciertos clásicos de la literatura argentina, como el *Facundo* de Sarmiento o el *Martín Fierro* de Hernández, de reciente aparición (1872). Y sus juicios políticos, de lo más acertados, son implacables para con los miembros del gobierno nacional, es decir sus propios empleadores. Contemporáneo de los hechos que narra, sus valoraciones sobre los representantes de la clase dominante en la sociedad patriarcal, coinciden en casi todo con estimaciones que, a lo largo del siglo XX, han sido consideradas como subversivas por la historiografía oficial. Es un narrador entretenido, alerta y sensual, y, subyugado por la llanura desde el momento mismo en que puso los pies en ella, una especie de entusiasmo, que conservó hasta la vejez (murió en 1920), empezó a fluir en su prosa transparente y exacta, en la que alternan el humor, la reflexión y la épica, y en cuyas escenas de frontera se encuentran semejanzas con los mejores films de John Ford. Como sucede con muchos otros textos de viajeros, sus artículos son como grandes fragmentos de la memoria argentina que están como prisioneros en un idioma extranjero.

Caillois y Gombrowicz experimentaron, en otro plano, una fascinación semejante. Por una coincidencia, dos escritores que más tarde serían mundialmente célebres llegaron a Buenos Aires casi al mismo tiempo, en 1939, a dictar unas conferencias y, sorprendidos por la Segunda Guerra Mundial, se vieron obligados a quedarse en Argentina durante varios años: Caillois, hasta 1944, y Gombrowicz hasta abril de 1963, ya que, como es sabido, después de la invasión alemana y de la guerra, en Polonia se instauró, hasta 1989, un régimen *comunista*. Esa coincidencia es sólo relativamente sorprendente: la ley de probabilidades la vuelve posible, porque el conferenciante extranjero, sobre todo europeo, es una especie migratoria que visita regularmente el Río de la Plata. El debate central de la cultura argentina, en la primera mitad del siglo XX, que de algún modo ya estaba presente en el XIX en la expresión *civilización y barbarie* de 1845, y que las dos guerras mundiales ya han vaciado de todo contenido, se manifestó en una corriente de afirmación nacionalista que se oponía a quienes sostenían, como Borges, por ejemplo, que la tradición argentina era la de Occidente —para Borges, occidente significaba el tronco grecolatino y la cultura anglosajona. La gran burguesía argentina, esencialmente agrícola-ganadera, afectaba por otra parte un gusto por el anacronismo cultural, típico de las clases dominantes en las sociedades patriarcales, consistente en exaltar el contraste entre la vida primitiva del campo y los refinamientos de la alta cultura: nada era más gratificante que llegar del campo con las botas embarradas, darse un baño, y vestirse de oscuro para ir a escuchar a Caruso al teatro Colón; extraían de la llanura sus recursos económicos, y de Europa su legitimidad social y cultural. No incurro en el furor nacionalista que condenaba esas costumbres, sino que me limito a describirlas, tarea por lo demás extremadamente fácil, ya que esas costumbres eran de lo más evidentes; y en cuanto a la clase media, de origen mayoritariamente inmigrante, su interés por lo europeo, aunque cada colectividad lo limitara al país del que provenía, era perfectamente natural.

En esas clases superiores, el estudio de idiomas extranjeros, el viaje a Europa o a los Estados Unidos, las traducciones, la invitación de conferenciantes o de artistas célebres, eran los gastos culturales más frecuentes. Hasta después de 1955, incluso el propio Borges fue víctima de ese desinterés por la cultura nacional —que parecía relegada al estatuto de obstinación irrazonable de los nacionalistas—, ya que su reputación, incluso nacional, se establecerá realmente a partir de los años sesenta. Es verdad que, poco a poco, a causa de una especie de simultaneísmo planetario debido al progreso de los medios de comunicación, el viejo debate entre nacionalistas y europeizantes fue perdiendo sentido en los países de América latina, pero en la primera mitad del siglo, y sobre todo en las tres primeras décadas, ese debate fue uno de los principales en la Argentina. Los conferenciantes europeos —más de uno ironizó sobre el fenómeno— se sentían más que asombrados del trato que se les daba: residencias de lujo, honorarios fastuosos, teatros repletos de un público que parecía escuchar religiosamente sus palabras, audiencias en ministerios y hasta en la presidencia de la República, inevitable excursión a la pampa para comer, en la estancia de algún miembro de la oligarquía, un asado multitudinario. Sin contar las celebridades de la época, como Anatole France, el conde Keyserling, André Maurois, Ortega y Gasset, Federico García Lorca, Stravinsky, bastaba ser un enviado del Foreign Office o de la Alianza Francesa, pertenecer al servicio cultural de alguna embajada europea, para ser elevado inmediatamente al rango de pensador o de artista, y sobre todo de conferenciante.

Únicamente en ese contexto es posible comprender *Sur*, la revista de Victoria Ocampo, de su hermana Silvina, y de Borges y Bioy Casares: la importancia de esa publicación en la cultura argentina del siglo XX es fundamental, y probablemente los miembros de mi generación hemos sido los más felices beneficiarios, ya que por sus páginas circularon —con no pocas exclusiones, hay que reconocerlo— muchos textos capitales de la literatura mundial. Las hermanas Ocampo y Bioy Casares tenían una fortuna considerable y pertenecían, lo mismo que Borges, cuyo único bien era su inmenso talento, a la vieja burguesía agraria que conservaba los ritos, los gustos, las costumbres y, no se pierde nada con admitirlo, hasta los tics de la época patriarcal. Como eran intelectuales y artistas de talento, se diferenciaban del grueso de su clase por la fuerza de sus respectivas individualidades y, naturalmente, por su cultura que era grande y, en ciertos aspectos, de una modernidad y un anticonformismo militantes, pero la fascinación europea y su situación económica y social los exponían a veces al esnobismo y a cierto espíritu de capilla que, como sucede a menudo en estos casos, irritaba a los excluidos. Durante los años dorados de *Sur*, en la década del 30 y del 40, el desfile de conferenciantes extranjeros estuvo en su apogeo, y, durante la guerra, la revista *Sur*, decididamente antifascista (posición que explica en parte el viejo pleito de Borges con el peronismo), se convirtió en una especie de oficina de la Francia Libre y del Foreign Office, no únicamente en el plano intelectual y político, sino incluso en el de la asistencia económica a ciertos intelectuales, como lo prueba una carta, que cito de memoria, donde alguien le sugiere a Victoria Ocampo que le envíe un par de zapatos a Paul Valery. Resumiendo, puede decirse que los intelectuales de *Sur* adoraban a los intelectuales europeos, igual que otros las piedras preciosas, y tenían con qué pagárselos, pero que, a diferencia de los coleccionistas de diamantes, no siempre eran capaces de distinguir lo auténtico de las imitaciones y, en sus elecciones, a veces la condición de europeo, sobre todo si era célebre, podía prevalecer sobre la de intelectual.

Para la gente de mi generación, en 1960, *Sur* en tanto que revista no era más que un soplo del pasado, puesto que los grandes debates culturales y políticos ya no pasaban por sus páginas, pero cuando Caillois y Gombrowicz llegaron al Río de la Plata, los escritores de *Sur* dominaban la escena cultural y, de algún modo, pasar a formar parte de los *happy few* que eran invitados a lo de Victoria Ocampo o a publicar en la revista significaba integrarse a la cultura oficial. Durante varios años, la pertenencia a *Sur* era una especie de test político; sistemáticamente, la gente de izquierda se negaba a colaborar en la revista aunque, a decir verdad, tenía muy pocas posibilidades de ser invitada, porque con los rigores de la guerra fría, el viejo liberalismo de *Sur* se deslizaba de tanto en tanto, peligrosamente, hacia el anticomunismo. Aunque llegaron casi al mismo tiempo, Caillois y Gombrowicz se situaron en las antípodas en la escena cultural de la Argentina.

Invitado por Victoria Ocampo, que le había sido presentada por Jules Supervielle (de quien Gabriel Saad afirma que es un escritor uruguayo que escribe en francés), Caillois se incorporó con naturalidad al grupo. Su residencia forzada de cinco años lo convirtió en una especie de embajador cultural de la Francia Libre, y la revista *Sur* puso a su disposición todos sus recursos para permitirle no solamente continuar su trabajo personal, sino crear incluso una pequeña editorial destinada a sacar una revista trimestral, *Lettres Francaises*, y una serie de volúmenes, directamente en francés, que recogían textos de muchos de sus compatriotas, impedidos de publicar durante la Ocupación. Entre los muchos méritos de Caillois que le ganaron el reconocimiento inmediato de *Sur*, el de ser un intelectual francés brillante debió tener una importancia de primer orden, y si su inclinación por las ciencias humanas lo diferenciaba claramente del grupo, su gusto por la literatura fantástica y sus recientes polémicas estéticas con el surrealismo eran, entre otras, dos coincidencias importantes con la mayor parte de sus miembros. El reconocimiento de Caillois por la acogida que le dispensó la Argentina, y América latina en general, se puso de manifiesto durante el resto de su vida, no solamente con la acogida generosa que reservaba a los artistas e intelectuales latinoamericanos en París, o con la creación de la colección *La Croix du Sud*, sino con una serie de artículos donde por primera vez se considera a nuestra literatura en lo que tiene de creativa y original y no como una copia de la europea o como la mera expresión folklórica de una cultura todavía inmadura. (La colección *La Croix du Sud*, sin embargo, no escapa totalmente a esos prejuicios.) En su *Antología de la Literatura Fantástica*, por ejemplo, la inclusión de escritores latinoamericanos muestra, por primera vez quizás en Europa, sin ningún tipo de prejuicio histórico-sociológico, la originalidad de nuestra literatura. A veces me pregunto si no pensaba en lo que había podido observar en el Río de la Plata en los años 40 lo que lo hizo escribir esta frase: "Un pueblo no confiere a su literatura un alcance mundial más que cuando deja de vestir su propia cultura con ropa prestada, para extraer del espesor de sus preferencias, de sus miserias y de sus virtudes el estilo capaz de expresarlos completamente".

Caillois quien, después de su regreso definitivo a Europa, en 1944, terminados sus cinco años de residencia forzada en Buenos Aires, volvía sin vacilaciones a América latina apenas la ocasión se presentaba, es el autor, de entre los muchos artículos que ha dedicado a nuestro continente, de una de las mejores páginas que un escritor extranjero haya escrito sobre la llanura. Por primera vez, Caillois pone en evidencia esa sensación, gradual e intensa y sin embargo tan difícil de aprehender y que surge, no de la supuesta inmensidad de la llanura sino de su desnudez, de la indigencia de la tierra chata en contraste con lo desproporcionado de su cielo: la irrupción incontrovertible del propio ser que, en una especie de afirmación paradójica, puede proponerse la fuerza a partir de una conciencia nítida de su propia fragilidad: "En ninguna otra parte el suelo es tan despojado y tan bajo: es una plataforma tan baja, tan regular, tan huidiza como el horizonte de un mar tranquilo. Se niega y se hunde a medida que se prolonga. A lo lejos se eleva a alturas sorprendentes un circo de nubes que se pierde en las alturas del cielo como en otros lugares las cosas de la tierra se pierden en las nubes. Sin embargo, en el centro, hay siempre como la cima de una imperceptible y suave colina, la insensible curvatura del globo. Que el hombre aprenda aquí a enderezarse, y todo aquello que la dignidad exige de renunciaciones, y que sin embargo él adquiere por nada en relación con lo que vale, ya que no tiene más nada que ganar antes de morir. Le doy gracias a esta tierra que exagera tanto la parte del cielo".

Si contingencias similares depositaron a Gombrowicz en la proximidad del gran río, su experiencia argentina fue totalmente diferente de la de Caillois. La mayor parte de los veintitrés años que pasó en Buenos Aires, fueron un hundimiento progresivo y penoso en la pobreza, en la impotencia y en el anonimato. Al final de su estadía, al principio de los años sesenta, poco antes de volverse definitivamente a Europa, un pequeño grupo de escritores jóvenes, desconocidos y marginales en relación con la cultura oficial, lo adoptaron como amigo, como maestro, casi como gurú, dándole en cambio el don de su juventud, por la que Gombrowicz sentía tanta veneración, y un afecto solícito, semejante al de una familia, así como un socorro material, difícil de procurar cuando se es joven, que a veces llegaba al extremo de ir a limpiarle la habitación, a comprarle el tabaco o los cigarrillos, e incluso a llevarle alimentos y a preparárselos cuando no tenía nada para comer. La atracción natural que los jóvenes sentían por Gombrowicz era inversamente proporcional al desdén y a la antipatía que, salvo rarísimas excepciones, experimentaban hacia él los adultos, entre los intelectuales argentinos por lo menos. Cada vez que le he preguntado por él a algún escritor de su generación, la respuesta era la misma: un tipo insoportable, cosa que probablemente era cierta; la arbitrariedad, el ex abrupto y la pedantería eran sin duda las pobres espadas con las que se había armado para sobrevivir en esa selva espesa en la que, igual que en un cuento de ciencia ficción los tripulantes de una nave espacial en un planeta desconocido, había venido a aterrizar. Propulsado por la explosión de la nave Europa se encontró, de la noche a la mañana, náufrago en esa especie de planeta x que debía ser para él la Argentina, esas esferas rocosas que vagan en los confines del universo y a los que la luz de ningún astro glorioso ni entibia ni ilumina.

Esa existencia ruinosa, doblemente risible a causa del orgullo desmesurado de su titular, merece consideraciones más graves que las puramente literarias, aunque, cualquiera sea el juicio que nos merezcan los textos que hoy la sobreviven, justo es reconocer que en ese falso conde polaco, siempre al borde del desmoronamiento, roído por la miseria, el desaliento y la mala salud, había algo de inquebrantable y de heroico. Su destino singular pone de manifiesto las convulsiones europeas, pero revela también, y en ese sentido es ejemplar, la situación singular del Río de la Plata en relación con la cultura de occidente. A diferencia de Caillois, la antipatía mutua de Gombrowicz con el grupo de *Sur*, al menos con sus miembros más representativos, ya es *vox populi* y ha sido glosada, e incluso desfigurada, por infinitos comentarios. La antinomia Gombrowicz-Borges nos presenta a los dos hombres como dos arquetipos irreductibles, extranjeros uno del otro, y tan acabados cada uno en su propia esencia que toda tentativa de reconciliación estaría de antemano condenada al fracaso. Borges pretendió hasta el final ignorar hasta la existencia misma de Gombrowicz; y Gombrowicz ha sostenido que, si no podían entenderse, era porque a Borges le interesaba la literatura y a él, Gombrowicz, únicamente la vida, y salta a la vista que las dos atribuciones son igualmente falsas. La verdadera razón de esa incompatibilidad visceral está, no en las supuestas diferencias que distanciaban a los dos hombres, sino justamente en sus afinidades.

Gombrowicz nos presenta a los miembros de *Sur* como un grupo de *snobs* que se la pasan suspirando por ser reconocidos en París: "¿Cuáles eran mis oportunidades para entenderme con una Argentina intelectual al mismo tiempo que esteticista y filosofadora? Lo que me fascinaba en ese país eran los bajos fondos, pues allí se me recibía por la alta sociedad. Yo estaba embrujado por la noche del Retiro, ellos por la Ciudad Luz, París". Y sin embargo, cuando hojeamos las páginas de su diario, no tardamos en darnos cuenta de que en ellas se despliega la misma problemática en la que se debatían los miembros de *Sur*: cómo resolver las contradicciones principales de una cultura que, reconociendo su tradición en la de Occidente, sabe que no pertenece enteramente a ella por hallarse, tanto en el espacio como el tiempo, en la periferia de sus corrientes principales. Tanto la obra de Borges como la de Gombrowicz están atravesadas por ese dilema. En lo único en que difirieron fue en la manera de resolverlo. Borges la asumió como un todo para encontrar en ella corredores secundarios, pasadizos secretos, y cavar su

157

propia madriguera. Gombrowicz, con una insolencia arbitraria y salvaje, practicó el oficio irritante de demoledor de estatuas, la mayoría de las cuales, afortunadamente, han continuado de pie después de su paso, esas mismas estatuas que, a pesar de su ceguera, Borges prefería esquivar discretamente.

Durante años, Gombrowicz desapareció en las noches calientes y pegajosas del Río de la Plata. Cuando, con la aparición de su diario, su intimidad se hizo pública, muchos de los que lo habían encontrado insoportable —y son legión— a causa de sus caprichos y de sus insolencias, declararon que nunca hubiesen podido imaginar que, debajo de tanto orgullo, hubiese ardido tanto sufrimiento. Tal vez la buena educación, la mesura, la habilidad diplomática, le hubiesen permitido ser una de esas personalidades europeas lo bastante interesantes y presentables como para frecuentar, en los años en que sufrió tanta hambre, las cenas copiosas de *Sur* y no pocas prebendas que, con tal de no molestar demasiado, de no ser demasiado excéntrico ni demasiado comunista, pueden obtenerse de la cultura oficial en la Argentina. Pero había en él un rasgo de carácter que tienen ciertos hombres, más fuertes que ellos, como el escorpión de Mr. Arkadin, que prefieren estar muertos antes que confundirse con el conformismo que los rodea. Caer simpático era, a decir verdad, la última de sus preocupaciones; entrar en los moldes confeccionados por los demás representaba para él una concesión inaceptable. Buscaba, hasta la autoconmiseración, lo oscuro, lo inacabado, lo sin nombre. En las noches de Buenos Aires se iba a los suburbios a palpar lo indiferenciado y lo informe, la antítesis de lo que el centro brillante, limpio y organizado, le ofrecía. Atravesado de desgarramientos y ambigüedades le gustaba exhibir, casi con masoquismo, su predilección por la periferia. Sin saberlo, él, que no quería parecerse a nadie, terminó formando parte de ese ejército de fantasmas que generan las noches argentinas, de seres que, perdidos en la inmensidad de un país al que sólo le asignan un destino ficticio los discursos oficiales, no se atreven a representarse ninguna salida, ningún lazo real con el mundo, ninguna esperanza, y que sin embargo, como Roberto Arlt, como Martínez Estrada, como Macedonio Fernández, como Antonio Di Benedetto, o en la orilla oriental, como Onetti o como Felisberto Hernández, tuvieron la tenacidad suficiente como para dejar, a pesar de todo, textos admirables. Por proponerse encarnar, con desmesura, lo extranjero, terminó siendo, como Lord Jim para su compatriota Joseph Conrad, "uno de los nuestros".

INVIERNO

historiadores Romanos

La lectura de Tácito o de Suetonio nos horroriza, pero también nos consuela: si en Roma se cometían esos crímenes, ¿qué se puede esperar de las provincias remotas donde imperan, no el linaje de los Césares, sino la impunidad y la barbarie? Y aunque la noticia de las más grandes iniquidades no justifica ni absuelve las pequeñas, el consuelo nos viene de saber que esos rasgos sangrientos que creíamos propios de nuestra sociedad, propio de lo que ciertos tecnócratas han llamado el subdesarrollo, no son otra cosa que la herencia recibida de la civilización. Muchos argentinos lamentan la tradición de violencia que caracteriza a nuestra historia; pero, sin querer justificarla, sino por el contrario, tratando de mostrar algunos de sus detalles más significativos, no puedo menos que comprobar que, comparada con la historia de las grandes naciones "civilizadas" durante el siglo xx, nuestra brutalidad es, cuantitativamente al menos, deleznable. Ni para un solo suplicio, ni siquiera para la intención no materializada de infligirlo, pueden hallarse justificativos; pero como estamos, como diría Sófocles, en la triste situación de no saber a quién llorar primero, no quisiera que, horrorizándose por nuestra barbarie, algún lector europeo se complazca en su propia civilización, aunque es probable que la modicidad de nuestras masacres, a pesar de su constancia innegable, sea una prueba suplementaria de nuestra indigencia. Si nuestras guerras civiles no dejaron el saldo de 500 mil muertos como la Guerra de Secesión, era porque carecíamos del suficiente número de habitantes; si nunca tiramos ninguna bomba atómica sobre Hiroshima o Nagasaki, la razón no está en nuestro humanismo sino en nuestro déficit tecnológico; y si no desencadenamos, por brumosos motivos raciales y geopolíticos, la Segunda Guerra Mundial, es porque carecíamos de los medios militares para lograrlo, y porque nos convenía mucho más vender nuestros excedentes de trigo y de carne congelada a los beligerantes. (Por otra parte, nuestro ejército estaba tan infiltrado de elementos nazis, que se decía que si los alemanes ganaban la guerra, la Argentina sería anexada por teléfono.)

Una tendencia general de la historiografía estriba en destacar la edad de oro de las diferentes naciones, tal vez por considerar que, a causa de su carácter excepcional, esa edad de oro merece más atención que el escarnio endémico y rutinario. El reino de Pericles, el advenimiento de Augusto, el brillo de Luis XIV, y el ronroneo pequeñoburgués de la pequeña reina Victoria, contra el telón de fondo de iniquidades diversas, parecen sin embargo tan frágiles como las construcciones fugitivas de la razón entre la agitación ciega de las pasiones y de los instintos. En la pluma de pocos historiadores he leído comparaciones tan elocuentes como ésta de Georges Duby: "Por eso, el Occidente del siglo X, ese país de selvas, de tribus, de brujería, de reyezuelos que se odian y se traicionan, salió poco a poco de la historia, y dejó menos rastros de su pasado que el África Central del siglo XIX, a la que se parece tanto". También la violencia, acrecentándose, pasa de tanto en tanto por alguna edad de oro, saliendo de su cauce al que vuelve a entrar un poco más tarde, sin otro proyecto que reincidir en su desmesura a la primera ocasión. Estas consideraciones previas, que trato de hacer lo más discretamente posible, pueden resumirse de la siguiente manera: cada vez que el rayo ha caído en el Río de la Plata, no es difícil imaginar esa tormenta como la consecuencia previsible de alguna decapitación ya olvidada que tuvo lugar, tiempo antes, en un país *"civilizado"*.

En las inmediaciones del "estuario más grande del

mundo", en las orillas de los ríos caudalosos que lo abaste-
cen de agua, en las innumerables islas del delta que forman
en la desembocadura, en la planicie de alrededor de 600 mil
kilómetros cuadrados que se extiende al sur, al norte y al
oeste, en ese lugar de paso al que ni los caballos querían
acercarse, se formó, en nuestro siglo, una sociedad peculiar,
característica, como resultado de la presencia indígena, de
la colonización y del largo y adormecedor dominio español,
del mestizaje, de la proliferación del ganado, de la inmigración europea, centroeuropea, balcánica, medio oriental y
asiática, del impulso de la agricultura, de un relativo y fragmentario crecimiento industrial, de una explosión demográfica y de un crecimiento urbano desproporcionado en
relación con la demografía rural y con el resto del país.

Esa sociedad característica, que forma parte del tercer
mundo y al mismo tiempo es europea e incluso, para muchos de sus miembros, europeizante, no se parece a decir
verdad a ninguna otra, y resulta difícil describírsela a quien
no la conoce, en la medida en que pocos rasgos exteriores o
de color local, fácilmente representables, aparecen a primera vista. Todos creemos saber, sin haberlos visitado nunca,
cómo son el Japón, la India, México. Sin duda no lo sabemos, pero creemos saberlo, a causa de estereotipos que les
atribuimos y que sin duda en la realidad fluctuante de cada
país, cuando por fin los visitamos, se diluyen, se relativizan,
o incluso desaparecen. Aparte del tango, del gaucho, de la
supuesta riqueza de un país que misteriosamente sigue siendo pobre, de la leyenda de Evita para las personas de cierta
generación, astillas flotantes de representación, es evidente
que mis interlocutores europeos tienen dificultades para
forjarse una imagen más o menos verosímil de la Argentina. Hasta hace algunos años —ahora la pauperización vertiginosa de las clases medias tal vez ha vuelto la anécdota
anacrónica— en el mundillo de los economistas argentinos
se murmuraba que, desde el punto de vista económico, existían cuatro tipos de países: los países ricos, los países pobres,

el Japón y la Argentina. Esta broma, que describe la perplejidad de las teorías económicas ante la prosperidad exuberante del Japón, y lo inexplicable del sempiterno marasmo argentino, si bien no nos dice nada nuevo sobre nuestro país, refuerza sin embargo uno de sus rasgos predominantes, la atipicidad.

De Buenos Aires hacia el norte, sobre las orillas del Paraná, se extienden los grandes puertos industriales y cerealeros, Campana, Zárate, Baradero, San Pedro, Villa Constitución, Rosario, San Lorenzo, Diamante; y hacia el oeste, en el interior de la llanura, las pequeñas ciudades de la pampa, como Venado Tuerto, Cañada de Gómez, Casilda, Chacabuco, Pergamino, etc., que deben su prosperidad a la agricultura y a la ganadería, y a las industrias derivadas o concomitantes, como productos lácteos, embutidos, frigoríficos, oleaginosas, implementos agrícolas. Menos afortunados, los pueblos más chicos, de dos o tres mil habitantes, van vaciándose de a poco a causa de la atracción constante que ejercen las ciudades y, adormilados en la llanura, sólo se sobresaltan un poco con el paso, cada vez más raro, de un viejo tren de carga o de pasajeros, o, si no tuvieron la suerte, a fines del siglo pasado, de beneficiarse del trazado de vías ferroviarias, de algún camión que pasa por la ruta nacional, bastante desierta por otra parte desde la construcción de la autopista Buenos Aires-Santa Fe. Que los atraviese el ferrocarril o la ruta nacional, e incluso que se extiendan en el borde del río, la estructura de esos pueblos es invariable; varios cruces perpendiculares de calles rectas, de las cuales sólo las principales (en general las cuatro que encuadran el largo terreno rectangular de la estación de trenes) están asfaltadas. A media mañana, o a media tarde, después de la pausa ritual de la siesta, que en invierno termina a las dos y media o a las tres y en verano se prolonga hasta las cuatro y media o las cinco, en la entrada de los almacenes de *ramos generales*, de las farmacias o de los bares, estacionan, a la sombra de paraísos, de eucaliptus, de plátanos o de acacias, un par de caballos ensillados, una o dos camionetas, algún sulky. (Hasta los años cincuenta, la proporción de vehículos de tracción a sangre era superior a la de los automotores.) En esos mismos años cincuenta, José Pedroni, el poeta por excelencia de la inmigración, nacido en Esperanza, la primera colonia agrícola de inmigrantes creada por el gobierno argentino en 1856, como él había escrito un libro sobre el oficio de su padre, que era albañil, quería incitarme a escribir uno sobre el del mío, que tenía un negocio de ramos generales en Serodino, en razón según él del carácter mágico y poético que surge de la acumulación y de la variedad de mercancías que existe en esos lugares. Es posible que, desde el punto de vista de la poética sencillista que practicaba Pedroni (admirador de Francis Jammes, de Lamartine, de Beranger), el almacén de ramos generales sea una fuente inagotable de inspiración; lo que es seguro, es que en ninguna otra parte puede observarse mejor el carácter heterogéneo y diverso de la sociedad pampeana.

Para poder existir, esos almacenes debían tener en cuenta una demanda múltiple, exhaustiva y hasta divergente; debían respetar las inclinaciones nutritivas, prácticas y vestimentarias de italianos, españoles, árabes, judíos, sin olvidar los matices regionales de cada nacionalidad, porque lo que prefieren los sicilianos no concuerda para nada con los gustos piamonteses, y, para un catalán, comer como un andaluz era una extravagancia inimaginable. El almacén de ramos generales debía tener productos necesarios a la vida urbana y a la vida rural, el último grito de la moda y las vestimentas especiales, fuera de circulación desde hacía veinte años, pero inmutablemente atractivas para el hombre de campo; los más grandes vendían arvejas partidas, pero también automóviles; enaguas de seda y escopetas; pastas italianas *all'uovo* y bacalao para no perder la clientela portuguesa, jamón serrano y arenques; los frascos verdes de *Bag-na-nas* (en piamontés "moja nariz"), una magnesia efervescente y dulzona, se codeaban con la yerba mate, adoptada por todas las colectividades pero de herencia indígena, con las botellas de jerez o de manzanilla, con paquetes de cigarros, a los que se llamaba toscanitos, cuya marca era *Avanti* y que venían envueltos en papel madera adornado con la bandera italiana. Los supermercados actuales, que ostentan una abundancia irritante, exponen variantes de un mismo producto, con sus diferencias de precio, de marca, de tamaño, para que el cliente elija el que prefiere según lo que sus medios, su imaginación visual y la flotación de su deseo le sugieren en el momento. No le queda, a decir verdad, más remedio que elegir entre aquello que se le propone, productos que, en su gran mayoría, si no los hubiese visto expuestos en las estanterías jamás hubiese comprado. Los almacenes de ramos generales eran exactamente lo opuesto; como el Gran Teatro de Oklahoma, en el que cada uno tiene su lugar, en el almacén de ramos generales cada cliente tenía su mercancía, el producto único que correspondía a sus necesidades, inclinación persistente caída como un meteoro desde el cielo en la llanura vacía, y que, a pesar de los cambios del paisaje, del entorno humano y de los sistemas productivos, exigía, periódicamente, su satisfacción.

De la variedad de culturas, de idiomas y de razas del Río de la Plata, surgió una especie de sincretismo cultural y social, con un predominio, por simples razones cuantitativas, de elementos mestizos, hispanoportugueses e italianos. El castellano de la región pampeana ha sido modificado por aportes sintácticos y léxicos de origen portugués e italiano, con un acento particular que difiere totalmente de todos los acentos españoles, excepción hecha de ciertas inflexiones del andaluz; estas modificaciones hacen que cuando un argentino habla francés, es considerado invariablemente no como un español, sino como un italiano. Como sucede un poco con el francés de Quebec en relación con el de Francia, muchos arcaísmos, ya desaparecidos en España, persisten en el castellano de Argentina, e incluso algunos cultismos que, totalmente olvidados en la Península, han pasado a la len-

166

gua popular. Ciertos términos indígenas y rurales, a los que se agregan vocablos del lunfardo adoptados por el habla familiar, completan las modificaciones que han configurado el *idioma de los argentinos*. En todo el ámbito de habla castellana, el acento argentino es inmediatamente reconocible, y a menudo caricaturizado con facilidad, e incluso ridiculizado. En los distintos tipos nacionales de América latina forjados por la imaginación popular, los chilenos son presentados como alcohólicos, los mexicanos como individuos que matan porque sí, los brasileños como demasiado afectos a los superlativos ultranacionalistas, y los argentinos como pedantes, imbuidos de sí mismos y aprovechadores. El viejo chiste de proponer un buen negocio consistente en comprar un hombre engreído por lo que vale y venderlo por lo que él cree que vale que en Europa pretende describir a los franceses, se aplica en América latina a los argentinos. Una interpretación sociológica me parece válida para explicar esta caricatura: antes que los otros países de América latina, la Argentina conoció un período de prosperidad que trajo aparejada una fuerte concentración urbana, y por ende un *modernismo* indudable (a principios de siglo) lo que creó una especie de antagonismo ciudad-campo con otras regiones menos desarrolladas del continente. Ya sabemos que los pequeños burgueses de las grandes ciudades se sienten superiores al hombre de campo y que, por razones igualmente inexplicables, no pocas veces el hombre de campo cree en esa superioridad.

Otros dos factores contribuyeron a diferenciar la sociedad rioplatense de las de otras regiones de América latina como consecuencia de esa urbanización: una clase media numerosa y un proletariado con una fuerte conciencia política y un alto nivel de organización; estas dos características son consecuencia directa de la inmigración masiva, como lo prueban dos síntomas inequívocos que coinciden con el período inmigratorio: el crecimiento de las ciudades, la aparición de nuevas clases de comerciantes, artesanos, pequeños industriales, profesionales y funcionarios, y las primeras huelgas, hacia 1870, que empezaron a hacer trastabillar el sistema patriarcal. La organización sindical alcanzó su apogeo en 1950, con el control de los sindicatos por el gobierno peronista, lo que trajo aparejados dos efectos negativos: una concepción corporativista de las relaciones entre el gobierno, los obreros y los patrones, y el afianzamiento de una burocracia sindical autoritaria y corrompida. Aunque hubo huelgas rurales importantes, como en la provincia de Santa Fe en 1911 o en la Patagonia, que terminó en masacre, es el proletariado urbano el que, desde los primeros movimientos sociales a finales del siglo pasado, ha mantenido viva la tradición, múltiple y fuerte, iniciada por socialistas y anarquistas y proseguida más tarde por comunistas y peronistas, de las luchas obreras. Esos grandes movimientos sociales tuvieron, a lo largo del siglo, como escenario invariable las grandes ciudades industriales de la llanura: Buenos Aires, Rosario, La Plata, los centros industriales a orillas del Paraná, y Córdoba, en el extremo oeste de la pampa.

En ese vasto territorio chato y sin bellezas naturales, como no ser la desmesura de su monotonía, el más urbanizado, poblado y desarrollado de la Argentina, a pesar de la ausencia, para desgracia de las agencias turísticas, de todo color local, se encuentra en definitiva lo más característico de un país que durante décadas se interrogó ansiosamente acerca de su *identidad*, sin comprender que era justamente esa incertidumbre lo que la definía. Su hegemonía económica y cultural lo hizo exportar esa ambigüedad a las otras regiones, que han ido perdiendo su diferenciación para amoldarse a los rasgos rioplatenses. El éxodo del resto de las provincias a la región del litoral es de todas maneras constante, ya se trate de obreros rurales o calificados, de hombres de negocios o de intelectuales.

Esa sociedad reciente, de tradiciones brumosas y un poco angustiantes a causa de su multiplicidad contradictoria, que se siente abandonada en el extremo sur del planeta, es en resumidas cuentas bastante cosmopolita. Como en los países industrializados, la superioridad numérica de la clase media y de la pequeña burguesía dan una coloración particular a las costumbres y a las mentalidades; como en los países industrializados igualmente (no debemos olvidar que en ellos la prosperidad es fluctuante), su destino está ligado a los sectores minoritarios que controlan la economía y a la continua lucha política que éstos mantienen con las capas más desfavorecidas de la sociedad. En Argentina, como en Francia el gaullismo, o los liberales en Estados Unidos, los grandes movimientos populares del siglo XX, como el radicalismo y el peronismo, han dependido políticamente de la adhesión de esas clases medias que los apoyan de modo transitorio para abandonarlos por otros cantos de sirenas a las primeras turbulencias. Probablemente esto ya ha sido observado muchas veces, pero me causa un placer maligno repetirlo: los famosos valores de Occidente por los que tantos caballeros de industria, servicios de inteligencia, financistas sin alma, seudohumanistas y ejércitos hipertecnificados, mueven de tanto en tanto cielo y tierra por preservar, no son otra cosa que esas convicciones estrechas y friolentas de la clase media, esa supuesta bonachonería y esa supuesta tolerancia inquebrantables que la primera incomodidad hace echar por la borda, esos curiosos derechos que pierden vigencia para el vecino si el vecino no se adapta a las normas universales, ese pacifismo abstracto cuando no se trata de intereses propios, esa libertad de religión que desprecia en las propias barbas la superstición ajena, esa pretendida soberanía puramente verbal que no sirve más que para amoldarse a lo que un puñado de poderosos, que tienen en sus manos los mecanismos de manipulación, ha decidido con sus propios criterios morales y con sus propios parámetros de geopolítica, de planificación paranoica y de rentabilidad.

Esa clase media pacífica, conformista, decente, laboriosa, liberal y un poco masoquista, ligeramente escéptica a pesar de todo, un poco vapuleada por la inestabilidad económica y política, ha dado las pautas morales, el estilo de vida, las instituciones, y aun los esquemas imaginarios y las ilusiones de la sociedad argentina. No estoy ni exaltando ni reprobando, sino diciendo que, por ser numéricamente la más importante de la nación, sus fluctuaciones emocionales repercuten continuamente en la vida social. Los ricos poseen los medios económicos y la fuerza bruta para imponer sus decisiones; los más pobres, chapaleando en la miseria y en el anonimato, rehenes de la burocracia sindical, no pocas veces se dejan tentar por las viejas trampas del paternalismo; la clase media, en cambio, es la única que representa realmente la opinión pública; cambiante, caprichosa, extravagante, sensata, realista o irracional, según los avatares, de lo más agitados, de las contingencias políticas, puede decirse que tiene en sus manos el porvenir institucional y político social del país, hoy más que nunca.

Tratar a alguien de pequeñoburgués, de pertenecer a la clase media era, hasta hace poco, ya lo sabemos, un insulto, significativamente virulento si se tiene en cuenta que los intelectuales que lo proferían provenían casi todos de esa clase vituperada. En la Argentina, la mayoría de los artistas, intelectuales, hombres políticos, periodistas, militares, e incluso revolucionarios y torturadores provienen de ella; salvo algunos nostálgicos incurables del período patriarcal, aun los ricos (y en Argentina sólo puede hablarse, en cierto sentido, de nuevos ricos) comparten muchas de sus inclinaciones. Los pobres, obviamente, las reconocen como aspiración. Los más irrazonables fantasmas sobre la esencia de la sociedad argentina fueron impuestos a todas las capas sociales por la clase media: que éramos un país rico, una sociedad pacífica, que en nuestro país no hay racismo, que hay libertad de religión, que el que no progresa es porque no quiere trabajar, etc. Este conformismo, refutado por virulentos discursos revolucionarios de los pequeños grupos de extrema izquierda, y por algunos sectores de la extrema derecha, ha sido, durante cincuenta años de evidentes convulsiones sociales, el discurso tranquilizante que transmitían todos los medios de comunicación, todos los sistemas educativos, todos los factores de influencia, todas las capas de la sociedad. Los hijos más lúcidos de la clase media ironizaban e incluso rabiaban contra ese conformismo evidente, pero en el fondo, por haber mamado desde la cuna esa ilusión idílica, estaban convencidos de su pertinencia. En definitiva, esos valores de moderación, de tolerancia, de medianía inocua y de compromiso confortable, de los que formaban parte también cierta ternura familiar; costumbres civilizadas aunque un poco rústicas e ingenuas, y un humor desilusionado, esa coexistencia cortés aunque un poco hipócrita entre colectividades y credos diferentes, eran un telón de fondo tranquilizante, una circulación emotiva *"entre argentinos"* para garantizar que, si había un problema, siempre terminaría por arreglarse. Todavía hoy, quince años más tarde, no pocos siguen preguntándose cómo ese sueño irrazonable se transformó en pesadilla.

El primer cuento de nuestra literatura se llama "El matadero". Imagen simbólica de la dictadura de Rosas (1829-1852), narra el suplicio de un joven intelectual que es torturado y asesinado por un grupo de gauchos salvajes, partidarios del dictador. Su autor, Esteban Echeverría, era un desterrado, obviamente opositor del régimen, y si esa trama demasiado evidente disminuye la eficacia literaria del relato, no es menos cierto que como emblema de la época de Rosas su exactitud es innegable. Se ha hablado y escrito mucho sobre la ferocidad de los gauchos y de los indios, y en general de la vida rural en la Argentina del siglo XIX, y no debemos olvidar que el descubrimiento del Río de la Plata acabó en un banquete caníbal y que la primera fundación de Buenos Aires comenzó con un asesinato en la costa del Brasil y se dispersó después de una masacre generalizada. A partir de la independencia en 1816, las guerras civiles que duraron medio siglo y las guerras contra los indios se caracterizan por sus inútiles derramamientos de sangre, por sus duplicidades, su salvajismo y su crueldad.

El uso frecuente del cuchillo en las tareas del campo y la familiaridad con el ganado le dan un tinte particular a esa violencia. Para el hombre de campo, el cuchillo era a la vez un instrumento de trabajo, un arma y, en los ratos de ocio, un objeto de entretenimiento. La leyenda pretende que los gauchos eran capaces de esquivar las balas y que, en una lucha cuerpo a cuerpo, las armas de fuego estaban en desventaja, en razón de la destreza y de la rapidez con que manejaban el cuchillo. La operación de degüello, ya se tratase de un hombre o de un animal, se realizaba con un solo movimiento que duraba unos segundos: un desplazamiento certero del brazo, y la cabeza rodaba, separada del cuerpo sacudido todavía por los últimos reflejos previos a la rigidez mortal, entre los pastos de la pampa. Los duelos a primera sangre, como ya lo hemos visto, solían hasta hace poco ser la diversión inevitable de los domingos, y en todo caso han constituido, desde siempre, uno de los elementos indispensables del color local, de modo que si su frecuencia real era menor de lo que pretende la leyenda, su persistencia en la imaginación popular es bastante elocuente. Desde los primeros tiempos de la explotación ganadera, el exterminio masivo de animales cobra el aspecto de una verdadera hecatombe. Un texto clásico de 1750 da una descripción de estas matanzas:

"El modo de matarlos es éste: montan seis o más hombres a caballo y, dispuestos en semicírculo, cogen por delante doscientos o más toros. En medio del semicírculo que forma la gente, se pone el vaquero que ha de matarlos; éste tiene en la mano un asta de cuatro varas de largo, en cuya punta está una medialuna de acero de buen corte. Dispuestos todos en esta forma, dan a los caballos carrera abierta en alcance de aquel ganado. El vaquero va hiriendo con la media luna la última res que queda en la tropa; mas no le hiere como quiera, sino al tiempo que el toro va a sentar el pie en tierra, le toca con gran suavidad con la media luna en el corvejón del pie, por sobre el codillo, y luego que el animal se siente herido, cae en tierra, y sin que haya novedad en la carrera, pasa a herir a otro con la misma destreza, y así los va pasando a todos, mientras el caballo aguanta; de modo que yo he visto, en una sola carrera (sin notar en el caballo detención alguna), matar un solo hombre veintisiete toros. Luego, más despacio, deshacen el camino y cada peón queda a desollar el suyo, a los que le pertenecen, quitando y estaqueando los cueros, que es la carga que de este puerto llevan los navíos a España. Aprovechan, como se ha dicho, el sebo, la grasa y las lenguas, y queda lo demás por la campaña…"

Esa intimidad con la masacre fue convirtiéndose, poco a poco, en un elemento constitutivo de la imaginación local. En la literatura gauchesca del siglo XIX, nuestra primera expresión literaria original, esos rasgos imaginarios de origen popular son elevados al rango de mitos clásicos. El medio rural que pinta esa literatura era la obra de intelectuales urbanos, y algunos estudios filológicos que han cotejado diferentes manuscritos de una misma obra pudieron comprobar que las correcciones sucesivas de vocabulario y de conceptos tendían invariablemente a acrecentar la impresión de rusticidad. El prestigio de lo salvaje fascinaba incluso a sus detractores y los grandes profetas de la civilización se valían de la barbarie para imponerla. La contradicción fundamental de las guerras contra los indios, no sólo en la Argentina, sino en todo el continente americano (y probablemente de toda guerra), estriba en ese uso de la fuerza para prevenir la fuerza. El método mismo invalida la legitimidad de las razones, y para formular una opinión imparcial sobre esas luchas, habría que descartar los juicios morales, políticos o históricos, y adoptar solamente un punto de vista etnológico o antropológico.

En el plano imaginario, y también en el práctico, se pasó a considerar la violencia como un mero entretenimiento y aun a promover su exaltación. Ebelot cuenta que los indios solían darle a los niños de la tribu algún prisionero para que jugaran con él: lo desnudaban, lo maniataban de pies y manos, y lo dejaban en manos de las criaturas, que por pura diversión, lo hostigaban y lo torturaban hasta darle muerte, como casi todos los niños del mundo suelen hacer con diferentes animales. Pero al mismo tiempo que atribuye a los indios esa crueldad, sin condenarlos demasiado por otra parte, Ebelot reconoce que la mayor parte de los hombres reclutados por el gobierno, civiles o militares, para los trabajos de *"civilización"*, venían a trabajar a la frontera menos con el fin de ganarse la vida que por escapar a la justicia, porque, quien más quien menos, todos, según la expresión ritual, *debían* alguna muerte. El héroe nacional argentino, *Martín Fierro*, mata porque sí, excitado por la borrachera, sin ningún atenuante, agravando más bien su caso con una provocación racista, con la misma gratuidad un poco demente con que dos o tres legionarios franceses tiran de un tren en marcha a un árabe que ni siquiera les ha dirigido la palabra. El negro al que mata Martín Fierro no tiene más remedio que aceptar un duelo para limpiar la afrenta de la provocación, según la ley no escrita de la llanura.

La decolación de San Juan Bautista, su laboriosa puesta en escena, la danza calculadamente voluptuosa y gradual acordada a cambio del crimen, la sensualidad refinada y perversa que domina en todas las representaciones que ha hecho de esa anécdota el arte occidental, son inimaginables en la pampa, donde el degüello, castigo por excelencia, se practicaba sin ceremonias particulares. Ebelot cuenta que un indio aliado de los blancos estaba conversando con él y con algunos soldados después de una batalla, y al advertir que uno de los caciques que habían hecho prisioneros aprovechando la distracción trataba de escaparse, lo corrió unos metros, lo alcanzó y lo degolló en el acto, para incorporarse otra vez a la conversación con un simple comentario desdeñoso: "Éste casi me dio rabia". El "casi" muestra no sólo que el indio no hablaba bien castellano, sino que el episodio atroz que Ebelot acababa de presenciar era para su protagonista un hecho subalterno. En el campo, la familiaridad no se limitaba a la muerte violenta de hombres y animales, sino que se extendía a la sangre, a los tejidos, a las vísceras. En los años cuarenta, en Serodino, vi a un hombre, flanqueado por dos policías, que caminaba vociferando, con las manos apretadas contra el vientre ensangrentado para que no se le escaparan los intestinos. Como no lograba entender lo que decía, le pregunté a un curioso que miraba la escena como yo, y que me contestó riéndose, subyugado por alguna misteriosa comicidad en lo que estaba viendo: "Dice que mañana va a llover".

George Chaworth Musters que, dicho sea de paso, y para que se vea cómo el mundo es pequeño, era nieto de Mary Chaworth, el primer gran amor de Byron, que se enamoraba de todas sus primas, de Mary Chaworth que, para gloria de los indios tehuelches de la Patagonia, prefirió al poeta romántico John Musters, "el rey de los caballeros cazadores", George Chaworth Musters, decía, nos informa que en la composición de las pinturas corporales de los tehuelches entraba la grasa animal sacada de los huesos medulares, que todas sus correas estaban hechas con cueros, tendones y tripas de animales y que, para flexibilizar esas materias, las frotaban con cerebro de avestruces; cuando mataban algún animal, se precipitaban a beberle la sangre cuando todavía estaba caliente. Gracias a los reveses sentimentales de lord Byron, sabemos hoy cómo ese aprovechamiento de todas las partes de un animal se hacía de la manera más directa, exhaustiva, y familiar. Durante siglos, el tratamiento mutuo que se daban indios, gauchos y europeos era el que en general todos los animales reservan a las especies diferentes de la propia.

Con frecuencia se ha observado el carácter festivo de la violencia en el Río de la Plata, y en su literatura. Ya es un lugar común, cuando se habla de la sociedad mexicana (en *El laberinto de la soledad* de Octavio Paz por ejemplo), de una afinidad de los mexicanos con la muerte, de una especie de distorsión de lo trágico a través de una apropiación acumulativa y grotesca, pero esta particularidad tiene poco que ver con esa especie de inconsciencia primitiva, casi pueril, con que se festejaba la violencia en la llanura. Importa poco que ese carácter festivo haya sido real o legendario: su persistencia y su aceptación como un tópico auténtico de nuestras creaciones imaginarias bastan para que el hecho retenga nuestra atención; pero, en ese camino, podemos decir que se ha llegado más lejos que el simple relevo de una tendencia innegable y frecuente. Por nostalgia, se ha pasado a la exaltación.

Borges es un caso típico de esa tendencia; descendiente de una familia cuyas raíces se hunden en la época patriarcal, ciertos aspectos de su obra contribuyen a idealizar ese período. De su abuelo, el coronel Francisco Borges, nos dice en un soneto:

Alto lo dejo en su épico universo
Y casi no tocado por el verso.

El universo *"épico"* del coronel Borges se relativiza bastante cuando comparamos el verso de su nieto con el testimonio de Alfred Ebelot, que anota, con su imparcialidad y su franqueza habituales: "El general Mitre, proveniente del ejército y militar de profesión pero más apto para la política que para la guerra, ha visto siempre en el ejército, ante todo, un instrumento de gobierno. Durante su larga administración lo llenó con su gente. La mayoría de los jefes eran, o sus parientes, como el general Emilio Mitre, hermano suyo, el general de Vedia, cuñado, o soldados de fortuna, como los generales Arredondo, Rivas, Gelly y Obes y el coronel Borges, nacidos en la otra orilla del Plata, ciudadanos de una república rural y dispuestos a subordinar los intereses del servicio a las conveniencias del partido que los había elevado. En sus grandes comandancias de frontera se ocupaban especialmente de dirigir las elecciones, vigilar a los opositores, ejercer la policía de las opiniones, y es posible que la complacencia de los indios les dejara el sosiego necesario para consagrarse a tales tareas, mucho más interesantes para ellos que guardar los caballos y las vacas de la llanura".

Si esta promoción al rango épico de un agente electoral es comprensible por razones de familia, otras estilizaciones de Borges son más problemáticas, pero no es difícil encontrarles explicación. El famoso *culto del coraje* —*leit motiv* deprimente de la peor literatura argentina, de los dislates criollistas al tango— es un prolongamiento xenófobo de una actitud que, ante las transformaciones sociales producidas por la inmigración, finge atribuir un valor mitológico, con connotaciones éticas superiores, a la violencia sórdida y banal de la época patriarcal. Confortablemente instalado en su biblioteca de la calle Maipú, a pocos pasos del Círculo Militar, al que, dicho sea de paso, de tanto en tanto iba a dar alguna conferencia, Borges añoraba en tono elegíaco esos duelos a cuchillo supuestamente caballerescos que representaban para él una serie de valores que la nueva sociedad había perdido como consecuencia de la inmigración. A decir verdad, los famosos compadritos de Borges, esos héroes del suburbio que sociológicamente representaron a finales del siglo XIX la urbanización de los últimos gauchos, matarifes, carreros, empleados de frigoríficos, a medida que iban especializándose en el ejercicio del *coraje*, se fueron transformando en tanto que profesionales de la violencia, en proxenetas, en guardaespaldas, en *racketters*, en matones electorales, en rompehuelgas.

En esa época de la desaparición del gaucho y del auge inmigratorio, aparece un prototipo que representa en cierto modo una perversión de Martín Fierro, y que podríamos definir como el *bandido justiciero;* prolongación legendaria del gaucho, el bandido justiciero presenta ya los primeros rasgos de urbanización, y aunque en general su principal enemigo es algún extranjero avaro y aprovechador, estos bandidos justicieros son un primer esbozo de las bandas anarquistas de las primeras décadas del siglo XIX; entre otros, Juan Moreira y Hormiga Negra, dos gauchos asesinos popularizados por folletines y representaciones teatrales y circenses, ya no se pierden en la pampa o en las tolderías indias como sus predecesores, sino que mueren a manos de la policía en los suburbios de alguna ciudad de provincia, como es el caso con el más célebre de todos, Juan Moreira, el héroe popular por excelencia, que se hace matar en un prostíbulo suburbano en una emboscada que le tiende la policía. La violencia, coloreada de rebeldía política y de reivindicaciones justicieras, abandona la llanura y se instala en la ciudad, de la que ya, salvo raras excepciones, nunca más volverá a salir.

La visión idílica de la historia que tenía la sociedad argentina, la imagen gratificante de sí misma —somos un pueblo rico, hospitalario, pacífico— que venía forjándose desde las primeras décadas del siglo, en las que había habido una real prosperidad, era desmentirla todos los días en la práctica por graves problemas endémicos, anomalías estructurales y políticas que en pocas palabras podrían resumirse de la siguiente manera: la vieja clase patriarcal, excedida numéricamente por las nuevas clases surgidas de la inmigración, tenía efectivamente el poder económico, pero ya no podía gobernar; en 1890 surge el primer partido de masas, la Unión Cívica, que sólo en 1916 llegará al poder gracias al sufragio universal, con el nombre de Unión Cívica Radical. En 1945, un nuevo movimiento de masas surgirá: el peronismo. Estos dos grandes partidos representan, con sus diversas corrientes, a la inmensa mayoría de la sociedad argentina. De coloración liberal y centrista el primero, autoritario y populista el segundo, estos dos partidos, cuando el sistema constitucional está en vigor, son los únicos que realmente pueden disputarse el poder en elecciones normales. Desgraciadamente, desde 1916, en que las primeras elecciones por sufragio directo llevaron al poder a la Unión Cívica Radical, la vieja clase poseedora se obstina en negarle a los gobiernos salidos de elecciones populares su legitimidad para gobernar. Desde 1930, cada tentativa independiente de gobierno ha terminado con un golpe de Estado. Sin contar las sublevaciones abortadas, y los golpes de palacio en que, por oscuras luchas de facciones, usurpadores derrocaban a usurpadores, golpes de Estado clásicos tuvieron lugar en 1930, en 1943, en 1955, en 1962, en 1966 y en 1976.

Seis golpes de estado en 46 años puede parecer una cifra modesta, pero hay que tener en cuenta que en el interior de esos períodos relativamente largos, la inestabilidad política fue creciendo, y que, si no se producían golpes de Estado clásicos, una sucesión de golpes palaciegos, de movimientos de tropas, de negociaciones al pie de los tanques, de presiones armadas, de elecciones anuladas, de proscripciones electorales, de intervenciones provinciales, de manifestaciones callejeras, de atentados terroristas y de asesinatos políticos, sin contar las divisiones en el interior de los grandes partidos y la aparición de grupos armados de izquierda y de derecha a partir de 1955, fueron creando un clima de precariedad social y política, a lo que hay que agregar un deterioro económico paulatino debido a las condiciones desfavorables del mercado internacional, al desmantelamiento de la industria, a la hiperinflación, al desempleo, a la evasión fiscal, y en los últimos años sobre todo, a la especulación desenfrenada. (Hay que decir sin embargo que todas estas causas ya habían sido invocadas durante la revolución radical de 1890.)

El lector recordará la frase de Darwin, de 1833: "Y el pueblo espera todavía poder establecer una república democrática a pesar de la ausencia de todo principio en los hombres públicos y mientras el país rebalsa de oficiales turbulentos y mal pagos", y tampoco ha olvidado, espero, el juicio severo que le merece a Alfred Ebelot la manera desaprensiva en que el coronel Borges y otros oficiales desatienden las obligaciones por las que son pagados por la Nación para entregarse a sórdidos manejos electorales. Sería injusto decir que todos los militares argentinos, después de 1930, y sobre todo después de 1966, son deshonestos; pero los que no perdieron el honor en el escarnio a la constitución, en el abuso de poder, en la expoliación, en el suplicio y en el crimen, lo perdieron en el silencio con que cobijaron esos desmanes, porque ni un solo oficial superior de ninguna de las tres armas, ni uno solo, tuvo el valor (palabra que pertenece al léxico de ellos, no al mío) no ya de oponerse, sino por lo menos de distanciarse públicamente de lo que estaba pasando. Los que no participaron en la masacre, sean cuales fueren sus problemas de conciencia, esperaron discretamente el fin de la tormenta en la opacidad de los cuarteles. Aún hoy los militares argentinos se dividen entre los que reivindican cínicamente todos sus crímenes y los que hipócritamente los minimizan, los olvidan o los niegan. Pero si bien los militares tuvieron la mayor responsabilidad en los acontecimientos de los años setenta, no tuvieron *toda* la responsabilidad.

Uno de los responsables principales de la catástrofe fue Juan Domingo Perón. Cuál más, cuál menos, todos los políticos demasiado ambiciosos son hipócritas, y podría decirse que, en el sistema llamado democrático, para poder obtener la mayoría hay que conformar a demasiados sectores a la vez, lo que obliga necesariamente a la hipocresía. Pero en el caso de Perón, si tuviésemos que definir su atributo principal, no cabe ninguna duda que ese atributo es la duplicidad. Esa duplicidad es la característica constante de toda su carrera política, y probablemente de su vida privada, que guardaba celosamente en secreto pero que, bajo la apariencia de la sencillez espartana, ocultaba una avidez desmesurada de riquezas y, según parece, una fuerte tendencia a la avaricia. Es verdad que era demasiado inteligente como para incurrir en la ostentación vulgar propia de los otros jerarcas de su partido, como el actual presidente Menem, su discípulo, pero allí donde hay algún alto dirigente peronista siempre flota un tufo a millones de dólares obtenidos ya sea por tráfico de influencia, o de cosas peores todavía, por extorsión de bienes públicos, o por *racket* sindical. El ex gobernador peronista de la provincia de Santa Fe, el contador Vernet, tiene un juicio por defraudación de 40 millones de dólares; el ex intendente fue destituido y estuvo preso por estafa; y el que debería ser el actual vicegobernador está prófugo, entre otras cosas, por tráfico de drogas. La corrupción, que es una constante en la vida política argentina, es el rasgo constitutivo de la burocracia peronista, lo cual es doblemente repugnante en su caso porque esa burocracia pretende representar a los desposeídos.

no es peronista aparentemente

La duplicidad moral y política de Perón ha sido siempre tan evidente que desde el mismo día en que asumió el poder, la erigió en principio: su doctrina, el *"justicialismo"*, no era ni comunista ni capitalista, sino que representaba una *"tercera posición"*, pero en claro no se trataba más que de un menjunje paternalista y populista, con veleidades de fascismo, doctrina que había podido observar en Italia durante varios años como agregado militar en la embajada argentina en Roma. Perón era un político hábil, pero un gobernante inepto y un economista deplorable. Llegó al poder en un país rico y lo dejó pobre y endeudado. No es posible reconocerle más que una virtud, pero que es consecuencia justamente de su duplicidad: su espíritu conciliador. Desgraciadamente, su irreprimible propensión al doble discurso lo inducía a extremidades verbales puramente teatrales que sus partidarios más coherentes y sinceros que él, tomaban al pie de la letra con las consecuencias que pueden suponerse. Así, en junio de 1955, un golpe de Estado contra su gobierno comenzó con un bombardeo infame y criminal a la población civil de Buenos Aires, y esa misma noche Perón pronunció un discurso incendiario, diciendo que por cada peronista que cayese caerían cinco de sus adversarios. Las masas peronistas, inflamadas por agitadores, salieron a quemar iglesias (los católicos, que habían apoyado a Perón al principio, habían pasado a la oposición) y algunos locales simbólicos de la "oligarquía", sin saber que, en el mismo momento, Perón les estaba proponiendo a sus enemigos, algunos de los cuales estaban en la cárcel, la constitución de un gobierno de "reconciliación nacional". Tres meses más tarde, cuando fue derrocado, en septiembre de 1955, mientras sus partidarios, civiles o militares, seguían combatiendo para mantenerlo en el poder, él negociaba con sus adversarios su salida subrepticia y humillante en una cañonera paraguaya anclada en el Río de la Plata.

En el léxico ético-político del peronismo, la palabra *"traidor"* es sin duda la más frecuente. Además de revelar el turbio clima paranoide que caracteriza los debates de ese partido, hay que hacer notar que el fundador del movimiento sería el primero en merecerlo. Con un discurso diferente para cada interlocutor, con el fin de mantener la cohesión del *"movimiento"* durante los dieciocho años que duró su exilio en Paraguay, Panamá y Madrid, lo único que logró fue crear en el interior del mismo corrientes irreconciliables, de extrema derecha y de extrema izquierda, que iniciaron desde mediados de los años sesenta una lucha sangrienta por la supremacía. Si pongo la palabra movimiento entre comillas, es porque Perón la prefería a la palabra partido, ya que, como lo explicó muchas veces, un movimiento puede incorporar sectores diferentes de la sociedad, en tanto que un partido sólo sería apto para representar a uno solo de esos sectores: como puede verse, la tentativa alquímica de mezclar el agua y el aceite era la ilusión constante de este general. Los marxistas, aplicando los análisis del 18 Brumario, lo llamaban bonapartista; los liberales, fascista; muchos lo consideraban un reformador socializante; otros, como un campeón del anticomunismo; durante años, fue el niño mimado del Vaticano, que terminó por excomulgarlo; los industriales se dejaban entusiasmar por sus discursos desarrollistas y paternalistas ("los obreros son como criaturas"), y los proletarios lo adoraban como a un dios; profería discursos de un antiimperialismo incendiario al mismo tiempo que firmaba contratos petroleros leoninos y humillantes con compañías americanas (lo que precipitó su caída en 1955); tenía el poder de adormecer la voluntad crítica de sus partidarios y de fascinar a muchos de sus enemigos en razón de que eran, en su mayor parte, tan despreciables como él; se lo llamaba el General, el Líder, el Hombre, el Potro: todo esto por antonomasia. De tanto en tanto, del mismo modo que los campesinos mexicanos decían que Emiliano Zapata iba a volver en un caballo blanco, los pobres de la Argentina afirmaban que volvería en un avión negro: pero en tanto que Zapata había sido escamoteado por una muerte definitiva, Perón vivía en una villa lujosa en un barrio residencial de Madrid, con una buena cuenta en Suiza, en la intimidad de la familia Franco y de todas las dictaduras de Latinoamérica.

Perón no tenía ningún ideal político; sus veleidades de pacificador, a medida que la tormenta ennegrecía el cielo de la Argentina, eran otro síntoma de esquizofrenia, porque su principal ocupación durante los dieciocho años que estuvo en el exilio fue echar leña al fuego. Obnubilado por su espíritu de revancha y por su megalomanía, su única obsesión era recuperar el poder, con tanto desprecio de las formas, que en 1973, impedido de volver al país a pesar de que su partido había sido legalizado, presentó un candidato de confianza que accedió a la presidencia con una mayoría más que confortable, y lo hizo renunciar veinte días más tarde para venir a ocupar su lugar. Cuando volvió, un millón de personas vino a recibirlo al aeropuerto, pero alrededor del palco oficial un tiroteo entre las distintas facciones del *"movimiento"* causó una buena cantidad de muertos y heridos y se prolongó durante toda la tarde, hasta tal punto que el tan esperado avión de Perón tuvo que ir a aterrizar a un aeropuerto militar, y el millón de personas que había ido a recibirlo tuvo que volverse a su casa sin haber visto al general.

La táctica irresponsable de estimular todas las tendencias alcanzó el paroxismo a principios de los años setenta, en que la extrema derecha y la extrema izquierda endurecieron sus posiciones; en tanto que los grupos de izquierda recibían su beneplácito y su ayuda financiera (cuando no era lo contrario), su secretario privado, José López Rega, personaje siniestro, astrólogo, oscurantista notorio y mentor de la mujer del general, Isabel Perón, ex bailarina folklórica, creaba la Alianza Anticomunista Argentina, un grupo terrorista parapolicial especializado en secuestros, exacciones, asesinatos políticos y toda clase de delitos comunes. La famosa *tercera posición* de los años cuarenta, que pretendía reconciliar obreros y patrones, equidistando armoniosamente del capitalismo y del comunismo, en los años setenta se había convertido en una fraseología más hueca todavía que la primera, destinada a apaciguar dos bandas de pistoleros, y que sonaba particularmente ridícula entre el tableteo de las ametralladoras y el fragor de las explosiones.

Los grupos de izquierda, en particular los famosos *Montoneros*, que pretendían ser los "representantes del pueblo y de la clase obrera", habían reclutado sus dirigentes en los medios nacionalistas y burgueses, o de clase media y pequeña burguesía, y los obreros eran rarísimos en sus filas. Actualmente, sus dirigentes más notorios, Firmenich, Vaca Narvaja, Perdía o Galimberti, aunque en ciertos períodos se hayan dividido en facciones rivales, han armonizado sus posiciones, a cambio del olvido de sus crímenes, poniendo sus jugosas cuentas bancarias y sus "ideales políticos" al servicio de los mismos militares que diezmaron sus tropas, cuando ellos, bien protegidos en el extranjero, las mandaban fríamente a cumplir misiones suicidas en plena dictadura militar. Como iban perdiendo credibilidad política a medida que se debatían en sus contradicciones y cometían las más inexplicables arbitrariedades, sin contar los crímenes inútiles y sórdidamente ostentatorios, como la ejecución a sangre fría del general Aramburu, descripta con delectación mórbida en un comunicado de prensa, y como a causa de sus diferendos con Perón, que con su hipocresía habitual los había estimulado hasta que le fue imposible controlarlos, las masas se alejaban de ellos, empezaron a reclutar y a armar adolescentes que todavía estaban en la escuela secundaria, a muchos de los cuales mandaron a la muerte. Por eso insisto en que en los años setenta se verificó en la Argentina esa comprobación terrible de Sófocles: que en épocas turbulentas, el orden natural del mundo es trastocado, y en vez de ser los hijos los que entierran a los padres, son los padres los que entierran a sus hijos.

La ideología de estos justicieros era de lo más brumosa: muchos venían del nacionalismo de derecha, como el grupo Tacuara, nacionalista, ultracatólico, antisemita y pro nazi, otros eran tránsfugas de los partidos de izquierda tradicional, a los que reprochaban su tibieza, otros procedían del trotskismo, o reivindicaban las teorías revolucionarias del Che Guevara (quien, a diferencia de estos nuevos ricos, las pagó con su vida) o del castrismo oficial. La ola mundial de movimientos de liberación, la guerra de Vietnam, el soplo revolucionario de finales de los años 60, y el auge de la guerrilla en Latinoamérica fueron el caldo de cultivo de la lucha armada en Argentina. Pero a diferencia de los auténticos movimientos campesinos de América latina o de la guerra popular en Vietnam, la ideología de los *Montoneros* era una mezcla incoherente de catolicismo, marxismo, militarismo y gangsterismo que, cabalgando sobre una serie de reivindicaciones aún hoy legítimas de "los condenados de la tierra", frente al egoísmo dominador de los países industrializados, echó displicentemente por la borda toda reflexión genuina sobre la violencia y sus límites, sobre la justicia y los métodos válidos para instaurarla.

Anexándolos a la vieja tradición de *"bandidos justicieros"*, a la que su retórica nacionalista y populista contribuía a identificarlos, la opinión pública, y sobre todo las masas populares, inducidas por el propio Perón, cuya única estrategia era sembrar la confusión para recuperar el poder, estos grupos de guerrilleros tuvieron, entre 1969 y 1973, una auténtica audiencia, a pesar de que su modo de resolver los diferendos teóricos era el asesinato político, su método pa-

ra procurarse fondos el secuestro, y su idea del restableci-
miento de la justicia, la distribución demagógica de víveres
entre los pobres, mientras para ellos depositaban en cuentas bancarias en el extranjero millones de dólares obtenidos
por medio de pactos secretos con sus enemigos, de asaltos y
de extorsiones. Pero esa opinión pública, sobre todo en los
medios intelectuales, no está tampoco exenta de responsa-
bilidades; es verdad que esa época turbulenta era el resultado de décadas y décadas de brutalidad económica, de injusticia orgánica, de proscripciones electorales y de violencia
estatal, pero las fluctuaciones de la opinión, las piruetas de
los dirigentes políticos, las oscilaciones de la clase media y
la ligereza de ciertos intelectuales contribuyeron bastante al
caos social que sucedió. Una especie de legitimidad mágica
se apoderó de la opinión: cada vez que *los muchachos*, como
llamaban afectuosamente a los guerrilleros, realizaban algún secuestro, algún asesinato o algún atentado espectacular, la opinión lo celebraba como si se tratase de una hazaña deportiva. Quien más, quien menos, todo el mundo se
jactaba de tener algún amigo guerrillero —privilegio del que
no me excluyo: el poeta Francisco Urondo, por ejemplo, uno
de mis más viejos amigos, siguió siéndolo después de hacerse Montonero y entrar en la clandestinidad, y nunca dejá-
bamos de vernos cuando pasaba por París; conociéndolo
desde mediados de los años cincuenta, de la época en que,
tomando un vino jovial, discutíamos sobre Char, sobre Juan
L. Ortiz, Apollinaire o Drummond de Andrade, en las orillas del río Paraná, todavía hoy, quince años después de su
muerte, me interrogo a menudo, perplejo, no sobre sus mo-
tivaciones, que le pertenecían íntimamente, sino sobre sus
posibilidades de dialogar con esa masa obtusa de instinto de
muerte, de oportunismo y de megalomanía que eran los dirigentes Montoneros. Esos individuos contra los cuales los
argumentos son innecesarios, porque la trayectoria misma
de sus vidas, de las que ningún oprobio está ausente, es suficiente para condenarlos.

Todo convergía, ruidosamente, a la hecatombe, a la desagregación, al caos. Los militares habituados a intervenir con mayor frecuencia en la vida política tenían ahora razones propias que les servían de justificativo: en los últimos años, habían sufrido humillaciones y pérdidas reales en vidas humanas, sobre todo entre la oficialidad políticamente representativa, y esperaban la revancha. Pero que quede claro: los intereses económicos de una buena parte de los oficiales superiores están ligados a la burguesía financiera, a las empresas extranjeras, a la especulación inmobiliaria. La total soberanía con que manejan el presupuesto militar les hace el campo orégano para la corrupción. Y, con la misma ligereza con que la opinión pública se embriagaba con las hazañas guerrilleras, apenas el desorden empezó a cundir, se puso a suspirar, como de costumbre, por un gobierno autoritario. Cuando las cosas van mal en la Argentina, que el dólar aumenta vertiginosamente, que hay demasiadas huelgas, que cualquier conflicto social se arrastra sin perspectiva inmediata o lejana de solución, el ama de casa, el comerciante, el chofer de taxi, el joven ambicioso, el chacarero o el burgués repleto y autosatisfecho de sus logros económicos, empiezan a reclamar su *millón de muertos.* Este *millón de muertos* es, para el grueso de la opinión pública, la panacea, el recurso mágico que, cuando ninguna salida es en apariencia posible, resolverá todos los problemas. Ante cualquier contrariedad, el argentino medio, ese ser que se considera pacífico y hospitalario, invoca inmediatamente el *millón de muertos;* si es un chofer de taxi, ese *millón de muertos* le parecerá la solución más adecuada para terminar con los embotellamientos, si es un jubilado, el único medio para cobrar por fin una justa jubilación; algunos nada afectos a los lugares comunes ni a las cifras abstractas o aproximativas, meditarán un momento ante alguna dificultad, y en lugar de proferir el término medio ritual, después de un cálculo rápido pero que destila exactitud y probidad, recomendarán dos millones, o un millón y medio, o medio millón, según la intensidad del furor; cinco millones es una mera interjección; pero *un millón de muertos* es el cálculo común y bien calibrado del consenso social sobre el número de responsables de todas las dificultades argentinas. En 1989, cuando el dólar empezó a subir y un vago ministro de Economía, de lo más fatuo e inepto por otra parte, ejecutivo jubilado de una empresa de exportadores y especuladores, fue destituido sin contemplaciones, oí en una panadería a dos viejecitas endebles diagnosticar todavía, diez años después de la tragedia, *el millón de muertos* como única solución a la crisis económica.

Perón llegó a la Argentina, después de 18 años de exilio, el 20 de junio de 1973. Su vuelta fue orquestada en acuerdo con sus enemigos, que esperaban verlo ejercer su talento de pacificador, a pesar de que nadie ignoraba que era uno de los principales responsables de los disturbios. Un poco más tarde, era el nuevo presidente de la república. Una de las maniobras clásicas de Perón era, para mantener el control absoluto del poder, poner a su propia mujer como vicepresidenta. La maniobra había fracasado en 1952 a causa de la resistencia de los militares, que no querían ser mandados por una mujer, y por la enfermedad de Evita, que moriría un poco más tarde. En 1973, creyó lograr sus propósitos, aunque lo más probable es que el puesto de Isabel Perón a la presidencia haya sido una maniobra de los militares que, sabiendo que a Perón le quedaba poco tiempo de vida, ya habían previsto la fácil manipulación de su viuda. Inestable, casi analfabeta, Isabel Perón se encontró, con el último suspiro del general, el 12 de agosto de 1974, presidenta de la república. Un síntoma inequívoco de la demencia de esos años, clímax sangriento y grotesco de un largo período de escarnio y de violencia, es que el secretario privado de Perón y de Isabel, José López Rega, el jefe de la Alianza Anticomunista Argentina, grupo parapolicial de asesinos y expoliadores, fue nombrado ministro de Bienestar Social. La táctica del ejército consistió en dejar, durante un primer tiempo, que la situación se degradara, y que los enfrentamientos intestinos del peronismo se volviesen más y más virulentos, aunque los primeros grupos paramilitares comenzaron a actuar en la sombra antes de la caída de Isabel Perón, el 24 de marzo de 1976. Previamente, le hicieron firmar a la Presidenta un decreto autorizándolos al exterminio.

Por donde pasan, dice Tácito, los romanos dejan un desierto y lo llaman paz. Estos mismos romanos solían castigar a los nobles a la confiscación y al destierro, juzgando que era superfluo matarlos, ya que desposeídos de sus prerrogativas, de sus bienes y de Roma, quedaban en una situación de nulidad ontológica peor que la de la muerte. En nuestro siglo, ese distingo sutil ya no estorba a los verdugos; su razonamiento es inverso: puesto que, a priori, las víctimas son menos que nada, por una suerte de ilegitimidad que las invalida en todos los órdenes, su eliminación sólo plantea problemas de métodos, y se considera en términos de número, de estilo y de eficacia. En ese sentido, los planes de exterminio nazi han sido el modelo de muchas matanzas ulteriores —lo que podemos concebir, en cierto modo, como un nuevo avatar de la exportación europea de tecnología en beneficio de los países del Tercer Mundo. El Tercer Mundo aplica esos modelos de acuerdo con sus posibilidades reales y en esa aplicación trasuntan casi siempre los rasgos del temperamento local. A pesar de esas variantes locales, muchos elementos comunes se distinguen en esa adaptación de lo abominable, como por ejemplo la ostentación de la violencia, que transforma a ciudadanos pacíficos en cómplices pasivos paralizados por el terror, o los artilugios semánticos, que disfrazan las acciones ilegales de una suerte de imperativo al que, contra su propia voluntad, los verdugos no pueden eludir: la famosa *solución final*, con la que los nazis querían sugerir que se resignaban a resolver un problema pretendidamente evidente, los militares argentinos (o sus asesores) inventaron la *guerra sucia* para disculpar la masacre;

la astucia estriba en yuxtaponer el adjetivo sucio para caracterizar el sustantivo *guerra* mostrando de ese modo que todos sus actos se justifican por el estado de guerra, cuando en rigor de verdad es el término guerra, antepuesto sutilmente, lo que trata de atenuar lo sucio de los procedimientos empleados.

Esta *exportación de tecnología nazi* se llevó a cabo de manera directa o indirecta. La manera directa, aunque bastante conocida, merece que la mencionemos una vez más: el éxodo de criminales de guerra nazis en los países de América del Sur, Bolivia, Paraguay, Brasil, Uruguay, Chile y Argentina es un tópico del periodismo mundial y de las novelas de espionaje, y creo haber dicho un poco más arriba que, a causa de la infiltración nazi entre los militares y los grupos ultranacionalistas, se murmuraba que si los alemanes ganaban la guerra la Argentina sería anexada por teléfono. (Algunos sostienen que el golpe de Estado de 1943, uno de cuyos cabecillas era el entonces coronel Perón, se hizo con el fin de esperar ese llamado confortablemente instalados en la Casa de Gobierno.) Si no todos, muchos de esos criminales de guerra tuvieron trato con militares, dirigentes políticos y miembros de las clases superiores de la población, industriales, terratenientes o empresarios; como habían cambiado de nombre, frecuentarlos no era tan infamante; fueron, junto con muchos fascistas italianos, una de las últimas olas *inmigratorias* que vendrían a completar el cuadro cosmopolita y abigarrado de América del Sur, y especialmente del Río de la Plata. En el clima moral de la guerra fría, tenían la aureola de viejos combatientes experimentados del comunismo y algunos, como Barbie en Bolivia, se convirtieron en mentores ideológicos y hasta en instructores militares de dirigentes de extrema derecha, no solamente bolivianos, sino de varios países limítrofes. Algunas veces llegaron a ser asesores oficiosos de grupos que tenían un poder real. Muchos gozaban de la garantía suplementaria de que los munía el hecho de haber sido puestos a salvo gracias a la intervención de los Estados Unidos o del Vaticano.

Esto nos lleva a la manera indirecta. Por curiosas elucubraciones geopolíticas, los Estados Unidos vienen considerando, desde principios de siglo, al continente americano como un dominio propio y, por la persuasión o por la fuerza, quieren que todos los países acepten esa situación como natural. Esta situación dominante, mantenida con la opulencia y con las armas, es la causa principal de todos los problemas graves del continente. Casi podría decirse que es la única causa: todas las otras derivan de ella. Esa supremacía económica y militar se adorna, en quienes gozan de ella, de una teoría sociológica, de una ética y de una antropología. En cierto sentido, América latina es un vasto campo de operaciones, económicas, militares y políticas, un laboratorio que, por su total amoralidad, no difiere para nada, a no ser por la hipocresía quizá, del que dirigía el doctor Menguele. Los mismos proyectos insensatos de autoconservación a largo plazo presiden esas operaciones, sin que nadie se pare a pensar un segundo que los métodos mismos que se emplean demuestran que a quienes los emplean ya no les queda nada digno de ser conservado, como lo prueba esta declaración oficial del gobierno americano (1963): "Nuestro objetivo primordial en Latinoamérica es ayudar, donde sea necesario, al continuo desarrollo de las fuerzas militares y paramilitares, capaces de proporcionar, en unión con la policía y otras fuerzas de seguridad, la necesaria seguridad interna". De esta formulación general hemos visto, en los últimos veinticinco años, su aplicación particular en todo el continente americano.

De un modo inesperado, en el Río de la Plata esa aplicación renovó la vieja tradición del intercambio cultural con los países centrales porque en las clases dominantes, en el ejército, en la vida cotidiana y hasta en la vida religiosa, se produjo una verdadera americanización, no porque sus habitantes se hayan puesto a leer a Emily Dickinson o a Melville, a Faulkner o a William Carlos Williams, a gustar de los films de Welles o de Cassavetes, sino porque, a través de los medios de comunicación de masas, del mismo modo que en una zona ocupada sólo se propalan mensajes emanados de la autoridad militar, un vasto universo irreal, artificialmente construido y mecánicamente repetitivo, bombardea continuamente sus percepciones. La Iglesia Católica se inquieta por la proliferación de sectas pero, amordazada por un pacto de silencio, no se atreve a decir que muchas de esas seudoiglesias que han aparecido últimamente funcionan según el modelo de los *shows* religiosos de los Estados Unidos; aun los *pensadores* nacionalistas que dos por tres reclaman el golpe de Estado que nos pondrá al abrigo de la subversión, se cuidan muy bien de hacer notar que esos militares que supuestamente restablecerán el orden moral han sido instruidos ideológica y profesionalmente en los Estados Unidos.

La tradición del *conferenciante extranjero* se renovó a su manera: pero en lugar de los escritores, filósofos, poetas, músicos, que venían en los años dorados de la época patriarcal, a partir de los años sesenta son instructores militares, miembros de los servicios de inteligencia, economistas ultraliberales los que vienen a dictar conferencias, muchas de ellas envueltas en una opaca discreción, como si los burgueses un poco rústicos que a principios de siglo se enorgullecieron de su cultura, convertidos hoy en especuladores internacionales, se avergonzaran de los nuevos especialistas a los que deben recurrir. En la penumbra turbia en que evolucionan centuriones, especuladores y advenedizos, la preservación de la posición dominante se ha vuelto un fin en sí; del mismo modo que los golpes de Estado hacen trastabillar las instituciones, continuas transferencias de masas enormes de dinero que entran y salen del país con fines puramente especulativos descalabran la vida de sus habitantes. La famosa prosperidad general de los primeros liberales o, más tarde, de los inmigrantes que venían a *hacerse la América*, ha pasado, como se dice, a la historia, por no decir al mito o a la leyenda.

Los militares argentinos aplicaron con rigor, como buenos alumnos, la lección; acusaban a los guerrilleros de haber sido adoctrinados en el extranjero pero ellos, durante veinticinco años, habían frecuentado West Point, Washington y Panamá, recibiendo, junto con la doctrina de la *Seguridad Nacional*, instrucción de lucha antisubversiva, al mismo tiempo que una preparación ideológica constante y no pocas prebendas. Invocando todo el tiempo la tradición de independencia y dignidad del ejército argentino, disimulaban que eran manipulados desde el extranjero; se decían occidentales y cristianos, pero abominaban, por incultura y resentimiento, de las grandes conquistas del arte y de la ciencia occidentales, y no vacilaban en torturar y asesinar monjas, sacerdotes y militantes católicos; se declaraban decididos a asumir la responsabilidad de sus actos, pero negaban —y muchos siguen negando— la realidad de los crímenes que cometían. Planificaban todo como verdaderos tecnócratas, pero todos los días naufragaban en la demencia; consideraban a sus enemigos como irrecuperables, pero no pocas veces solicitaron su colaboración. Por el terror, el espejismo de la prosperidad económica, la propaganda y la promesa de tranquilidad, indujeron a millones de personas a hacerse cómplices de sus delitos atroces. Envalentonados por su impunidad y creyendo obtusamente que eso los ayudaría a recuperar un prestigio cada vez más deteriorado, se lanzaron en esa empresa descabellada que fue la Guerra de las Malvinas, mandando a la muerte a miles de jóvenes, sufriendo una humillación sin precedentes desde el punto de vista militar, a causa de la inepcia y de la cobardía de muchos de sus jefes, para terminar descubriendo que sus famosos mentores americanos los consideraban aliados de segundo orden, y los abandonaban en plena guerra para apoyar a los ingleses.

En los abominables años setenta, sembraron no únicamente la ruina, el crimen, el oprobio, sino también una especie de suspensión de lo real; no quiero decir que las atrocidades que cometieron no lo fuesen sino que, durante unos años, la mayoría de los argentinos no podíamos forjarnos una representación exacta de nosotros mismos. Como los viejos mitos tranquilizadores se habían evaporado, nos volvimos fantasmales: la tabla rasa que habían puesto en práctica los militares se contagió a la vida imaginaria. La mayoría negaba ofendida todo lo que estaba pasando, y aun los que lo sabían o lo creían, no todos, pero muchos, no sabían cómo administrar ese saber o esa certidumbre. Todavía hoy hay familias que, por miedo, o por quién sabe qué otras razones indefinibles, pretenden que sus miembros desaparecidos viven felices en el extranjero. Una frase que se oía a menudo era la siguiente: "Una cosa así no puede pasar en la Argentina". Cuando se empezó a militar contra el Mundial de Fútbol en 1978, que había sido orquestado por los militares como una operación de prestigio con la complicidad de la Federación Internacional de ese deporte, muchos que habían sido encarcelados, torturados y obligados al exilio, se negaron a participar en la campaña, argumentando "que el pueblo argentino, con la chispa que lo caracteriza, iba a encontrar algún medio de expresarse a través del Mundial", y cuando la Argentina gana el campeonato, cientos de exiliados en Europa, en México, salieron entusiasmados a la calle a festejarlo. (Tal vez ciertos contactos de los dirigentes guerrilleros con algunos militares, con el fin de crear un *movimiento popular*, fue la causa secreta de ese entusiasmo.) Poco a poco, a medida que la tormenta se calmaba, los medios de comunicación de masas, la radio, la televisión, la mayoría de los diarios y de las revistas, empezaron a bombardear a la opinión con eslóganes autoexaltantes de la superioridad argentina en todos los planos, en contradicción flagrante con lo que ocurría. Obnubilado por su antiperonismo, por su anticomunismo, Borges, cuya opinión era respetada y que, afortunadamente para él, cambió un poco más tarde, se obstinaba en repetir a quien quisiera escucharlo que los militares eran unos caballeros. Y cuando, en 1982, por meras razones de propaganda, se produjo la Guerra de las Malvinas, centenas de miles de personas, por no decir millones, se pusieron a clamar a los militares, tal vez con el fin de exorcizar el pasado, y hasta los inefables Montoneros, por razones *antiimperialistas*, se propusieron para ir a luchar junto a los que habían torturado y asesinado a sus propios camaradas.

La vocación proliferante y repetitiva de la llanura se manifestó otra vez, con un producto inesperado: el *serial killer*. Durante dos o tres años, el mismo esquema de secuestro, suplicio, muerte, desaparición, se aplicaba todos los días, varias veces por día. El mismo perfil forjado por la pretensión quirúrgica y la obsesión demente de los asesinos, pero también del azar, designaba a las víctimas. Bastaba figurar en alguna libreta de direcciones, haber sido nombrado en el delirio de una sesión de tortura, haber reconocido sin quererlo al miembro de algún comando, encontrarse en el lugar de un secuestro, para pasar inmediatamente a la categoría de víctima. Las cifras, todas aproximativas, son igualmente desmesuradas: según el informe de la Comisión Nacional de Desaparecidos, presidida por Ernesto Sabato, existieron 340 campos clandestinos de detención y si se han verificado 9.000 desapariciones seguras, el propio informe declara que sólo se retuvieron los casos más significativos a causa de varios testimonios concordantes, y que muchas desapariciones no han sido declaradas, pero que ciertos indicios pueden orientar hacia cifras más exactas: así, en la Chacarita, el principal cementerio de Buenos Aires, el número de cremaciones se duplicó en los años más duros de la represión, y las estadísticas revelan más de 40.000 cremaciones inexplicadas. Más del 80 por ciento de esos desaparecidos tenían entre 16 y 35 años, pero el 1,65 por ciento eran simplemente criaturas. Y, aclara el informe, una de las razones principales de la desaparición era la voluntad de escamotear el número exacto de las víctimas.

En este exterminio planificado por teóricos americanos y ejecutado por militares argentinos (también tránsfugas del ejército francés actuaron a veces como instructores), el modelo nazi es evidente. La sombra lejana de Karl Schmitt, que afirmaba que el enemigo es un monstruo inhumano al que no basta rechazar sino que hay que aniquilar definitivamente, se proyecta sobre los móviles de la represión en Argentina, y es lícito preguntarse si, en vez de limitar el nazismo a un solo país y a un momento determinado de su historia, no es posible encontrar su esencia repulsiva no únicamente en toda discriminación, donde sin duda lo está, sino en toda idea afirmativa, aun cuando sea la del bien, que se concibe como universal. Los verdugos argentinos se consideraban a sí mismos como redentores, como regeneradores, como pedagogos. Torturaban monjas, pero no faltaban a misa; mataban jóvenes, pero querían inculcar la idea de paz, de trabajo, de alegría familiar; el objetivo del exterminio, para cuya realización se permitían las más bestiales transgresiones, era la regeneración de la sociedad. Sin saberlo, esos militares confirman una vez más la sospecha de que en Occidente la concepción cíclica de la historia es una despreciable bajeza.

Porque en su obtusa ideología de sádicos, esa veleidad estaba presente. El almirante Massera, uno de los más megalómanos, que después de la masacre pretendió jugar la carta de la *salida política*, propiciándose a sí mismo, con la complicidad de sus viejos enemigos, como el líder de un *movimiento popular de reconciliación*, jefe del tristemente célebre Grupo de Tareas de la Escuela de Mecánica de la Armada, había adoptado la cifra *Cero* como seudónimo, para significar, probablemente, que su persona era el punto absoluto a partir del cual, como el universo desde el nudo original de materia inconcebiblemente densa, saldría el nuevo orden social. La gelidez mortal del cero absoluto parece ser, por otra parte, la temperatura de sus emociones: sin expresar el menor arrepentimiento, cuando salió de la cárcel declaró que empezaba tomándose unas merecidas vacaciones (había estado preso en una residencia militar con pileta de natación, y salía a la calle cuando le daba la gana) y que a su regreso haría una declaración política. Entre los altos jefes militares que orquestaban la masacre este almirante se destacaba por una iniciativa ética (para hacer justicia a otros jefes, hay que reconocer que no fue el único) consistente en participar en persona, junto a sus subalternos, en los secuestros y en las sesiones de suplicios. Después de los fusilamientos en masa, de los prisioneros embrutecidos con pentotal y tirados vivos al mar o al Río de la Plata desde los aviones o los helicópteros navales, de las fosas comunes llenas de huesos calcinados, de las violaciones colectivas, del tráfico de recién nacidos, de los culatazos, de las exacciones, la extorsión, debía salir, a partir de cero, el nuevo mundo regenerado, sin memoria y sin conflictos.

Los seudónimos que utilizaban dejan entrever por otra parte el clima emocional del pequeño mundo en el que esos hombres evolucionaban. La pretensión mesiánica de algunos es evidente; el capitán Astiz, asesino notorio y artesano de la traición, especializado en infiltrar los organismos de derechos humanos, usaba *Ángel* como seudónimo principal, y cuando se hizo pasar por un familiar de desaparecido para poder penetrar en las organizaciones humanitarias, adoptó el nombre de *Gustavo Niño*, lo que hace subir un relente a autocomplacencia y a perversión. Un secuestrado declaró que su torturador se hacía llamar *el cura*, equiparando el suplicio a una simple confesión. Y si queda alguna duda de los vínculos estrechos que existen entre el mesianismo y la omnipotencia, puede disiparla esta exclamación de un torturador a una de sus víctimas que llamaba a Dios en medio de su sufrimiento: "¡Acá Dios somos nosotros!" Y en cierto sentido lo eran: dispensando la vida y la muerte, representaban, para el sufrimiento atontado, casi incomprensible de sus víctimas, la ambigüedad enigmática del destino, en el que resulta difícil distinguir lo que es designio inexorable y lo que es contingencia.

Pero también a ellos la ambigüedad los alcanzaba: los seudónimos más frecuentes los tomaban de nombres de animales. El propio Astiz se hacía llamar *Cuervo* a veces, como si, en la proyección fantasmática de sí mismo a través de sus

197

seudónimos, y a pesar de sus pretensiones de ángel vengador, no hubiese podido abstenerse de evidenciar el fondo de sombra del que salían sus actos. El Tiburón, la Víbora, el Tigre, el Puma, el Yarará, el Pingüino, la Pantera, eran, entre otros, los seudónimos que utilizaban, y la conciencia de chapalear en la animalidad los hacía bautizar ciertas dependencias de los centros de detención clandestina con nombres tales como la Pecera o la Leonera. Los sobrenombres tomados de animales son frecuentes en el Río de la Plata y, en ese sentido, una vieja tradición popular se prolongaba en esos seudónimos, pero eso no excluye un fondo innegable de barbarie. Tampoco ignoro que esos seudónimos estaban destinados a asegurar la impunidad, pero me resulta inconcebible suponer que alguien pueda asignarse un nombre sin pensar, consciente o inconscientemente, en su significación simbólica. El nombre de animales feroces era también una manera de ostentar el terror para hacerlo más eficaz, pero esos hombres no ignoraban que, al actuar como lo hacían, se emparentaban con el yacaré, con la víbora o con la pantera. Y del mismo modo que en la llanura del siglo XIX la familiaridad con los animales, a los que degollaban, vaciaban de sus vísceras y desollaban en masa, hacía considerar la violencia humana con cierta ligereza, a finales del siglo XX, la banalización de la muerte humana rebajó a sus ejecutores y a sus víctimas al rango de animales. La distinción irrazonable, y tan frecuente, que le espetaban, en medio de los castigos corporales, a sus víctimas: "¡No sos nada! ¡Somos Dios!", se funde con lo indeterminado, según la intención que Sartre, en *Qué es la Literatura*, atribuía a los verdugos nazis: lograr que, gracias a la tortura, se confirmase, para todos, la pertenencia a lo inhumano. No es casualidad si una humillación bastante corriente que le infligían a los prisioneros era desplazarse en cuatro patas imitando los maullidos de un gato o los ladridos de un perro.

Cuando iban a buscarlos, era como si salieran de caza, en general nocturna (las estadísticas muestran que el 62 por ciento de los secuestros tenían lugar de noche): ocupaban todo un barrio y, encapuchados o a cara descubierta, a veces en comandos numerosos, en coches robados o sin patente, cuya aparición súbita en una calle desierta hacía estremecer a quienes estaban al tanto, penetraban en la casa de la víctima. La policía del barrio ya había sido avisada de que no debía intervenir. A esa fase de la operación la llamaban *área liberada*. A veces empleaban helicópteros, altoparlantes, sirenas, y otras, sin que hasta ahora haya podido saberse bien por qué, optaban por la discreción, pero lo cierto es que la regla era más bien un despliegue ostentatorio que contribuía a expandir el terror a muchas cuadras a la redonda. Matando, como quien dice, dos pájaros de un tiro, secuestraban al enemigo y al mismo tiempo neutralizaban por el terror "a los cómplices, a los simpatizantes, a los tibios y a los indiferentes". A veces se llevaban a toda la familia, a veces a una parte o a uno solo de sus miembros. Podían empezar a torturar, física o moralmente, en la casa misma; en ciertas ocasiones los sacaban a la calle y los ejecutaban en la vereda (para los que de todos modos no escaparían con vida era al fin de cuentas lo mejor que podía ocurrirles). Aparte de los objetos de valor, que constituían lo que ellos llamaban el *botín de guerra*, destruían todo en la casa, y en algunas ocasiones hasta la hacían volar con explosivos. Ese *botín de guerra* originó un tráfico de objetos robados y un sistema de exacciones y de extorsión de bienes, muebles e inmuebles, con el que se beneficiaron varios oficiales superiores, que se hacían transferir esos bienes por sus víctimas antes de ejecutarlas; el número de casas y departamentos de que se apropiaron era lo suficientemente importante como para permitirles crear una inmobiliaria.

Para la mayoría de los secuestrados, desde el momento en que iban a buscarlos, empezaba un largo túnel que desembocaba en la muerte. Muchos de los que después de semanas, de meses o de años de encierro recuperaron por fin la libertad, todavía hoy, una década más tarde, ignoran las razones de su suplicio. En ciertas ocasiones los he oído especular sobre las causas posibles, sacudiendo, reflexivos, la cabeza, con incertidumbre y perplejidad. La contingencia que, indiferente, salva o condena, los puso, con sus combinaciones inextricables, en el camino de la aplanadora. Pero para muchos de los que desaparecieron las razones no fueron diferentes. La máquina de aniquilación se obstinó, con prolijidad, en borrarlos, moralmente primero, con un itinerario orquestado de humillaciones, físicamente más tarde, con el suplicio y con la muerte, y por último materialmente, quemando y hasta triturando los cadáveres, dispersándolos en la tierra, en el agua, en el fuego, en el aire, con el fin de hacerlos desaparecer, confundidos con los elementos, entre los pliegues más secretos de lo anónimo. Durante dos o tres años, los militares se felicitaron de haber instaurado, como los romanos de Tácito, la paz, hasta que poco a poco, la inconcebible muchedumbre de sombras que ellos creían haber pulverizado y sacado para siempre del aire de este mundo, se puso, con obstinación, a volver. El río, el océano, devolvían, periódicos, los cadáveres; la tierra vomitaba los huesos, los fragmentos de huesos, calcinados pero irreductibles.

La opinión pública empezó a inquietarse; aparte de las familias, de los amigos de los desaparecidos, de los exiliados, de las organizaciones humanitarias y de una minoría lúcida que desde el primer momento fue consciente de lo que ocurría, la opinión indecisa, fluctuante, siempre dispuesta a adoptar la explicación más autogratificante de las cosas, se dejó mecer por la melodía con la que más frecuentemente se la incita a bailar: el nacionalismo. Cuando las comisiones internacionales de Derechos Humanos comenzaron a inquietarse por lo que estaba sucediendo se habló, obviamente, de una campaña internacional de denigración. (En Argentina, todo mal gobierno apela metódicamente a esa falacia para justificar su deshonestidad o su inepcia.) En los autos, en las vidrieras de los negocios, de los bares, en las oficinas públicas, empezaron a aparecer unas obleas que decían: "Los argentinos somos derechos y humanos". Y un poco más tarde, otra, no menos desenvuelta y omnipresente, pero cuya interrogación final, durante un gobierno de asesinos tenebrosos, tenía algo de inquietante y de perentorio: "Yo quiero a la Argentina. ¿Y usted?" Contra la evidencia brutal de la catástrofe, el viejo mito tranquilizador reflotaba. A pesar de que "esas cosas no pueden ocurrir en la Argentina", las cosas, en contradicción con lo fantasmático, habían ocurrido, y el velo amplio de ligereza, autosatisfacción pueril reforzada por un breve período no de prosperidad sino de espejismo de prosperidad que duró poco —la famosa paridad del peso argentino con el dólar—, llamada el tiempo de la *plata dulce*, *el* éxito mundial de algunas figuras deportivas estimuladas por la dictadura, ese velo piadoso pero transparente que pretende cubrir las deformidades más repulsivas, se extendió *de la Quiaca a Tierra del Fuego*.

En el cielo vacío de la pampa, más vacío todavía desde que, como en el resto de Occidente, los otros se amontonaron en el desván polvoriento destinado a los objetos en desuso, un dios nuevo apareció: el dólar. Ya desde finales del siglo XIX, para representar la esencia inhumana del capitalismo monopolista, los movimientos socialistas, anarquistas, comunistas, concebían el dólar o la libra esterlina como los atributos de una divinidad cruel, insaciable y sórdida; Paul Lafargue, el infatigable yerno de Marx, para refutar el antisemitismo burgués, escribía alrededor de 1880: "Los socialistas saben que los capitalistas, semitas o arios, protestantes o librepensadores, bonapartistas o radicales, no adoran más que a un solo dios: el Capital". Esta imaginería no se adapta al culto del dólar en el Río de la Plata; la ubicuidad, la omnipresencia, las diversas escalas de magnitud con que se manifiesta, lo emparentan más con el politeísmo y con el paganismo, con la variedad del panteón griego o romano, que con la coerción vertical y severa del monoteísmo. De igual manera que los principales dioses del Olimpo sólo se ocupaban del destino de héroes o de reyes, el argentino medio sabe que está excluido de la teomaquia de la gran especulación internacional, pero la esencia divina de la moneda americana se manifiesta también en dioses menores, locales, familiares, cotidianos, domésticos, que, con sus designios faustos o infaustos influyen, por parcelas módicas, en el destino individual. En los años de la paridad del dólar (1 peso argentino = 1 dólar), que precedieron a las olas sucesivas de hiperinflación, la euforia había contribuido al olvido o a la minimización de lo abominable; caravanas sin fin de argentinos viajaban todas las semanas al Brasil a comprarse televisores, autos, videocaseteras, artefactos eléctricos; los que eran un poco más afortunados podían optar por Miami donde iban a sopar su miga de pan en la salsa picante de la sociedad de consumo; esos años, 1978-1980, fueron también el período en que, engolosinados por la paridad, charters enteros de argentinos daban la vuelta al mundo no en 80, sino en 60 o incluso hasta en 45 días, nuevo récord que venía a agregarse, entre otros, a los de las avenidas respectivamente *más ancha y más larga del mundo*. Alimentada por la propaganda militar, una agresividad amarga se instauró entre "los que se fueron y los que se quedaron", los refugiados, exiliados o meramente asqueados que vivían en el extranjero, y la inmensa mayoría que se había quedado en el país. Los que se habían quedado decían de los que se habían ido —como muchos lo habían dicho también de los supliciados— *por algo será*; y, para los exiliados, todos los que se habían quedado en el país eran cómplices de los verdugos, hasta tal punto que, cuando veían venir un grupo de compatriotas que, en una etapa de la vuelta al mundo, pasaban por París, Londres o Madrid, para desvalijar con su *plata dulce* las Galerías Lafayette, Marks and Spencer o "El Corte Inglés", esos exiliados, que sin embargo desfallecían de nostalgia, se cruzaban de vereda.

Esa dádiva de los dioses —militares, gerentes, financistas, agentes de bolsa, ejecutivos de multinacionales, artistas de la especulación que, antes de dejar el gobierno, ya que no el poder, tuvieron la astucia de transferir al Estado una deuda privada de más de 40.000 millones de dólares— se agotó en poco tiempo, dejando ese sabor de amargura y nostalgia que, por la densidad irrepetible de la beatitud que otorgan y la celeridad caprichosa con que advienen y se borran, generan los milagros. La hora de las devaluaciones sucesivas y de la hiperinflación sonó, brusca y definitiva; igual que la virgen que, después de aparecer benévola, radiosa y como al alcance de la mano, empieza a subir a toda velocidad ante los ojos desesperados de los pastorcitos que no han tenido ni siquiera tiempo de formular sus viejos deseos ya medio carcomidos por años de desesperanza, el dólar volvió a las alturas inaccesibles donde siempre había estado, el supramundo olímpico al que únicamente héroes, dioses y reyes tienen acceso. Algo de su esencia divina quedó disperso entre los mortales, que suelen elevar templos donde han tenido lugar apariciones ya arcaicas y tan precisas que tienen más de la leyenda que del milagro. Así como los fragmentos dispersos de un santo se vuelven reliquias, así también los rastros del dólar —la única religión vivaz del argentino medio— se han vuelto dioses lares, pequeñas divinidades domésticas sin poder real en las alturas, que gozan de cultos cotidianos, conmovedores por su ingenuidad, más afines a la superstición que a la fe.

Los que el día que cobran el sueldo deben correr de un banco a otro para comprar dólares, que irán vendiendo poco a poco a lo largo del mes para conservar el poder adquisitivo, como saben que lo que están obligados a hacer para sobrevivir contribuye a empeorar la situación, tal vez tengan, respecto de la divinidad, esa lacra común a todas las religiones, la ambivalencia, que a veces incita a los niños más cumplidores del catecismo a injuriar compulsivamente y en su fuero interno a la Virgen y, a las monjas más castas, a no poder dejar de pensar en la ostentosa protuberancia del paño de Cristo (protuberancia cuya representación, por otra parte, según lo prueba Leo Steinberg en un libro admirable, no tiene otro motivo que el de recalcar la intimidad de Dios y los hombres a través de la humanidad del Redentor). Ese culto obligatorio del dólar, que tiene el rigor de una penitencia, no muestra con toda claridad la difusión de esa nueva religión, como pueden hacerlo otras prácticas, más ingenuas y más sencillas. Para comprobarlo, basta mostrarle un billete de cien dólares a un argentino medio y observar su reacción; la vista de un *verde* genera inmediatamente una mirada enternecida, soñadora, una sonrisa beata motivada, no por el deseo de posesión, sino por el privilegio de entrar, por medio de los sentidos, en contacto con la reliquia; lo más probable es que pida permiso para tocarlo y, si es nuevo, que lo haga crujir palpándolo y plegándolo un poco con los dedos. Una abuela sin recursos, que vive de una jubilación miserable y de la protección afectuosa de sus hijos, el día del cumpleaños de su nieta adolescente irá al cajón de la cómoda y le traerá de regalo un billete de diez o veinte dólares que ha ido juntando pacientemente durante varios meses. Muchos guardan un billete de diez, de veinte, de cincuenta dólares, en el fondo de algún cajón, durante años, sin ninguna razón precisa, ahorro, previsión o avaricia, sino más bien como un amuleto, con la misma compulsión supersticiosa, y por cierto nada esperanzada, con que otros cuelgan una herradura en la pared del comedor. Y cuando alguien que vive en el extranjero viene de visita, el comerciante del barrio, el mozo de algún bar, un vendedor de diarios, que lo conocen de hace años, le lanzan una mirada entendida y connivente, ligeramente admirativa, y exclaman: "Éste trae dólares", atribuyendo a esa posesión un estado envidiable de omnipotencia y de invulnerabilidad.

Tantos sacudimientos a lo largo del siglo terminaron por cambiar el tenor de las emociones colectivas. Una de las características psicológicas que los habitantes de las dos orillas del río se han venido atribuyendo, es el escepticismo. Negativa en apariencia, esta caracterización sin embargo no estaba exenta de coquetería e incluso de cierto orgullo, en la medida en que todo rioplatense, consciente de su ambigüedad cultural, de su alejamiento geográfico y de sus reales problemas sociales, veía en esa autoconciencia una distanciación superior, y lo hacía sentirse gratificado por su realismo. Las últimas catástrofes le han retirado esa comodidad, dejándolo en un mundo ingobernable y opaco. Los debates inacabables sobre la posible identidad de esa mezcla étnica, idiomática y social de las multitudes que, sin habérselo propuesto, habían ido sedimentándose en las vecindades del río, esos debates que llegaron más de una vez a conclusiones que tuvieron la veleidad de ser definitivas, fueron sustituidos por la explosión sangrienta de los años setenta que, con sus hálitos inhumanos, desbarató cualquier certidumbre. La disyuntiva de pertenecer o no al Occidente quedó sin resolución, y ya es absurdo volver a plantearla porque ese Occidente que servía de referencia está en plena transformación y, en lo relativo a la famosa cuestión de la identidad nacional (concepto que siempre me ha parecido y seguirá pareciéndome de lo más sospechoso), es posible afirmar que en los países industrializados de Occidente las ideologías que se profieren ante los problemas que surgen con la inmigración no difieren mucho, ni en la forma ni en el lenguaje en que son proferidas, con las que circulaban en el Río de la Plata cuando la sociedad patriarcal sentía sus privilegios amenazados.

Tal vez al Río de la Plata (junto con otras regiones del planeta formadas también por corrientes inmigratorias) le haya tocado en suerte un privilegio muy diferente a los de su clase patriarcal: el de anticipar, como un primer espejismo, los grandes desplazamientos humanos del siglo xx, las grandes migraciones que, ya en una dimensión planetaria, han desbaratado el mundo tradicional en los cinco continentes. Esa imposibilidad de reconocerse en una tradición única, ese desgarramiento entre un pasado ajeno y un presente inabarcable, ese sentimiento de estar en medio de una multitud sin raíces, obligados, por miedo a naufragar en la inexistencia, a amoldarse a normas de conducta individual y social de las que nadie sería capaz de explicar la legitimidad, toda esa vaguedad del propio ser tan propia de nuestro tiempo, floreció tal vez antes que en ninguna otra parte en las inmediaciones del río sin orillas. En vez de querer ser algo a toda costa —pertenecer a una patria, a una tradición, reconocerse en una clase, en un nombre, en una posición social, tal vez hoy en día no pueda haber más orgullo legítimo que el de reconocerse como nada, como menos que nada, fruto misterioso de la contingencia, producto de combinaciones inextricables que igualan a todo lo viviente en la misma presencia fugitiva y azarosa. El primer paso para penetrar en nuestra verdadera identidad consiste justamente en admitir que, a la luz de la reflexión y, por qué no, también de la piedad, ninguna identidad afirmativa ya es posible.

En el Río de la Plata esa búsqueda fue una más de las tantas quimeras que, desde el descubrimiento de América, hechizaron la imaginación de sus habitantes, que no se resignaban a su monotonía, a su inmensidad desierta, indiferenciada y anónima. Sin saber que representaban la triste primicia de un mundo en transformación, se imponían como modelo un pasado del que ellos ya eran la negación. Experimentando los primeros síntomas de la oscura irrealidad general que se avecinaba, buscaban empecinados una respuesta, sin comprender que, insospechada, la respuesta estaba en la necesidad que habían tenido de formularse la pregunta.

PRIMAVERA

Pero dejemos muerte y reliquias reposar y accedamos, si es todavía posible, a la delicia. Después de la negrura del invierno, los primeros brotes de septiembre, las hojitas rojas de octubre y el cielo, turbio de tan azul, de noviembre, pueden procurarles, a quien sea capaz de abandonarse a ellos, un placer seguro y, detalle importante en un país en crisis, gratuito, no en el sentido gideano del término —la reputación de avaricia del gran escritor nos hace suponer que era la única gratuidad que podía concebir— sino en el que tiene estampado en el cartel que anuncia algún espectáculo de aficionados en una sociedad vecinal: "Para todo público y GRATUITO".

Después de los horrores sin fondo que he relatado, más de un lector fruncirá el entrecejo ante esta invitación al goce y a la irresponsabilidad, y objetará probablemente el derecho a abandonarse a ellos, reproduciendo, aun sin saberlo, la pregunta capital de este siglo: ¿es posible escribir poesía, es decir, aceptar la vida, después de Auschwitz? Sin la menor duda, la respuesta es mil veces sí. En primer lugar, porque la misma persona que había formulado la pregunta, Theodor W. Adorno, ya la había contestado por la afirmativa en *Minima Moralia:* "Todo lo que aun bajo el espanto prospera en belleza, es escarnio y detestable por sí mismo. Sin embargo, su efímera forma coadyuva en la tarea de evitar el espanto. Algo de esta paradoja está en el fundamento de todo arte, y hoy sale a la luz en el hecho de que el arte en general existe todavía. Una bien asegurada idea de lo bello exige que la felicidad sea rechazada y al mismo tiempo sostenida". Lo contrario, y ésta es quizá la razón más importante, sería facilitarle la tarea a los verdugos —en plena actividad todavía— confirmando por anticipado el punto de vista de ellos: que únicamente el orden que ellos propenden es legítimo, con el fin de convencernos de nuestra propia inhumanidad. La noción misma de espanto cobra sentido sólo referida a la de alegría.

Proponerse no experimentar esta alegría lleva de todos modos invariablemente a la masacre. Y por otra parte, ¿es posible proponérselo? En la mañana de primavera, gracias a una coincidencia óptima, y puramente material sin duda, entre lo externo y lo exterior, a una anuencia casual y fugitiva de las cosas, nos encontramos, durante unos instantes, fuera del vaivén de la oferta y la demanda, de la pesadumbre del pasado y de la ansiedad del porvenir, formando un cuerpo único con el mundo. Ni premio merecido ni anticipo de alguna trascendencia, se instala en nosotros cuando, bajo las grandes acacias florecidas, caminamos por las inmediaciones del río. Ese estado perfecto no involucra ninguna promesa, porque ya es un don; no nos prepara a ningún orden más elevado; es un fin en sí mismo, y no se trata ni de provocarlo por tal o cual ascesis, ni de pretender habérselo ganado gracias a preeminencias dudosas obtenidas por el estudio, la inteligencia o el temperamento; se da porque sí, y a cualquiera, que no ha sido elegido por nadie por otra parte, de modo que es inútil perder el tiempo en darle las gracias a algún supuesto dispensador. Y si lo consideramos como un don es porque, demasiado conscientes del espanto, no esperábamos ni mucho menos que adviniera. Es el don del presente: no en la angustia, ni siquiera en la extrañeza de ser, sino en la alegría, que engloba y borra la conciencia misma de estar siendo. En la mañana luminosa, caminando sobre las flores amarillas que cubren la vereda, el presente infinito es, no ya captado por los sentidos, sino en entidad perfecta con ellos.

Es conocida la expresión popular que afirma que el acto sexual es "el único lujo del pobre", queriendo significar no la inalienabilidad del propio cuerpo, sino lo intransferible de sus sensaciones; sin querer sacarle a los pobres su único lujo, quisiera consignar sin embargo dos objeciones; la primera, que nuestras sensaciones no son un lujo y la segunda que, por suerte, su carácter intransferible no más que un mito. Esa intransferibilidad de las sensaciones es por otra parte no el lujo de los pobres sino más bien la ilusión de los ricos, casi diría la primera de sus seudojustificaciones, la que *el gusto* los lleva a creer que, si tienen derecho a comer caviar, es porque son los únicos capaces de apreciarlo, de distinguir con fineza todas las sensaciones que produce su masticación. Que el gusto del apio, por ejemplo, es incomunicable, es un hecho que no presenta la menor duda; y, sin embargo, todos los que lo hemos comido sabemos cómo es. De algún vegetal que no es apio, llegamos a decir alguna vez: "tiene gusto a apio"; los otros comensales pueden o no estar de acuerdo, y hasta puede llegar a producirse una amable deliberación; y aunque durante su transcurso el gusto del apio no será nunca definido o descripto, se mantendrá como referencia a lo largo de todo el debate. La afirmación excesiva de la unicidad de las sensaciones no conduce al individuo sino a la mónada. Lo de intransferible suena a lenguaje bancario o notarial; por más que quiera hacerme el desentendido, puedo comprender perfectamente, no por humanitarismo beato sino por proyección identificatoria, cómo otro que no es yo sufre o goza.

Mi inclinación por las abruptas consideraciones preliminares tal vez induzca al lector a ignorar que estoy hablando de literatura. Como es sabido, en este arte languideciente, las generalizaciones y los conceptos son secundarios: lo particular y lo inmediato de las sensaciones y de la emoción son su predio. Y sin embargo, lo que ocurrió el 16 de junio de 1904 en Dublín —y que a decir verdad nunca ocurrió— es ya una serie de recuerdos y de sensaciones de mucha gente que nunca captó esos acontecimientos con sus sentidos.

Inversamente, en el acto de escribir se produce una diseminación del propio ser en las cosas que se describen; como lo cuenta el realista Flaubert en una carta a Louise Colet: "Es algo delicioso escribir. [Hoy he sido] hombre y mujer a la vez, amante y querida al mismo tiempo; estuve paseando a caballo en un bosque, en una siesta de otoño, bajo las hojas amarillas, y yo era los caballos, las hojas, el viento, las palabras que se decían y el sol rojo que les hacía entrecerrar los párpados ahogados de amor".

En esto me hizo pensar no hace mucho una escena que vi en una de las numerosas playas que forman estos ríos. Para defenderme del sol, yo estaba parado bajo un sauce, apoyado contra el tronco, fumando un cigarrillo. Lo del sauce, árbol tan frecuente en las comarcas fluviales, no es de ningún modo una concesión al color local, sino una precisión obligatoria teniendo en cuenta que este árbol es el primero en presentar, en los comienzos de la primavera, una fronda tupida. Esta impaciencia le ha valido el denuesto inicial de Akinari en sus famosos *Cuentos de la luna vaga después de la lluvia (Ugetsu Monogatari)*, que recomienda no plantar un sauce en el jardín porque así como es el primero en reverdecer, su inconstancia lo hará perder su fronda con los primeros fríos. En París, el verdadero instrumento de medida que anuncia la primavera no son los termómetros y barómetros de la Meteorología Nacional, sino el gran sauce que se alza —para que sus ramas se inclinen desde más arriba— detrás de Notre Dame, en el Square de l'Ile de France, no lejos del Memorial de la Deportation. Las primeras tibiezas suelen inducir a error a ciertos árboles que florecen o reverdecen antes de tiempo, para sufrir el desengaño de la próxima helada, pero este tropiezo no amenaza ciertamente al sauce, que aunque salga primero, sale para durar, y en la supuesta inconstancia que le atribuye Akinari deberíamos ver más bien un signo de su prudencia, y de la exactitud de sus previsiones. El sauce —el sauce llorón sobre todo— tiene un prestigio firme en muchas literaturas (la única mención calumniosa que conozco es la de Akinari), prestigio que le viene más de su aspecto desmelenado que evoca un sufrimiento un poco teatral, que por su verdadero temperamento, extremadamente práctico y racional. El poeta por excelencia de estos ríos desmesurados y salvajes y al mismo tiempo no exentos de dulzura, Juan L. Ortiz, llamó a los tres volúmenes de sus obras completas: *En el aura del sauce.*

Pues bien: yo estaba, como decía, bajo un sauce, apoyado contra el tronco, fumando un cigarrillo; era una siesta de octubre demasiado calurosa como para exponerse al sol, pero la estación no estaba todavía lo suficientemente avanzada como para que, en masa, los bañistas se precipitasen, buscando una frescura relativa, al borde del agua. La playa estaba desierta. Cuando digo playa, el lector no debe imaginar una larguísima extensión de arena amarilla, sino un reducido semicírculo arenoso de unos cincuenta metros de diámetro —la orilla— formado, no por los vericuetos del Río de la Plata, ni de los grandes ríos que lo forman, el Paraná y el Uruguay, sino por el recodo perdido del afluente de algún afluente, la curva de un curso de agua que, a pesar de sus cincuenta o sesenta metros de anchura y sus cinco o seis o diez o quince de profundidad en el medio, a nadie se le ocurriría llamar río; uno de esos cursos de agua que oblicuos, transversales, verticales, paralelos, circulares, semicirculares, tortuosos o rectos como si hubiesen sido trazados con una regla, forman el sistema capilar que, desde el Paraguay e incluso desde más arriba, acompaña a las grandes arterias acuáticas que bajan desde la región tropical para formar primero el Delta y después el estuario, esos cursos de agua que, corriendo sin cesar desde el principio de los tiempos, arcaicos y flamantes a la vez, todos en la misma dirección como una muchedumbre hacia un punto prefijado de reunión, se inmovilizan por fin en la lámina de gelatina de 34 mil kilómetros cuadrados del Río de la Plata. Un rincón apacible, perdido en el rompecabezas de islas aluvionales, chatas, de vegetación enana que se agrisa un poco en el invierno y amarillea ligeramente en verano, sin que el frío y el calor tengan tiempo de borrar del todo, con sus excesos estacionales, el verdor que nunca llega a ser exuberante. Esas islas chatas que se prolongan hacia el agua a través de una franja de transición formada por depósitos de detritus y por la acumulación intrincada de plantas acuáticas, juncos, camalotes y totoras. De tanto en tanto, esos arroyos, riachos y riachuelos como los llaman, que corren entre ellas, forman, sobre todo en el extremo este de la llanura, un depósito arenoso que la gente del lugar acostumbra a llamar playa, y que, si está en la jurisdicción de algún pueblo costero, la municipalidad se encarga, para atraer el modesto turismo dominical, de dotar de algunos árboles, de unos bancos de portland o de madera, y de tres o cuatro rudimentarias parrillas de ladrillo.

En esa siesta de octubre, a causa quizá de lo prematuro del calor, y por ser un día de semana, no había nadie en la playa. Para ser exactos, no parecía haber nadie en el mundo, hasta tal punto predominaba el silencio en ese lugar retirado que, a pesar de la perfección de su clima, de la limpidez total del cielo, de la vegetación y del agua que corría, no tenía nada de virgiliano, en razón de una pobreza general de los alrededores, y del carácter demasiado descuidado y salvaje de los detalles. El deleite venía no de una organización feliz de los elementos que componían el paisaje ni de la supuesta satisfacción moral que el reencuentro con la naturaleza le procura al hombre civilizado, sino de un consentimiento de lo exterior a los sentidos que, dotados de golpe de una agudeza inesperada, consecuencia quizá del silencio y de la soledad del lugar, percibían esa exterioridad más ricamente y más nítidamente que de costumbre. El sauce que me protegía del sol estaba a unos quince metros del agua, en la ladera de un pequeño terraplén levantado años atrás por disposición de la comuna con el fin de proteger, inútilmente desde luego, al pueblo diseminado detrás de la playa durante las inundaciones; como el lector ya lo sabe, esa elevación de poco más de un metro y medio me daba, en tanto que observador, una visión más amplia del lugar, alejando el horizonte, y permitiéndome por lo tanto ver mucho más lejos que si, por ejemplo, hubiese estado parado en la orilla del agua. Durante varios kilómetros se extendía ese paisaje chato de islas y agua, islas y agua, sin que ninguna elevación, a no ser algún árbol un poco más alto que los demás, se destacara; a causa de la extensión del campo visual, a medida que iban alejándose del punto de observación, islas y agua se confundían y, como único cambio digno de mención, puedo decir que el verde pálido y nada brillante de las primeras islas después del arroyo, se oscurecía de un tinte azulado en las inmediaciones del horizonte.

Unos ruidos me sacaron de mi ensueño; eran cercanos y variados, y familiares, por supuesto, y lo único que me intrigó en ellos fue la cercanía, lo que me hizo suponer que, o bien yo había estado demasiado absorto en mis propios pensamientos o en la contemplación de lo exterior y no había advertido que se venían acercando, o bien los ruidos habían surgido de golpe de alguno de los ranchos de la parte pobre del pueblo, más allá de las casas de fin de semana que se levantaban en la vecindad de la costa. Eran voces y risas de criaturas y, como pude distinguirlo casi de inmediato, también el golpeteo apagado de los cascos de un caballo avanzando al paso sobre el suelo arenoso. La voz de una mujer madura que, con recomendaciones distraídas, parecía tratar de calmar la excitación de los chicos, se dejaba oír de tanto en tanto, hasta que, al cabo de un minuto en el que los ruidos y las voces se iban haciendo cada vez más cercanos y precisos, el grupo que los producía, surgiendo a mis espaldas de la especie de camino que corría paralelo al terraplén, hizo su aparición en la playa. Por los ruidos que producían, yo ya me los había representado de manera aproximativa, a tal punto esas presencias y esas voces son familiares en el paisaje del litoral; dos chicos varones de cinco o seis años, montados en pelo en un caballo indolente y flaco, y una mujer de edad indefinible caminando detrás,

213

para vigilar no al caballo sino a las criaturas e impedirles cometer demasiadas locuras.

Sin haberlos visto, por la entonación de las voces, rápidas y un poco chillonas, yo ya sabía que debían venir de alguno de los ranchos miserables, hechos de paja, lata e incluso cartón, y a veces de los materiales más inverosímiles, que constituyen sus viviendas y que, en ese pueblo, se levantaban al pie del extremo del terraplén —de medio kilómetro de largo tal vez— opuesto a la playa. Pertenecían a esa clase social que es tan numerosa en la Argentina, la de los pobres. En el arrabal de los pueblos y de las ciudades, en las orillas de los ríos, en las islas, en el campo, arracimados en verdaderos ghettos o aislados en los sitios más remotos, los pobres son más que una clase, casi una raza aparte, y la prueba es que aun cuando muy pocos, o casi ninguno, es de origen africano, se los llama, despectivamente por cierto, los *negros*, a causa del tinte oscuro de su piel, que en realidad no es negra sino más bien marrón, más o menos oscuro según la dosificación del mestizaje. Expelidos al exterior de los poblados, instalados en una especie de tierra de nadie, entre riachos, vías férreas, basurales, hormiguean oscuros, multitudinarios y anónimos, sobreviviendo gracias a trabajos temporarios y miserables, como la recolección de materias reconvertibles en los basurales, la pesca o incluso la mendicidad. Los más afortunados subsisten gracias a oficios callejeros que desde siempre les están destinados, y para cuyo ejercicio ninguna edad ni estado físico especiales se requieren, ya que pueden realizarlos niños de seis o siete años o viejos de setenta, lustrabotas, verduleros, diarieros, vendedores de lotería o de golosinas, de cordones para zapatos o de estampitas. Algunos adolescentes pueden trabajar como mandaderos, en tanto que las mujeres, sobre todo las más jóvenes, cuando tienen ciertas relaciones y por lo tanto posibilidades de *prosperar*, logran entrar en el servicio doméstico. La mendicidad, el delito y la prostitución pueden ser también una salida frecuente; y a los que ni siquiera tienen la suerte de encontrar cierto desahogo al margen de la ley, desahogo perfectamente legítimo por otra parte, los espera la disgregación en la más aplastante de las miserias. En los ranchos endebles como cuevas valetudinarias de paja o lata, mezclados con los perros, tan numerosos y hambrientos como ellos, se extinguen de hambre o de fragilidad resignada, las mujeres ya envejecidas y desdentadas a los 25 o a los 30 años, las criaturas harapientas y legañosas, los hombres desesperados, abúlicos y embrutecidos por el alcohol.

El grupo que desembocaba en la playa pertenecía a esa clase social, aunque sin duda no a sus miembros más desfavorecidos. La prueba de ese bienestar relativo no era únicamente el hecho de que poseían un caballo y se ocupaban lo bastante de él como para traerlo a tomar agua en el río, sino de la vigilancia retraída de la mujer respecto de los niños, lo cual daba la pauta de una racionalidad familiar apacible y afectuosa. A pesar de su condición menos que modesta, podía sentirse que, por estar casi dotados de un temperamento particular, no los había abandonado del todo la esperanza. La mujer, por ejemplo, no daba la impresión de haber sido agostada prematuramente por la pobreza, y los cincuenta años que representaba debían ser aproximativamente su verdadera edad. Algunas canas agrisaban un poco sus cabellos lacios y renegridos y, los brazos, emergiendo de las mangas cortas de su vestido de algodón descolorido, eran redondos, lisos y saludables. Los chicos tenían como única vestimenta un short rotoso y también descolorido, probablemente de esa tela azul con que se confecciona la ropa de trabajo. Al llegar a mi altura, la mujer, que había simulado no haberme visto cuando apareció en el borde del terraplén, giró hacia mí la cabeza y me dirigió un saludo discreto, corto, sin detenerse, un *Buenas tardes* ni cohibido, ni retraído, ni desconfiado, una mera convención de urbanidad, un poco chapada a la antigua, a la que yo respondí con un murmullo ininteligible y un sacudimiento de cabeza algo excesivo, tal vez desproporcionado en relación con el murmullo. Contaminado por esa transparencia que suelen tener los adultos para los chicos concentrados por la imantación de algún deseo poderoso, noté que, fascinados por el agua del arroyo, no se dignaron dirigirme ni una sola mirada, lo mismo que el caballo, abstraído en esa eterna distracción animal de los caballos, de la que no sabemos ni sabremos nunca si está hecha de imágenes, de sensaciones, de martilleos pulsionales, o de ese vacío, tan perseguido por los adeptos del zen, capaz de borrar no únicamente la realidad de la mente sino también la de la materia. Al llegar a la playa, el grupito se dispersó: los chicos bajaron del caballo y la mujer, olvidándolos detrás, se acercó a la orilla, se puso las manos en las caderas y se inmovilizó contemplando el agua; era la hora más clara del día y también la más calurosa, y mi deducción de que no debían venir de muy lejos estaba confirmada por el hecho de que ninguno de los tres —la mujer y los chicos— llevaba sombrero; por su parte, el caballo se alejó un poco de ellos e inclinando el cuello hacia el arroyo, empezó a tomar agua, más silenciosamente por cierto que el perro de "El Ciudadano" en la taberna de Barney Keernan, del que el narrador dice: "¡Que lo parió! Podía oírselo beber desde una legua a ese perro!" Al caballo, manso y discreto, apenas si se lo veía, por lo menos desde donde yo estaba, remover los belfos negros con los que rozaba el agua. Los chicos en cambio, después de correr un poco en todas direcciones, sin un designio preciso, enfilaron derecho hacia la orilla como si estuviesen disputando una carrera, y entraron ruidosamente en el arroyo, y después de dar tres o cuatro pasos pesados a causa de la resistencia líquida, se zambulleron y desaparecieron un par de segundos bajo el agua. La mujer pegó un grito, de sorpresa o de estímulo quizá, y se dio vuelta para mirarme con una sonrisa fugaz, de disculpa o de connivencia, ante la vivacidad súbita de las criaturas. Por la edad que representaba deduje que debía ser no la madre, sino la abuela, y como los chicos retozaban, excitados e inconscientes al pe-

216

ligro, ella, para vigilarlos de más cerca, se descalzó sin siquiera agacharse y puso los pies en el agua.

Instintivamente, miré mis propios pies. Enfundados en el calzado popular del país, las alpargatas negras, heredadas de los inmigrantes vascos, mis pies, en el arrabal extremo de mi cuerpo, lejos de los, como se dice ahora, *centros de decisión* que el vulgo conoce con el nombre de psiquis, yacían olvidados contra la sombra del árbol proyectada en el suelo arenoso, descargados momentáneamente de su función de mantenerme ellos solos en posición vertical, gracias al relevo parcial que les acordaba mi espalda apoyada contra el tronco del sauce. Cuando los pies de la mujer entraron en el agua, una sensación súbita de frescura, intensa y deliciosa, me recordó la existencia de los míos y los trajo al primer plano de mis sensaciones. Y a medida que la mujer iba adentrándose en el río, y el nivel de agua iba cubriendo sus tobillos, sus pantorrillas, hasta llegar a la rodilla, la sensación de frescura iba subiendo también por mis propias piernas, gratificándome con esa caricia líquida que, aunque no menos indefinible que el gusto del apio, y aunque el estímulo actuaba sobre una piel que no era la mía, no me costaba nada reconocer de inmediato. La mujer vaciló un momento antes de seguir adelante y después, decidiéndose, realizó ese gesto automático de las mujeres cuando entran vestidas al agua, para evitar que se les moje el vestido, consistente en tomarlo por el ruedo y levantarlo un poco, manteniéndolo aferrado contra la mitad superior del muslo, ciñéndolo al cuerpo de tal modo que las formas femeninas, muslos, nalgas, vientre, caderas, e incluso espalda y senos, puesto que toda la tela del vestido converge hacia el punto en que la mano lo aferra, resaltan, se evidencian y se acentúan. Consciente de la situación, la mujer se detuvo, siempre dándome la espalda, con el agua un poco más arriba de la rodilla, ya demasiado alta quizá, porque no pudo evitar que el ruedo del vestido se empapara un poco. Yo experimentaba simultáneamente cada una de sus sensaciones, y me costaba un esfuerzo, por encima de ellas, sentir las que en apariencia eran las reales, es decir el contacto de las alpargatas secas que cubrían mis pies y la rugosidad seca del pantalón que rozaba mis piernas masculinas; el agua me ceñía hasta más arriba de las rodillas, y el ruedo mojado del vestido se pegaba contra mis propios muslos.

Según Sexto Empírico, en su tratado contra los matemáticos, el fragmento II de Heráclito afirma que "aunque el Logos es común a todos, muchos viven como si tuviesen un pensamiento propio" (VII, 133). Y más adelante: "Enesidemo siguiendo a Heráclito, y Epicuro, están en general de acuerdo sobre lo sensible, pero divergen en cuanto a los detalles. Porque Enesidemo piensa que existe cierta divergencia entre los fenómenos, y declara que algunos de entre ellos son generalmente percibidos por todos y otros por un solo individuo" (VIII, 8).[1] Es obvio que los *detalles* de Enesidemo son de orden secundario y que para Heráclito y Epicuro "el Logos es común a todos"; las variantes circunstanciales de las sensaciones también, y si creemos que difieren de un individuo a otro es porque no nos detenemos demasiado a analizarlas. La mujer que entraba en el río me iba mostrando, a medida que se internaba en el agua, el espejismo tenue de lo individual. Gracias a ella, el fragmento más conocido de Heráclito, "Los que entran en los mismos ríos se bañan en la corriente de un agua siempre nueva", que vino a mi memoria mientras la contemplaba fumando a la sombra del sauce, dio lugar a una glosa inesperada: es posible que el río cambie continuamente, pero siempre es uno y el mismo el que penetra en él. De modo que es un error grosero imaginar que el verdugo es insensible al sufrimiento ajeno, y que ciertos paladares son más aptos que otros para recibir un trago de Chambertin.

[1] *Les écoles présocratiques*, edición de Jean-Paul Dumont (París, 1991).

Esta larga digresión tiene como objetivo reunir en una sola mis dos categorías de lectores, idiotas y no-idiotas (según la clasificación que hiciera el doctor Lacan de los destinatarios de sus lecciones intrincadas). Crear un objeto que apunte a aquello que especialistas y legos tienen en común: en eso se resume la función de la literatura. Y la prueba de que los "detalles de Enesidemo no suponen ninguna exclusividad individual es que, cuando más los acentuamos, cuando más los perseguimos para ponerlos en evidencia en los planos mejor iluminados de la imagen que queremos forjar, más emoción y placer le procuramos a nuestro destinatario, quien únicamente evocando esas particularidades en sí mismo puede reconocerlas como propias. El fin del arte no es representar lo Otro, sino lo Mismo. El terreno propicio para lo Otro son, aunque parezca a primera vista contradictorio, lo accidental y el estereotipo: lo accidental porque no expresa más que las contingencias exteriores, la resolución puramente técnica de los actos humanos, y el estereotipo porque es la cristalización estilizada, ya independiente de lo imaginario, de esos accidentes. El destinatario de la razón cartesiana es el Logos común, pero que Descartes haya nacido en Francia es un accidente y que los franceses son cartesianos es un estereotipo.

Es cierto lo que dice Wallace Stevens:

> *The dress of a woman of Lassa,*
> *In its place,*
> *Is an invisible element of that place*
> *Made visible.*

Y el título mismo de su poema —*Anécdota de miles de hombres*— ilustra de un modo claro lo que estoy tratando de decir: lo exterior de un lugar no es más que la manifestación de algo que no es propio de ese lugar y que está, no propiamente en ninguna parte, sino en todas, lo que equivale a decir lo mismo. Los grandes ríos que forman el de la Plata, multiplicándose a medida que bajan del norte, y que configuran lo que se llama el litoral, no tienen nada de exótico y son el resultado de una serie de contingencias geológicas, geográficas y humanas en las que, por debajo del color local, el Logos común prosigue el soliloquio de su empastamiento con el mundo.

Las dificultades para definir el color de sus aguas son un ejemplo de ese empastamiento, y se hacen evidentes en dos circunstancias muy diferentes, por no decir opuestas: cuando leemos el que les han atribuido tantos poetas y cuando nos paramos a contemplarlas. Es claro que si nos desplazamos en lancha por ese laberinto acuático, las diferencias de anchura, de profundidad, de composición del lecho y de las orillas, de vegetación, de cielo, etc., cambiarán en distintos puntos el color del agua, pero en muchas ocasiones he podido observar, parado en el mismo lugar, no únicamente que el tinte de la superficie cambiaba al cabo de varios minutos, sino que, en varios trechos de esa superficie, separados por algunos metros o meramente yuxtapuestos, el agua tenía un color diferente, o incluso que un mismo punto del río cambiaba de color ante mis propios ojos. El inmortal mar *color vino* de Homero, indiferente a los matices infinitos del agua, me intrigó mucho tiempo, en razón de que vi por primera vez el mar a los veintiocho años, hasta que caí en la cuenta de que significaba simplemente *oscuro*. En sus traducciones diletantes de la *Odisea*, el poeta Leopoldo Lugones lo llama lisa y llanamente *negro*.

Sin saber que 28 años más tarde iría a una isla del Delta para suicidarse en una habitación de hotel, Lugones, por encargo del gobierno que celebraba el centenario de la Revolución de Mayo, escribió una *Oda al Plata* en 1910 (en una sección de su libro *Odas seculares* llamada *Las cosas útiles y magníficas*). En la sexta estrofa de su Oda, Lugones califica al Río de la Plata de *moreno*, pero en la octava, abriendo las compuertas de su incorregible pomposidad, no puede menos que señalarle al lector, que debe abrirse paso a través de una intrincada retórica finisecular para representárselas, las modificaciones cromáticas debidas a los reflejos del cielo:

> *...Cántale la poesía de tus ondas*
> *cuando de patria te colora el cielo;*
> *cuando vuelcas la plata de la luna*
> *en sombría expansión de cofre abierto,*
> *o fraguas, por el sol metalizado,*
> *en barra colosal, fuego de fierro.*

Estos adjetivos requieren explicación: *moreno* no es sinónimo de negro, sino que significa, según la Real Academia, "color oscuro que tira a negro" y, en una segunda acepción: "Hablando del color del cuerpo, el menos claro en la raza blanca". En realidad, Lugones escribió: "Moreno como un Inca", con lo que quería decir, no negro, sino más bien *cobrizo* o *broncíneo, o* un matiz de marrón, que resulta de la mezcla de lo rojizo del cobre y del tinte amarillento del bronce. Entre el rojo y el amarillo podemos, en efecto, situar el color del río y si debiéramos encontrar un término medio, podría hablarse de marrón claro, que sólo debe servir como referencia dominante, de la que siempre tenemos que tener presente el carácter fragmentario y la inestabilidad.

En otra de sus *Odas* (a Buenos Aires esta vez) Lugones utiliza una comparación clásica en las letras rioplatenses: "el gran río color de león", y en una tercera composición habla de "leoninas aguas". Los poetas de la Revolución de Mayo, que denostaban a España en el más servil estilo neoclásico de la metrópoli, supieron usar una metáfora, muy de moda en la época, ya que la encontramos en más de un autor y, sobre todo, en el Himno Nacional:

> *...a sus plantas rendido un León.*

Las plantas son las de Buenos Aires, y el león, la Corona española, pero también el Río de la Plata, en razón de su presencia poderosa y del color de sus aguas. El color león es un marrón claro, amarillento que, efectivamente, es posible observar cuando el río está calmo y a altura normal. También podría hablarse de beige o té con leche; Baldomero Fernández Moreno, hacia 1930, escribió: "el río café con leche". Juan L. Ortiz, que con un arte sutilísimo repertorió los innumerables matices de esas aguas, recogió el color león: "los momentos en que debes de sentirte más leoninamente contigo", pero también otros tonos en ese arco que pasando por el marrón va del rojo al amarillo: "el río todo dorado de mayo" o, "rosa y dorada la ribera, la ribera rosa y dorada" o "río rosado aun en la noche"; y en otro poema se refiere al rojo de Siena para describir el color del agua. En los matices de marrón, Borges aporta también su colaboración: "la corriente zaina". Este adjetivo, célebre y un poco barroco, significa castaño oscuro, y se aplica únicamente a un tono particular del pelo de los caballos. Pero los matices de zaino son numerosos, y el zaino colorado es un pelo frecuente en la llanura, con lo que volvemos a encontrar el tinte rojizo. Ya sabemos que, servidor ocasional del objeto, no hay función en el idioma más convencional que el adjetivo.

La prueba nos la suministra el propio Borges en el mismo poema *("La fundación mítica de Buenos Aires")* una línea más abajo:

Pensando bien la cosa, supondremos que el río
era azulejo entonces como oriundo del cielo

Con este cambio brusco, Borges hace un curiosísimo juego de palabras, porque en América, y sobre todo en el Río de la Plata, *"azulejo"* designa también, como zaino, el pelo de un caballo, pero de tan difícil descripción que ni los propios gauchos eran capaces de suministrarla, como lo prueba esta anécdota que cuenta un especialista del tema, el historiador Agustín Zapata Gollán: "Una vez le pregunté a un domador de San Javier cómo definiría el azulejo. Estábamos sentados a la sombra de un rancho, cerca del Saladillo Amargo, a la altura de la laguna La Colorada. El criollo apoyó los desnudos antebrazos en las rodillas, y, levantando los ojos hacia el cielo, me dijo, después de un largo silencio: Y bueno… El azulejo es un cuerpo sobresaliente a claridá". Esta respuesta, enigmática, perpleja y felicísima, muestra la dificultad de definir el pelo de ese caballo, que ciertamente no es azul. Azulejo significa "que tira al azul", pero Borges, aprovechando la proximidad de "zaina", prefiere usarlo en lugar de azulado, que es más corriente, pero también más neutro desde el punto de vista del idioma coloquial argentino. (Este poema célebre es uno de los primeros de Borges, y en él subsisten todavía no pocos vestigios de sus inclinaciones criollistas.) El sentido de este verso es el mismo que en el de Lugones: *cuando de patria te colora el cielo,* porque los colores de la bandera argentina son el blanco y el celeste. Y efectivamente, ese color celeste se observa con frecuencia en el Río de la Plata. Pero que los bañistas banales del Mediterráneo no se imaginen nada semejante al azul brillante del Mare Nostrum: no hay que olvidar que el cielo se refleja en una superficie rojiza o amarillenta, de modo que el tinte del agua es bastante indefinible; cuando la superficie es rojiza, el agua adquiere un aspecto tornasolado, y cuando tira al beige, es de un celeste desleído y a veces verdoso que recuerda ciertos frescos de Toscana o de Umbría. Un día de octubre, a eso de las dos de la tarde, lo vi en ese estado desde la costanera en Buenos Aires, una vasta planicie escarolada por la brisa de primavera, y el verso de Borges me vino inmediatamente a la memoria. Pero, una vez más, es Juan L. Ortiz quien supo captar mejor que nadie la apariencia particular y cambiante de esos ríos:

> *Sí, sí*
> *el verde y el celeste, revelados,*
> *que tiemblan hacia las diez porque se van,*
> *y en la media tarde se deshacen o se pierden*
> *en su misma agua fragilísima…*

Es obvio que no se puede hablar de estos ríos sin evocar su figura y su poesía, que se confunde con ellos. Nacido al lado de Gualeguay, provincia de Entre Ríos en 1896 y muerto en Paraná en 1978, Juan Laurentino Ortiz, a quien todo el mundo llamaba Juan L., pasó prácticamente su vida entera auscultando ese laberinto de agua. La ciudad de su infancia puede ser considerada por su posición geográfica, como la matriz o el ombligo de la región fluvial, ya que se encuentra justo en la mitad de la base del triángulo invertido que trazan el Paraná y el Uruguay, cuando, reuniéndose en el vértice del Delta, forman el estuario. Equidistante a vuelo de pájaro de los dos afluentes, un poco más alejado de la desembocadura, su pueblo natal, Puerto Ruiz, domina el triángulo isósceles que forman los lados de agua. La multiplicación de ríos, riachos, arroyos, esteros, lagunas, pantanos, que ya desde el sur del Brasil y desde el Paraguay empieza a converger hacia el sur, en las proximidades del estuario se vuelve vertiginosa. Como su nombre lo indica, todo el perímetro de la provincia de Entre Ríos es acuático, y su territorio entero está surcado de ríos y de arroyos que, más que en otras provincias del litoral, han preservado la toponimia indígena: Nogoyá, Gualeguay, Villaguay, Ñancay, Gualeguaychú, Mocoretá, Guayquiraró. Para formar el Delta, el Paraná, "el cual es muy caudalosísimo y entra en este de Solís por veintidós bocas", se desgaja en brazos innumerables, el Paraná Pavón, el Paraná Ubicuy, el Guazú, el Miní, el Paraná de las Palmas. Las colinas entrerrianas, la proliferación acuática, y la llanura a partir de la orilla oeste del Paraná, las islas aluvionales y chatas del Delta, el estuario ilimitado: de eso está compuesto el lugar, que él transformó en paisaje y en entrecruzamiento cósmico, en el que nació y vivió Juan L. Ortiz.

Aparte de una temporada de duración incierta en Buenos Aires, alrededor de 1915, de un par de viajes al extranjero en los años cincuenta (Chile y China Popular) y de sus escapadas fugaces a las provincias vecinas (sobre todo Santa Fe y Buenos Aires), durante los ochenta y dos años que vivió prácticamente nunca se ausentó de su provincia. Habiendo convocado amablemente el universo a su casa, los desplazamientos le eran innecesarios. Después de jubilarse de un empleo de juez de paz que ejerció durante muchísimos años en pequeñas ciudades de su provincia, vino a instalarse a la capital, Paraná, una ciudad apacible de unos cien mil habitantes encaramada en las barrancas que dominan el río, a unos quinientos kilómetros al norte de Buenos Aires. Su casa de Paraná, confortable pero modesta, estaba construida de tal manera que desde el jardín delantero o desde su cuarto de trabajo que estaba en la planta baja, le bastaba levantar la cabeza para contemplar, en toda su anchura, el río Paraná, que en esa parte de su curso, particularmente en el paraje llamado Bajada Grande, alcanza varios kilómetros. Del otro lado del río está mi ciudad, Santa Fe, y si en la actualidad existen un puente, un camino asfaltado entre las islas, y un túnel de tres kilómetros cavado bajo el lecho del río para comunicar las dos capitales, hasta fines de los años sesenta el viaje se hacía en lancha o, más confortablemente, pero más lentamente, también en balsa, que era el nombre que tenían los viejos ferris comprados de segunda mano por las compañías locales en Hamburgo, en Amsterdam y probablemente también en La Rochelle; río arriba, de Santa Fe a Paraná, el trayecto duraba un par de horas, y un poco menos de regreso. En el puente inferior del ferry, después de maniobrar, lentos y trabajosos, se acomodaban, paragolpe contra paragolpe, autos y camiones, pero el puente superior estaba reservado a los pasajeros de a pie que podían sentarse al aire libre en grandes bancos fijos hechos con listones de madera, o en el interior, en el salón cubierto, yuxtapuesto al bar restaurante en el que, tal vez en homenaje a los tres países en los que los ferries habían navegado anteriormente, se podía tomar una ginebra Bols, una cerveza fabricada en Santa Fe en base a recetas alemanas, o comer un bife con papas fritas, que según Roland Barthes es el plato nacional francés por excelencia, a tal punto que es lo primero que pidió el general Leclerc el día de la liberación de París.

Juan L. no debía pesar más de 45 kilos. Más bien bajo de estatura, no daba sin embargo para nada la impresión de fragilidad. Cuando yo lo conocí, a mediados de los años cincuenta, en una librería de Santa Fe, ya estaba llegando a los sesenta años, y tenía un aspecto venerable, que incitaba al respeto que se cree deber a un estereotipo de Maestro, pero que ocultaba su verdadera personalidad, puesto que nada le repugnaba más que las poses pontificales. Delicado, amable y un poco zumbón, ni acostumbraba a dar lecciones ni tampoco a recibirlas, sobre todo de oportunistas y de pedantes. Cuando recibía una visita o saludaba a alguien, tenía la costumbre de inclinarse un poco, gentil y discretamente y, siguiendo la costumbre de los viejos criollos de su provincia, no tuteaba a nadie (aparte de Gerarda, su mujer), cualquiera fuese la posición social, el carácter o la edad de su interlocutor. Siempre nos reíamos porque Juan trataba de usted a su propio hijo que, en cambio, lo tuteaba. Pero esa inclinación por la vieja cortesía criolla no tenía nada de autoritario ni de convencional sino que se practicaba en medio de la más grande libertad de maneras y de pensamiento, y en un clima de alegría y de familiaridad.

En 1915, Juan, en Buenos Aires, había frecuentado los medios anarquistas y socialistas, y, particularmente sensible al sufrimiento no únicamente humano sino de todo lo viviente, había tomado partido desde muy joven en favor de los desposeídos, posición que se concretó en una simpatía por el comunismo de la que no se desdijo hasta su muerte. Pero, a decir verdad, ya desde 1945 por lo menos era lo que podría llamarse un disidente. De tanto en tanto, en las sucesivas razzias anticomunistas, la policía de Paraná, obedeciendo consignas nacionales, se resignaba a arrestarlo durante algunos días, pero sus propios carceleros le iban a comprar cigarrillos o se veían en la obligación, si no había nadie en la

226

casa, de ir a darle de comer a sus gatos o a regar las plantas del jardín. Respetuoso y afectuoso con los militantes, siempre se refería a los dirigentes, sectarios y soberbios en muchos casos, con una risita irónica. A pesar de no haber dejado nunca su provincia, despreciaba el provincialismo y sobre todo el nacionalismo. Aparte de su casa modesta, de su jubilación exigua, de sus libros y de algunos chirimbolos sin ningún valor, nunca poseyó ningún bien terrenal. Le conocíamos una sola excentricidad: como era muy delgado, y tenía el cuerpo fino, la cara y las manos finas, que con el tiempo fueron volviéndose oscuros y nudosos como raíces, tal vez con el fin de obtener una proporción armónica entre su cuerpo y su entorno inmediato, todos los objetos, muebles, útiles y hasta prendas vestimentarias, eran largos y finos; su mesa de trabajo bajo la ventana que daba al río era estrecha y larga, del mismo modo que el canapé en el que se sentaba a leer y que ocupaba un largo espacio en la pared lateral, o que los estantes de la biblioteca; sus plumas, sus lápices, sus boquillas, y hasta sus cigarrillos, que él mismo armaba, tenían todos unos pocos milímetros de diámetro; tuvo muchos perros (a la muerte de uno de ellos, *Prestes*, escribió uno de sus mejores poemas) pero siempre eran galgos; tenía una máquina de escribir especial, con tipos muy reducidos, y su escritura era microscópica, del mismo modo que la tipografía de todos sus libros, que, hasta 1970, en que hubo de ellas una edición en tres volúmenes, eran todas ediciones de autor. Obviamente, el formato de sus libros era fino y alargado, y él mismo vigilaba la fabricación en oscuras imprentas entrerrianas. Durante cuarenta años, Juan L. fue su propio editor, su propio diagramador y su propio distribuidor. Cuando comenzó la preparación de sus obras completas, su escritura diminuta fue el infierno de editores, tipógrafos y correctores, pero Juan afirmaba que su gusto por la escritura y la tipografía microscópicas le venían de su juventud, en la que para ganarse la vida había tenido que aprender el oficio de miniaturista; pintando paisajes, con la ayuda de una

lupa, en cabezas de alfiler y otras superficies igualmente reducidas.

Autodidacta, Juan, que venía de una familia modesta
del campo entrerriano, tenía una cultura inmensa, y estaba
siempre ávido de novedades; nada le causaba más placer que
recibir como regalo alguna revista francesa; en su juventud
había traducido un par de novelas de Aragón para alguna
de las editoriales del partido, y a pesar de su curiosidad permanente y de sus gustos más diversos, sobre todo en poesía,
tenía una preferencia marcada por la literatura francesa y
por los poetas chinos, de los que siempre andaba buscando
nuevas traducciones. La poesía francesa era una de sus lec-
turas permanentes, a partir de Baudelaire, de Rimbaud, de
Verlaine y de Mallarmé, pero como había empezado a leer
poesía en pleno auge del simbolismo, tenía una debilidad
particular por los poetas simbolistas, especialmente los bel-
gas, como Maeterlinck o Verhaeren. Veneraba a Proust y a
Valery al mismo tiempo que a los surrealistas, los pacifistas,
los grandes moralistas sociales como Tolstoi o Gandhi. En
música, Claude Debussy era su dios. Tenía una radio perfec-
cionada, que se había hecho construir especialmente, igualmente fina y alargada como el resto de sus pertenencias, en
la que, en lo alto de las colinas entrerrianas pasaba noches
enteras como dicen que lo hacía Armand Robin, tratando
de captar las emisoras internacionales.

El rasgo sobresaliente de su carácter era la bondad, una
especie de compasión cósmica que lo inducía a considerar
todo lo viviente como digno de amistad, de consuelo y de
cuidado. El tema casi exclusivo de su poesía era el escánda-
lo del mal y del sufrimiento que perturban necesariamente
la contemplación de un mundo que es al mismo tiempo una
fuente continua e inagotable de belleza, tema que no difiere en nada del dilema capital planteado por Theodor Adorno después de Auschwitz. En casi setenta años de trabajo
poético, Juan L. retomó una y otra vez ese tema, aplicando
la combinación de lo *invariante* (Fu. éki) y de lo *fluido* (ryû-

jô), que para Bashô, el maestro del haïku, constituyen la oposición complementaria de todo trabajo poético. Sus poemas fueron haciéndose cada vez más largos, más polisémicos, más herméticos. Muchos de ellos son ciertamente indescifrables, puesto que el plano denotativo del lenguaje desaparece bajo la multiplicidad de las connotaciones, pero a decir verdad no hay nada que descifrar tampoco en los cuadros de Jackson Pollock o en la música de Edgar Varese, y probablemente tampoco nada en Finnegans Wake, a pesar de las toneladas de exégesis que nos ha deparado, a partir de la Segunda Guerra, la famosa industria joyceana, un poco lánguida últimamente a decir verdad, quizás en razón de las tendencias actuales del capitalismo mundial, proclive a abandonar el sector productivo para interesarse por el financiero. Una cosa es segura: esos textos de Juan, por ilegibles que parezcan, se reconocen como suyos, no ya a la primera lectura, sino a simple vista, por su tipografía, su distribución en la página, su sintaxis, su vocabulario, su entonación y su ritmo, igual que, entrando en un museo, sabemos inmediatamente que hay un cuadro de Pollock en el otro extremo de la sala, cristalización radiante y única que nos atrae como un llamado.

En esta poesía de tradición postsimbolista y postimpresionista que fue volviéndose cada vez más abstracta, el paisaje fluvial es tal vez el elemento más importante, en primer lugar en su aspecto geográfico porque a lo largo de los poemas aparecen nombrados todos los ríos de la región, con sus particularidades, sus nombres, sus recorridos, sus tamaños; cuando digo todos quiero significar, casi sin exageración: hasta el más ignoto y tenue hilo de agua. A los ríos mayores les consagra largos poemas; pero aun cuando el tema principal de ciertos poemas no sea un río, las referencias fluviales y, más genéricamente, acuáticas, son constantes y, más allá de la necesidad estética o simbólica que esa presencia viene a llenar, puede decirse que existe también una necesidad puramente realista, geográfica porque, casi literalmente, en la región no se puede dar un paso sin toparse con un río. Pero, además de ese repertorio geográfico y, por cierto, histórico y social, la captación física y metafísica desmenuza el paisaje fluvial con tanta minuciosidad y fineza que sus componentes más íntimos, más inesperados y más fugaces, se vuelven evidentes y familiares. El cambio de las estaciones, las horas del día, la fauna, la flora, las sequías y las inundaciones, el diálogo entre la tierra y el firmamento, y sobre todo, las casi infinitas variaciones cromáticas del agua, de la tierra y del aire, son la materia principal de esa poesía. A quien pueda imaginarse un catálogo folklórico o'didáctico hay que aclararle que esa obra está hecha de matices, de alusiones, de silencios y de medias palabras; que no hay en ella nada de afirmativo o de erudito; y que los elementos del paisaje aparecen, no transpuestos según el orden convencional de las apariencias, sino en un orden propio, del mismo modo que un matiz de verde observado en una planta puede aparecer en un cuadro abstracto sin ninguna alusión a su referente.

Desde las barrancas de Paraná que dominan el río, la mirada abarca un horizonte desmedido, hecho casi exclusivamente de islas y de agua. De esas islas aluvionales, una bien enfrente de la costanera, en medio del río, de unos doscientos metros de extensión, es fina y alargada como si, consciente de la única excentricidad de Juan L. Ortiz, hubiese querido acordar su forma al entorno íntimo del poeta. La islita se extiende de norte a sur en medio de la corriente cubierta por la vegetación enana y enmarañada típica de las islas más antiguas y más grandes, a no ser sus bordes pelados y arenosos, que a veces sin embargo están tan carcomidos por la corriente que los drena que la vegetación, aunque terrestre, parece brotar directamente del agua. De esa isla podría decir, con la misma nostalgia con que un señor ya mayor dice de una hermosa muchacha que de chica supo tenerla sobre las rodillas, que asistí a su nacimiento. Como la colina ubicua y barrosa de la cosmogonía egipcia que, brotando del agua, inaugura el mundo, esa islita apareció un buen día —o la vimos por primera vez, como el cráneo redondo y oscuro de un recién nacido saliendo desde el vientre de su madre— a finales de los años cincuenta, desde la barranca, no lejos de la casa de Juan L. Ortiz: al principio debió haber sido una agitación leve de la corriente, que el ojo inexperto debía tomar por un remolino, formada bajo el agua por la resistencia de los depósitos aluvionales, hasta que por fin, alcanzando la superficie, habiéndose acumulado lo bastante como para llegar a ras del agua, una protuberancia marrón y lustrosa emergió al exterior y empezó a crecer. Groseramente circular, la forma alargada se fue pronunciando, modelada por la dirección de la corriente y, cuando fue lo bastante alta, tuvo sin duda la ocasión de secarse un poco, de salir del magma barroso probablemente tan arcaico como el barro mítico del primer hombre, y diferenciarse de él, ser, no todavía isla, pero tampoco sustancia informe, hasta que, sembradas por los vientos de primavera, las primeras hierbas y las primeras plantas empezaron a brotar. Al cabo de unos años ya fue por fin isla, como todas las otras que empiezan a acumularse a medida que el río baja hacia el estuario, esas islas del Delta que sin duda contribuyen a la inmovilidad de sus aguas, ya que, profusas, inmóviles e indolentes, interfieren y frenan la corriente, induciéndola a entrar en el Río de la Plata por *"veintidós bocas"*. La última vez que la vi, en la primavera de 1989, era ya, más que isla, arquetipo de isla: como de alguien que hemos conocido de chico y que hemos visto crecer y que, al reencontrarlo adulto después de muchos años de separación nos preguntamos dónde han ido a parar los rasgos originales, también me pregunté cómo la diminuta protuberancia fangosa de 1960 había podido convertirse en ese arquetipo de isla. A decir verdad, esa isla estaba hecha no únicamente de materia sino también de tiempo acumulado, de la unidad indestructible de tiempo y materia. Pero en la docilidad con que había alcanzado los atributos de su arquetipo, hasta tal punto que, para quien no la hubiese visto crecer no era más que un elemento indiferenciado del paisaje, confundida con las otras islas en razón de una evidente identidad formal, en esa docilidad con que los individuos de una misma especie se parecen unos a otros, la modalidad repetitiva del mundo se verificaba una vez más. Pero, producto de la sedimentación constante y de la corriente, de los vientos, de las, estaciones, también esa isla podría, para desbaratar todo exotismo, demostrar que lo típico de un lugar no es más que el resultado de una combinación propia, y puramente contingente, de algunas leyes físicas y biológicas universales.

Río arriba de ese punto medio de la región litoral, el eje Santa Fe-Paraná, subiendo hacia el norte, que en el hemisferio sur equivale al sur del hemisferio norte, lo que explica que los ganaderos ricos e ignorantes del Uruguay y de la pampa se mostraran escépticos cuando Darwin les aseguraba que en el hemisferio norte hacía mucho frío, hay un hálito de trópico, de vegetación exuberante, de fauna colorida, secreta y salvaje, de tribus ya desaparecidas o reducidas a vestigios desdentados y harapientos que se concentran en reservas miserables, de espadas de Toledo y de huesos de indios y españoles y de ruinas, semienterrados y vueltos a recubrir por la selva, un hálito que ya en ciertos barrios de Santa Fe, y sobre todo en las inmediaciones de la terminal de ómnibus, es inmediatamente perceptible; río abajo, hacia el sur, a todo lo largo del Paraná, hacia el estuario, los grandes puertos cerealeros e industriales, Santa Fe, Diamante, Gaboto, San Lorenzo, Rosario, Villa Constitución, San Nicolás de los Arroyos, San Pedro, Baradero, Zárate, y por fin el Tigre, lugar de recreo, y Buenos Aires. Costeando siempre la orilla derecha del Paraná, la autopista Santa Fe-Buenos Aires, excepción hecha de un tramo de dos manos, *provisorio* desde hace veinte años, es una línea recta de quinientos kilómetros en la que, a no ser por la avenida de circunvalación que permite hacer un rodeo para no

atravesar Rosario, no hay una sola curva, un solo accidente que no sean los parches de alquitrán que recubren los
agujeros, o los agrietamientos producidos por los factores
climáticos, la mala calidad del revestimiento o las inundaciones. El colectivo, que recorre el trayecto en seis horas,
empieza a aminorar después de Rosario, ya que en razón de
haber hecho todo el recorrido sin encontrar un solo obstáculo, un solo embotellamiento, una sola ocasión de retrasar-
se (como no sea un desperfecto mecánico, los que suelen
ser más frecuentes que en otras partes), debe reducir la velocidad a sesenta o setenta kilómetros por hora para no llegar adelantado.

Al oeste de la autopista se extiende la llanura: al dejar
atrás los suburbios industriales de Buenos Aires, todavía persiste el vacío típico de los campos de pastoreo pero, avanzando hacia el norte, el parcelamiento de tierras, como consecuencia de la inmigración, empieza a notarse en el paisaje.
En esa franja de quinientos kilómetros que bordea el río, la
población, tanto urbana como rural es, excepción hecha de
la ciudad de Buenos Aires, la más densa de la república. El
suelo chato es interferido por pequeñas chacras protegidas
por masas de eucaliptus o de acacias, con una antena de televisión en el techo y el infaltable molino de metal, que Baldomero Fernández Moreno comparaba con una margarita.
Una pequeña huerta casera y un corral o un gallinero completan el conjunto. Esos núcleos habitados se levantan, más
oscuros y más espesos que el aire, dispersos y casi idénticos,
como montones de materia depositada a ras del suelo en
porciones equitativas. Al norte y al sur de Rosario donde, como ya lo sabemos, según Darwin, *"el país es realmente chato"*,
de los campos de maíz y de girasol emergen, a distancia regular unas de otras, las columnas que sostienen los cables de
alta tensión, disminuyendo de tamaño en dirección al horizonte. Como los caminos rurales que se abren entre los campos no están asfaltados, cuando algún vehículo los recorre va
levantando un chorro oblicuo de polvo grisáceo; en las tar-

des luminosas y sin viento, pueden verse las nubes de polvo inmóviles suspendidas a lo largo del camino un buen rato después que la camioneta de caja abierta —típico vehículo rural— que las suscitó haya desaparecido. Donde hay ganado, no es difícil divisar dos o tres muchachos o algún viejo criollo —los primeros montando en pelo y usando una rama pelada como rebenque, el segundo sobre un caballo más convencionalmente equipado— ocuparse de él, sobre todo al atardecer, ya que en las horas claras del día los animales, siempre dando una impresión de lentitud constitutiva y de aburrimiento infinito, pastan incansables y como con dificultad de viejos a causa de su meticulosidad de rumiantes, el pasto verde del campo.

Santa Fe, Buenos Aires, Entre Ríos: provincias linderas. Ciertas líneas de colectivos unen las tres capitales. En el servicio diurno, hay un ómnibus que sale a la una de Buenos Aires y llega a las ocho y media a Paraná, con una parada de veinte minutos en San Pedro y otra en la terminal de ómnibus de Santa Fe. Después de rodar durante horas por la cinta chata de la autopista, el colectivo cruza el puente carretero sobre la laguna Setúbal, costea las cañadas pantanosas que se extienden del otro lado de la laguna, atraviesan el puente sobre el río Colastiné, rueda sobre el asfalto delgado de la isla Verduc, se abisma en los tres kilómetros del túnel subfluvial, un poco brumoso a causa de los gases que despiden los caños de escape, y saliendo por la otra punta a la provincia de Entre Ríos, trepa, ya semivacío por haber dejado una buena parte del pasaje en Santa Fe, por las barrancas del Parque Urquiza en dirección de la terminal de ómnibus de Paraná. Ese viaje por un camino recto y liso, es no únicamente un desplazamiento en el espacio, sino también en el tiempo, no solo a causa del vínculo indisoluble y conflictivo que, igual que a las parejas neuróticas de Freud, une a esas dos categorías, sino porque, a pesar de la unidad climática de la región, los quinientos kilómetros al norte de Buenos Aires, son ya un progreso considerable respecto del clima subtropical. De ese modo, el viajero que a la una de la tarde de un día soleado deja Buenos Aires a finales del invierno, llega a Santa Fe al atardecer en plena primavera. A las nueve, puede estar tomando tranquilamente una cerveza, al aire libre, en la plaza de Paraná. En pleno invierno, un día de llovizna, un gris homogéneo, que destella un poco alrededor de las ramas negras y lustrosas de los árboles pelados, cubre prácticamente sin matices cielo, tierra, aire y agua durante los quinientos kilómetros que dura el viaje, pero apenas el invierno comienza a ceder, se nota a simple vista que la primavera, en el Río de la Plata, llega por el norte, de modo que a principios de septiembre, y aun a finales de agosto, los colectivos, cuyos colores emblemáticos difieren según las empresas, vienen a su encuentro cuando empiezan a rodar hacia Santa Fe y Paraná, hacia el Chaco y Corrientes, e incluso hacia Asunción del Paraguay.

Cuando hablo de autopista, el lector europeo no debe imaginar las grandes rutas macizas y espaciosas imaginadas en primer término, según parece, por los ingenieros del Tercer Reich para poder invadir más rápida y confortablemente todas las naciones limítrofes, y adoptadas después de la guerra por esas mismas naciones, para abrirle paso al *boom* de la industria automotriz; esas autopistas europeas, turísticas y comerciales, cuidadosamente preparadas y sometidas a un mantenimiento riguroso, adornadas en muchos tramos con laureles rosa o retamas, y dotadas, cada tantos kilómetros, de un área de esparcimiento, de un centro deportivo, de un teléfono, de una estación de servicio al lado de un centro comercial y de una serie de rutas subsidiarias que distribuyen la ola constante de automotores a los rincones más alejados del continente. La autopista Santa Fe-Buenos Aires es un camino recto de cuatro manos, dividido en dos por una interminable cinta de pasto que lo acompaña durante todo el trayecto; ningún parapeto, mojón, valla o lo que fuese aísla el asfalto del campo que atraviesa; a veces, algún jinete puede galopar a los costados, y otras incluso cruzarla para dirigirse a un almacén que se encuentra del otro lado; a la salida de Buenos Aires y a la de Rosario, por alguna razón que ignoro, hay vendedores de barriletes; y en las inmediaciones de estas ciudades o de otras más pequeñas, bajo un techo de paja sostenido por cuatro palos torcidos, el pequeño comercio de sándwiches de chorizo parece de lo más próspero, porque sus fabricantes pululan: sobre una parrillita de metal, algunos chorizos se asan sin apuro esperando al automovilista hambriento que no tiene más que pararse al costado de la autopista y comer su sándwich a la sombra del techo de paja. A cincuenta kilómetros de Santa Fe, el emporio de la frutilla, Coronda —del nombre de un cacique rebelde que dio más de un dolor de cabeza a los conquistadores españoles— se adivina con facilidad, porque los puestos de venta —es decir dos o tres cajones de frutillas— se exhiben cada cincuenta o cien metros; sus titulares, sentados en algún banquito plegable o en el suelo, fuman o toman mate tranquilamente junto al asfalto. (Una mañana, en Bogotá, viniendo del aeropuerto, vi a un indio de unos veinte años que, echado de panza entre las dos manos de la autopista, en el cantero central, leía lo más tranquilo una revista de historietas, profundamente concentrado e indiferente al tránsito que zumbaba en direcciones opuestas.) Que nadie piense que esa indolencia me escandaliza; la evoco como ejemplo de dulzura. Es, por el contrario, la perfección insensata de la civilización europea, en la que ya no se sabe dónde termina el confort y dónde empieza la pesadilla, lo que me parece más cercano de la demencia.

Del lado este de la autopista, se levantan las ciudades del litoral, la hilera de puertos industriales y cerealeros; la construcción de estos últimos fue, en las primeras décadas del siglo, una necesidad perentoria para la concentración, el fletaje y la exportación de cereales a nuestros clientes europeos. Eran los años en que la Argentina se había pomposamente autodeclarado *granero del mundo*. Los altos y bajos del comercio mundial, su competencia salvaje, le sacaron al país esa ilusión, reavivada únicamente por las benéficas guerras mundiales. Los modos de transporte también cambiaron, haciéndose por tierra hacia Buenos Aires, de modo que los puertos cerealeros conocen, desde hace unos treinta años, una depresión crónica. A las comisiones de notables "para el dragado y ampliación del puerto" de tales ciudades, sucedieron unas lánguidas comisiones para la "reactivación del puerto" de esas mismas ciudades. Esa decadencia, considerada nefasta por la Bolsa de Comercio, suministra sin embargo una innegable compensación estética, porque un gran puerto semiabandonado es mucho más bello que un puerto en actividad.

El lector habrá adivinado mi inclinación que, debo confesar, es misteriosa aun para mí mismo, por el paisaje postindustrial, el cual a mi juicio destila una intensa fascinación moral y estética. Es posible que, viniendo de un país llamado por no sé quiénes subdesarrollado, en el que los productos industriales están sometidos a un uso más prolongado que en las sociedades de consumo, mis sentidos, habituados a percibir a su alrededor objetos arreglados, retocados, emparchados, abollados, oxidados, puestos otra vez en circulación gracias al ingenio y a la constancia de sus propietarios sucesivos, mis sentidos, decía, los hayan incrustado para siempre en la esfera de mis sentimientos y de mis emociones, dándoles un aura de familiaridad afectuosa, y desarrollando, como contraparte, un desdén gélido por la banalidad sin alma de los objetos recién salidos de fábrica. Aun considerando un Rolls Royce como un objeto bello —proposición que puede ser imparcialmente estudiada— debe admitirse que un prototipo elaborado en forma racional y que contempla las exigencias estéticas y prácticas del usuario, preside la construcción de las diferentes unidades que circulan en Marbella, en la zona financiera de Londres o en La Croisette. La minuciosidad obsesiva de ingenieros y diseñadores pretende en vano crear la ilusión del modelo exclusivo, llegando apenas a concebir ligeras variantes del prototipo. Un viejo camión de la llanura alcanza, por las vicisitudes de su propia evolución, ese estatuto envidiable de objeto único que es la finalidad principal del arte, y las cimas de lo sublime no están lejos cuando, después de una larga carrera terrestre, naufraga, inmovilizado y recubierto de herrumbre, como Job del polvo rojizo que arrojaba por encima de su cabeza, en algún patio trasero recubierto de hierba salvaje, ya despojado del atributo esterilizante de la utilidad. En las deformaciones de la carrocería, abolladuras de puertas, porciones de pintura descascaradas, alambres que retienen la tapa del radiador, las manijas de la puerta, listones de madera agregados a la caja para suplir travesaños de metal arrancados por vuelcos y colisiones, vidrios sustituidos por pedazos de cartón, etcétera, podemos observar mejor la participación necesaria del tiempo, la mano, la inspiración y el azar que, más que el diseño pedante hecho con regla y compás para halagar la sensibilidad media del comprador, son los atributos esenciales del arte. Un televisor recién salido de fábrica resume el conformismo servil de nuestra época; pero uno hecho pedazos junto a un tarro de basura revela la vacuidad irrisoria del mundo en que vivimos más claramente que todas las *Vanités* del siglo XVII.

Esos puertos inactivos tienen un encanto suplementario que les viene del hecho de estar intactos a pesar de su abandono. El agua turbia y lisa de los diques tiene una apariencia aceitosa; las grúas oxidadas que se levantan cerca del borde, en posiciones diferentes, parecen haber interrumpido de modo brusco su actividad y haber quedado inmóviles en medio de una maniobra; las vías férreas por las que en otras épocas llegaban los vagones cargados de cereales están recubiertas por el pasto; los grandes tanques de combustible, así como el metal de alguna vagoneta olvidada, corroídos por la intemperie; los galpones, enormes, abiertos y vacíos, invadidos cerca del techo por arbustos que crecen entre los ladrillos, no almacenan más que masas densas de penumbra en los rincones en los que antes se acumulaban las mercancías; una pila de grandes caños de cemento le da un aire de extrañeza al espacio que los rodea, cubierto de latas de conserva semienterradas, de cartones deshechos por la lluvia, de excrementos humanos y animales resecos, últimos vestigios de un pasado fosilizado. (La expresión *"irse a los caños"* significa terminar mal, fracasar, desviarse del camino, perderse, morir.) Toda esa tecnología arcaica a la espera de una improbable segunda oportunidad, supone un anacronismo industrial y económico, pero en cambio, por haberse desembarazado del prejuicio de utilidad y por haber empezado a empastarse otra vez en la naturaleza y a confundirse con ella, ha terminado por ganar su autonomía estética.

Hacia 1950, antes de la consolidación de los Treinta Años Gloriosos, de los milagros alemán e italiano, de la reconstrucción de las respectivas patrias rusa e inglesa, de los primeros síntomas de prosperidad del franquismo, todavía llegaban en profusión barcos de ultramar a esos puertos actualmente paralizados. Los domingos, las familias iban a verlos, contemplándolos con admiración desde tierra o subiendo a bordo a veces gracias a la invitación de algún oficial amable que mostraba, valiéndose de señas, de un castellano rudimentario o de un inglés macarrónico, las distintas dependencias del barco. Los días de semana, las bandas de muchachones, generalmente a la hora de la siesta, iban a comprarles cigarrillos ingleses, franceses o americanos a los marineros que afectaban un aire desentendido apoyados en la borda. En Santa Fe, el barrio antiguo de las inmediaciones del puerto tiene todavía hoy ese aire vicioso propio de los barrios portuarios del mundo entero, con la pequeña diferencia de que se encuentra ubicado a seiscientos kilómetros de la costa marítima más cercana. Los bares se llamaban Seaman's Bar o Re dei Vini y abrían sus puertas en la proximidad de burdeles, de cabarets, de pensiones dudosas y de hoteles alojamiento. Entre tragos de ginebra, marineros borrachos, descubriendo gracias a su soledad en un país extranjero que tenían una vida sentimental, les hacían confidencias ininteligibles a las muchachas medio indias que habían venido a la ciudad a ejercer la prostitución, y que, sin siquiera simular que entendían, escrutaban ya la oscuridad del bar en busca de un nuevo cliente.

Estas jóvenes, por otra parte, venidas de los pueblos del norte de la provincia, pueden ser consideradas menos como atentados vivientes, y a veces sumamente atractivos, a la moral pública, que como síntoma de ese movimiento continuo de reflujo de diversos grupos humanos desde el interior del país hacia la región del litoral, lo que explica su densidad demográfica; el éxodo casi universal del campo a las ciudades y de las ciudades chicas a las grandes se verifica una vez más en ella, pero aquí la progresión de las ciudades pequeñas a las grandes se hace en línea recta; los jóvenes de buena familia del norte de Santa Fe aspiran a realizar sus estudios y a darse la gran vida en Santa Fe; los de Santa Fe están convencidos de que sólo podrán realizar esas mismas aspiraciones en Rosario, en tanto que a los de Rosario la única posibilidad de pervertirse y de llegar a ser alguien se las ofrece Buenos Aires; los de Buenos Aires, a su vez, sólo en Europa o los Estados Unidos creen entrever esa posibilidad. Esos desplazamientos al fin de cuentas no cambian nada, como no sea en el campo, adonde nadie quiere ir; los vacíos que van dejando los desplazamientos hacia el sur, son llenados por los recién llegados del norte. Rosario está llena de santafesinos, Buenos Aires llena de santafesinos y de rosarinos, y las capitales de Europa llenas de santafesinos, de rosarinos y de porteños. En el extranjero, esos exiliados sufren la misma ambivalencia hacia su país natal que ya sufrían antes de abandonarlo. Esa ambivalencia es un estado afectivo general en la población, una suerte de amor-odio del que no están al abrigo ni los nacionalistas más obtusos; confieso no haber podido observar un estado semejante, quiero decir tan generalizado en todas las capas de la sociedad, en ningún otro grupo o nación; como aborrezco toda psicología de masas, seudociencia al servicio de instintos tenebrosos, siempre me ha parecido que esa ambivalencia, petrificación neurótica caracterizada, sólo puede encontrarse en individuos aislados; sin embargo, de esa madre mala que los humilla, los martiriza y los expulsa, los argentinos, dondequiera que estén, siempre siguen añorando la dulzura.

En la proximidad del río, esa dulzura es ciertamente auténtica. Aparte del verano, durante el cual la temperatura baja raramente de los 35 grados, y alcanza con frecuencia los 40 y hasta los 45, las estaciones son más bien templadas; el invierno es corto y benigno, y rara vez el termómetro llega hasta 0 grado; el otoño casi siempre se prolonga y la primavera generalmente se anticipa; la temperatura media anual de la región se sitúa entre los 18 y los 20 grados. Una vieja geografía escolar lo proclama con orgullo: "El hermoso suelo argentino, donde se adaptan fácilmente los individuos procedentes de las diversas latitudes terrestres, se califica con justicia como uno de los más salubres del mundo, como lo atestiguan claramente las cifras correspondientes a la mortalidad de los adultos y la longevidad media que alcanzan los naturales y extranjeros". Si esas estadísticas son exactas, podría suponerse que sin el hambre, sin la mortalidad infantil, sin la ignorancia de la medicina preventiva, sin el neoliberalismo, sin el asesinato político y sin el terror estatal, el pueblo argentino estaría capacitado para ser uno de los más longevos del mundo.

Lo cierto es que esas ventajas climáticas los habitantes del Río de la Plata las aprovechan como si fuesen eternas. El día benévolo, la noche templada, son casi el único don que reciben los que no tienen otra cosa, y que son muchos, y los que ya poseen algo, un ranchito aislado en las afueras, una casa de ladrillos sin revocar en los barrios periféricos, suelen gozar de su propiedad en medio de un *terrenito*, un rectángulo exiguo de campo incorporado a la ciudad que es la primera etapa de la larguísima epopeya, hecha de perseverancia, de sobresaltos, de angustias y de peripecias, que las clases menos favorecidas deben librar para poseer una casa propia. Las capas más acomodadas de la población, un tercio aproximadamente de los 30 millones de argentinos, tampoco están exentas, en sus sectores medios, de esas zozobras, y de los ricos no vale la pena ocuparse ya que, como en cualquier otra latitud, saben desempeñarse solos. Los ricos son, por otra parte, los únicos que llaman a sus terrenos *jardín*; para el resto de la población, son, simplemente, *el patio*. Borges, a quien le gustaban tanto los suburbios, evoca con frecuencia y con nostalgia en una Buenos Aires excesivamente urbanizada, el encanto de los patios. A diferencia del patio andaluz, el patio argentino es un espacio abierto, en el fondo de la casa generalmente, donde puede haber un rincón de huerta, canteros de flores, y algunos árboles frutales o puramente ornamentales. Rara vez en los patios urbanos se encuentran los grandes árboles típicos de la región, como los lapachos, los jacarandaes o los ceibos; en los más antiguos, alguna vieja acacia puede sobrevivir. Lo que caracteriza justamente esos patios es la gran variedad de árboles domésticos, y aunque algunos clásicos como el gomero o la higuera, el duraznero o el paraíso se encuentran a menudo, el famoso individualismo argentino se expresa en esa diversidad, así como en el estilo de las casas y de los materiales que las adornan: pizarra, tejas, granito reconstituido, mármol, *ladrillos vistos* a la inglesa, de estilo colonial o californiano, español, o con vagas reminiscencias de renacimiento italiano, de chalet suizo, de palacete fin de siglo. Nísperos, palmeras, paltas, erablos, bananos, cañas, araucanas, cipreses o mimosas, conviven con granados, retamas, pinos, nogales, tunas, perales, manzanos, sauces, ciruelos, santa ritas, estrellas federales, eucaliptus o almendros, sin contar los infaltables naranjos, mandarinos, pomelos, limoneros y kincuás, los membrillos y los kakis, los laureles, los jazmines y las magnolias, los paraísos sombrilla y los pinos parasol, los ligustros y las diamelas. Esta variedad contradice a menudo las normas de adaptación que describen los manuales de botánica y, al igual que sus propietarios, la flora doméstica del litoral denota los orígenes más diversos. La larga duración de las estaciones templadas, sin contar la frecuencia de los veranos de San Juan en la mitad del invierno, produce en la flora verdaderos actos fallidos, inexactitudes, demoras, precipitaciones y anacronismos; los florecimientos anticipados son frecuentes, y el desorden, por no decir la anarquía, suele cundir en muchos patios: cuando todavía, en el corazón del invierno, muchos árboles no han perdido la fronda de la primavera anterior, otros, desnudos desde el principio del otoño, empiezan otra vez a brotar; desde luego que no se trata de especies diferentes, sino de la misma, como si también los árboles se hubiesen dejado convencer por la arenga de los políticos por la iniciativa privada que, como ya lo sabemos, son en general los que ya la han puesto en práctica sin pedirle la autorización a nadie los que exigen su instauración con más energía. Estos anacronismos vegetales de los que únicamente la rutina casi kantiana del sauce está a salvo, se producen a veces en un mismo árbol que, asumiendo sus contradicciones, reverdece en una sola rama con un mes de anticipación, mientras el resto de su fronda no se resigna todavía, en pleno mes de julio, a aceptar la llegada del invierno. Una convivencia de los diferentes ciclos de la vegetación en un mismo patio puede revelar, a quien posee la mirada adecuada, la complejidad del todo en la cual, en cada uno de sus instantes, todos los aspectos de su ser están presentes a la vez, y únicamente por error los concebimos como sucesión.

El clima permite gozar del sol de los patios, y también, en el rigor del verano, de su sombra. Esto no es un croquis de color local, sino una afirmación polémica contra la tradición nacional —expuesta en numerosos tratados psicosociológicos e incluso, crease o no, metafísicos— según la cual el habitante del Río de la Plata es introvertido, triste, solitario y silencioso. En los años treinta fueron decretados, por algunos intelectuales, esos atributos melancólicos, que se basaban en alguna que otra letra de tango, sin ponerse a pensar que esas letras eran la versión popular miniaturizada de los melodramas musicales italianos y franceses y que el sufrimiento incomunicable es el primer tópico que viene a la pluma de los malos poetas. Como la *psicología de los pueblos* no es afortunadamente mi fuerte, no voy incurrir en la inepcia contraria que supondría afirmar que el hombre del Río de la Plata es extrovertido, alegre, gregario y charlatán, pero pienso que las características del clima lo inducen a vivir en el exterior, y que sus preferencias por los patios, calles, plazas, playas, veredas, balcones, azoteas como lugares de recreo e incluso de trabajo son evidentes. Y en cuanto al prototipo de *argentino silencioso*, forjado por ciertos escritores en los años treinta, basta entrar en un bar o en un restaurante para convencerse de que es, no una descripción psicosocial, sino una arbitrariedad irrazonable. Cuando se llega de París, ciudad en la que, aparte de *"La Coupole"*, donde la afirmación tautológica del yo se hace al unísono en un local que adolece de problemas acústicos, el cuchicheo apagado le da a los clientes de bares y restaurantes el aire de eternos conspiradores, las ilusiones acerca de la circunspección rioplatense se desmoronan. Un ruido ensordecedor impide los encantos de toda conversación privada, aun en los locales más elegantes. Esto se ha agravado en los últimos años, y he podido descubrir con terror que, en ciertos restaurantes del centro de Buenos Aires, los propietarios han decidido agregar un pianista a las expansiones de la clientela, de modo que varias veces, en medio de la comida, el restaurante entero —personal incluido— empieza a cantar un tango aprovechando el acompañamiento. La estupidez de un francés se deduce de una serie de rasgos exteriores impuestos por la sociedad que lo modela, incluida su reserva pretensiosa, que es un síntoma suplementario; esos mismos rasgos sociales revelan la de un argentino, que además nos suministra un complemento de información con sus conversaciones en los lugares públicos, bares, colas de supermercado y colectivos; como el buen tiempo obliga a mantener puertas y ventanas abiertas, las vicisitudes privadas de una familia media no tienen secreto para sus vecinos, que pueden seguirlas con más facilidad que si se tratase de un folletín radiofónico o televisivo.

Digan lo que digan los partidarios de la discreción, esa vida al aire libre tiene un encanto indiscutible: cuando llega el buen tiempo, los patios, los jardines, las terrazas, las veredas, las calles, siempre llenas de gente, a las horas más inverosímiles, excepción hecha de las de la siesta por tiempo caluroso, son los lugares obligados de reunión. Una cosa que llama la atención en las *"Peregrinaciones argentinas"* de Gombrowicz es que sus observaciones sobre el país son casi siempre recogidas en lugares públicos, calles, bares, barcos, trenes. Y cuando dice que las clases populares son la única aristocracia argentina no está solamente denostando las pretensiones de la vieja burguesía patriarcal, sino observando también la indolencia sensual del comportamiento público, el gusto por la vida al aire libre, y una especie de sencillez general que, a pesar de la densa demografía urbana, conserva los vestigios inequívocos de una sociedad pueblerina. En los años 50, Gombrowicz escribía: "De nuevo estoy en las familiares calles de la gran capital, también llamada *la gran aldea* ya que, a pesar de contar seis millones de habitantes, ha conservado mucho del carácter provinciano y no es orgullosa, ni está todavía cristalizada, ni es tampoco imponente como las capitales europeas. Buenos Aires es un centro urbano erizado de colosos de muchas plantas, abarrotado de coches, donde cuarenta enormes cines escupen a cada instante multitudes y los bares automáticos deslumbran con sus guirnaldas luminosas, mientras a un paso de allí se encuentran decenas de barrios muy desparramados, tranquilos, oscuros, como decenas de pueblos unidos entre sí". Aunque la civilización urbana impregna en la actualidad hasta los rincones más remotos del planeta y aunque en los países europeos podemos hablar, como si se hubiese puesto en práctica un vasto programa de Alphonse Allais, de una verdadera urbanización del campo, es posible observar en las grandes ciudades del litoral, fenómeno sin duda presente en muchas capitales del Tercer Mundo, una simplicidad que es de origen campesino. Vistas de lejos, esas ciudades, asentadas en la llanura, denotan su carácter ficticio y un poco precario; parecen provisoria y superficialmente depositadas en el suelo chato, y dan la impresión de que la capa fina de asfalto sobre la que se asientan podría ser despegada, enrollada con todos sus edificios y sus habitantes, y trasladada a otro lugar, como si no fuese más que una gran maqueta de goma o de plástico.

En los días de primavera, la región se dulcifica y se exalta. Es verdad que, indiferentes a las variaciones climáticas, los hombres igualmente nacen y mueren y que el *guignol* tenebroso de la historia continúa, escrita y puesta en escena por designios oscuros, su representación. Pero la piel humana aprecia, para descansar de tanto en tanto de la aspereza del mundo, la suavidad del aire, la coincidencia feliz y pasajera con las cosas, la calma del atardecer antes de que se precipite la noche. Aparte del centro cosmopolita de Buenos Aires, sus barrios ya poseen, al igual que las capitales de las provincias fluviales, ese ambiente a la vez urbano y rural que los vuelve apacibles y aptos para el goce de las cosas elementales. Los barrios de Buenos Aires tienen todos su vida propia, y las casas de una sola planta, de dos a lo sumo cuando aspiran a ser chalets, levantadas en medio del patio, entre sus árboles de especies variadas y hasta contradictorias, son a veces un mero anexo de ese rectángulo verde, en razón de las preferencias de sus habitantes por la vida en el exterior. En las ciudades de provincia, las calles rectas que corren de este a oeste, sin ningún declive, promontorio o interrupción, empiezan en el río y terminan en la pampa. Como la extensión acuática se prolonga en anchura durante varios kilómetros, con su profusión de ríos, arroyos y riachos, de islas y de terrenos pantanosos, las ciudades acaban de golpe en la orilla, de modo que del otro lado de un puente, de un terraplén, a simple vista, a menudo desde las viviendas residenciales de la costanera, ocupadas por los notables de la ciudad, se extiende sin ningún tipo de transición el campo inculto y vacío, tan abandonado y salvaje como antes de la llegada de los españoles. En su prolongación indefinida hacia el campo, las calles cobijan, en tramos diferentes, marcados a veces por la cesura de alguna avenida transversal, todas las clases sociales. Empiezan en pleno centro, con comercios de lujo y casas burguesas, y terminan en ranchos, en corrales, en basurales y en campo abierto. En general, a causa del obstáculo del agua, cuando una ciudad se extiende lo hace siempre en la misma dirección desplazando a sus pobres hacia el campo, sobre todo hacia el oeste. De ahí que la avenida Rivadavia, en Buenos Aires, se complazca en ser *la más larga del mundo*: en sus comienzos está el Congreso de la Nación y en su final (provisorio) la pampa pelada.

Tan rectas son esas calles, tan idénticas, tan paralelas, tan regularmente trazadas en el suelo chato, que en los anocheceres en los que la luna aparece ya bien amarilla, enorme y redonda, a ras del horizonte, por el lado del río, el viajero que atraviesa una ciudad de sur a norte, por alguna transversal cercana al límite este de la ciudad, ve no una sola luna sino una por calle, como si cada una de esas calles tuviese su luna propia, un círculo perfecto y luminoso asentado en el suelo. Un rato antes, por el lado oeste, el mismo fenómeno de discos rojos múltiples y enigmáticos hundiéndose poco a poco en la línea del horizonte se produce, confirmando esa especie de exclusividad cósmica de las calles paralelas. Por otra parte, el cielo desmesurado de la llanura es, fuera del centro de Buenos Aires, igualmente omnipresente en las ciudades; su visibilidad es facilitada por la edificación baja y su proximidad, que podríamos calificar de constitutiva, es aumentada por una institución habitacional argentina, la terraza. Generalmente de mosaicos color ladrillo, la terraza o azotea es, en las casas del centro que no poseen ni patio ni jardín, el lugar dilecto de ese gusto por la vida al aire libre. Con su lavadero, su parrilla, su rincón de trastos carcomidos por la intemperie, sus alambres para colgar la ropa, sus muebles de jardín, sus toldos anaranjados, rojos, azules o verdes, a rayas o a lunares blancos, sus macetas florecidas que adornan casi todo su perímetro, las terrazas son, en las siestas de otoño y de invierno, el solarium benévolo que entibia y adormece un poco, y en las noches de primavera o de verano, el espacio de frescura y de contemplación. A diferencia del balcón que, como la Tour Eiffel de Barthes es un *"spectacle regardant et regardé"*, la terraza es un lugar privado, aislado de las vecinas por unos altos parapetos; bien visible en la fachada, instalado a unos pocos metros de la calle, el balcón es un mirador de la vida social, del gran teatro del mundo, la primera avanzada pública de la casa, una especie de planta alta de la vereda a la que la gente se muestra después de la ducha del atardecer, bien vestida y arreglada. El balcón equivale a un paseo inmóvil, un baño aséptico de muchedumbre, y es un apéndice exclusivamente urbano de todo proyecto arquitectónico, a punto tal que, aun sin ser conscientes de ello, las casas de campo que tienen balcón nos dan siempre una impresión de anacronismo y de extrañeza. A pesar de su amplitud, ya que en general abarca casi todo el perímetro construido de la casa, la terraza es un lugar íntimo. En las noches calurosas, nadie duerme en el balcón, pero son numerosos los que trasladan sus colchones a la terraza. Después de la fiebre del día, del descentramiento interior que produce la vida social, la terraza reintegra a cada uno en su propio ser, en la penumbra de la noche templada; cuando un miembro de la familia busca un poco de soledad, no va a encerrarse a su cuarto sino que sube invariablemente a la terraza; la proximidad del cielo y su abundancia aplastante de estrellas, la nitidez de la luna en la oscuridad despejada distraen de las cosas humanas y el logos común de Heráclito, interferido durante el ajetreo del día por la agitación engañosa de lo inesencial, sintetiza a cada uno a su dimensión verdadera, al mismo tiempo insignificante y grandiosa, como en cualquier otro lugar donde siga encendida la misma lucecita frágil y titilante.

La mujer que había entrado en el río hasta las rodillas volvió a la playa mientras los chicos hacían lo mismo chorreando agua, y sin siquiera esperar que sus pies se secaran, los introdujo en sus alpargatas descoloridas sin calzarlos enteramente, y empezó a alejarse del río; habiendo calmado su sed, el caballo se dejó convencer con docilidad por los chicos de que el recreo había terminado, y con paciencia indiferente los dejó montar en pelo, mojados como estaban, y empezó a seguir al paso a la mujer que, antes de salir de la playa, me dirigió un saludo discreto. Como al llegar, niños y caballo me ignoraron al pasar junto a mí, y durante un buen rato oí sus voces rápidas y un poco chillonas que, así como sus rasgos y el color de su piel, denotaban todavía la persistencia, enterrada pero activa en sus programas genéticos, de los indios desaparecidos. A pesar de su aspecto, sus nombres podían ser polacos, árabes, anglosajones, italianos. Principalmente, los nombres de esa categoría social son de origen español, pero ya en 1869 Chaworth Musters, en el sur de la Patagonia, descubrió con asombro, y con no poco orgullo nacional, que el hijo del cacique tehuelche Casimiro se llamaba Sam Slick y hablaba inglés. Cuando la playa quedó en silencio, me alejé de ella y me puse a recorrer el pueblo, matando el tiempo hasta el atardecer, hora en que se me esperaba para un asado. A pesar de la abundante fauna acuática del litoral, los habitantes de la región siguen prefiriendo la carne.

Aun después de las transformaciones ecológicas, consecuencia de las represas monumentales construidas río arriba y de la contaminación industrial en el sur, la variedad de peces es grande, lo mismo que su reputación gastronómica, pero su consumo es limitado. Únicamente los habitantes pobres de la costa lo comen regularmente, porque no les cuesta más que el trabajo de pescarlos; en ciertos períodos, el gobierno los regalaba, para limitar el consumo de carne destinada a la exportación. Muchos de esos pescados son todavía conocidos por sus nombres indígenas: patí, pacú, surubí, mandubé, pero también con nombres españoles, como amarillo, dorado, pejerrey *gran paraná*. Pueden llegar a pesar treinta o cuarenta kilos y a superar a un hombre en altura. Algunos son estacionales y otros se pescan todo el año. Recubiertos de piel o de escamas, de carne firme y fibrosa o más homogénea y gelatinosa según las especies, algunos tienen manchas circulares como el leopardo, otros cotas escamadas y brillantes, blancas o doradas, que parecen metálicas, otros bocas redondas como monstruos mitológicos, mientras que no pocos son bigotudos y con un aire oriental como los gatos. La mayoría son gordos y sabrosos, aunque a ciertas especies, como el bagre o el sábalo, se les recrimina un gusto a barro. En los ranchos de la costa, los pobres los preparan en una ollas negras, friéndolos en su propia grasa y con sal gruesa, un poco como el *confit de canard*, hasta que quedan resecos y crocantes o, envolviéndolos en papeles de diario previamente embadurnados de aceite, rellenos con cebolla y perejil, los ponen a asar a la parrilla. En ciertos restaurantes, insistiendo en el eclecticismo internacional, heredado de la inmigración, de la cocina argentina, los proponen a la milanesa, a la romana, al roquefort, a la provenzal. Los afiches turísticos que exaltan el Río de la Plata los ponen a menudo en primer plano y los gastrónomos los evocan con aire soñador, pero a pesar de todo eso, están casi siempre ausentes de las pescaderías, y los banquetes ictiofágicos son generalmente postergados para un futuro más o menos inalcanzable.

Es que la carne de vaca asada a las brasas, el *asado*, es no únicamente el alimento de base de los argentinos, sino el núcleo de su mitología, e incluso de su mística. Un asado no es únicamente la carne que se come, sino también el lugar donde se la come, la ocasión, la ceremonia. Además de ser un rito de evocación del pasado, es una promesa de reencuentro y de comunión. Como reminiscencia del pasado patriarcal de la llanura, es un alimento cargado de connotaciones rurales y viriles, y en general son hombres los que lo preparan. Además de ciertas partes carnosas de la vaca, prácticamente todas las vísceras son aptas para la parrilla: intestinos, riñones, mollejas, corazón, ubres de la vaca y testículos del toro. El asado se cocina a fuego lento y puede llevar horas, pero esa cocción demorada es menos una regla de oro gastronómica que un pretexto para prolongar los preliminares, es decir la conversación fogosa, las llegadas graduales de los invitados que, trayendo alguna botella de vino para colaborar, van cayendo a medida que sus ocupaciones se lo permiten, incorporándose a la charla animada, no sin pasar un momento por la parrilla para inspeccionar el fuego o cruzar un par de frases con el asador. Es falta de respeto dar consejos o mostrar aprensión sobre la autoridad del que está asando, aunque cada uno de los presentes tiene su propia teoría sobre cómo deben hacerse las cosas. El asado reconcilia a los argentinos con sus orígenes y les da una ilusión de continuidad histórica y cultural. Todas las comunidades extranjeras lo han adoptado, y todas las ocasiones son buenas para prepararlo. Cuando vienen los amigos del extranjero, cuando alguien obtiene algún triunfo profesional, cuando hace buen tiempo. Cuando los albañiles que están haciendo una casa ponen el techo, atan una rama verde en el punto más alto de la construcción y hacen un asado. A pesar de su carácter rudimentario, casi salvaje, el asado es rito y promesa, y su esencia mística se pone en evidencia porque le da a los hombres que se reúnen para prepararlo y comerlo en compañía, la ilusión de una coincidencia profunda con el lugar en el que viven. La crepitación de la leña, el olor de la carne que se asa en la templanza benévola de los patios, del campo, de las terrazas, no desencadenan por cierto ningún efluvio metafísico predestinado a esa tierra, pero sí en cambio, repitiendo en un orden casi invariable una serie de sensaciones familiares, acuerdan esa impresión de permanencia y de continuidad sin la cual ninguna vida es posible.

Al anochecer, se encienden los primeros fuegos. Un olor de leña, y después de carne asada, es lo que sobresale cuando empieza a oscurecer en el campo, en las orillas del río, en los pueblos y en las ciudades. Repartido en muchos hogares, no siempre equitativos, el fuego único de Heráclito arde plácido o turbulento, iluminando y entibiando ese lugar que, ni más ni menos prestigioso que cualquier otro, es sin embargo único también, a causa de unos azares llamados historia, geografía y civilización; el fuego arcaico y sin fin acompañado de voces humanas que resuenan a su alrededor y que van transformándose poco a poco en susurros hasta que por último, ya bien entrada la noche, inaudibles, se desvanecen.

ÍNDICE

 **Seix Barral**

España
Av. Diagonal, 662-664
08034 Barcelona (España)
Tel.: (34) 93 492 80 00
Fax: (34) 93 492 85 65
Mail: info@planetaint.com
www.planeta.es

Paseo Recoletos, 4, 3ª planta
28001 Madrid (España)
Tel.: (34) 91 423 03 00
Fax: (34) 91 423 03 25
Mail: info@planetaint.com
www.planeta.es

Argentina
Av. Independencia, 1668
C1100ABQ Buenos Aires
(Argentina)
Tel.: (5411) 4124 91 00
Fax: (5411) 4124 91 90
Mail: info@eplaneta.com.ar
www.editorialplaneta.com.ar

Brasil
Av. Francisco Matarazzo,
1500, 3.º andar, Conj. 32
Edificio New York
05001-100 São Paulo (Brasil)
Tel.: (5511) 3087 88 88
Fax: (5511) 3087 88 90
Mail: ventas@editoraplaneta.com.br
www.editoraplaneta.com.br

Chile
Av. 11 de septiembre, 2353, piso 16
Torre San Ramón, Providencia
Santiago (Chile)
Tel.: Gerencia (562) 652 29 43
Fax: (562) 652 29 12
www.planeta.cl

Colombia
Calle 73, 7-60, pisos 7 al 11
Bogotá, D.C. (Colombia)
Tel.: (571) 607 99 97
Fax: (571) 607 99 76
Mail: info@planeta.com.co
www.editorialplaneta.com.co

Ecuador
Whymper, N 27-166,
y Francisco de Orellana
Quito (Ecuador)
Tel.: (5932) 290 89 99
Fax: (5932) 250 72 34
Mail: planeta@access.net.ec

México
Masaryk 111, piso 2º
Colonia Chapultepec Morales
Delegación Miguel Hidalgo 11560
México, D.F. (México)
Tel.: (52) 55 3000 62 00
Fax: (52) 55 5002 91 54
Mail: info@planeta.com.mx
www.editorialplaneta.com.mx
www.planeta.com.mx

Perú
Av. Santa Cruz, 244
San Isidro, Lima (Perú)
Tel.: (511) 440 98 98
Fax: (511) 422 46 50
Mail: rrosales@eplaneta.com.pe

Portugal
Planeta Manuscrito
Rua do Loreto, 16-1º Frte.
1200-242 Lisboa (Portugal)
Tel.: (351) 21 370 43061
Fax: (351) 21 370 43061

Uruguay
Cuareim, 1647
11100 Montevideo (Uruguay)
Tel.: (5982) 901 40 26
Fax: (5982) 902 25 50
Mail: info@planeta.com.uy
www.editorialplaneta.com.uy

Venezuela
Final Av. Libertador con calle Alameda,
Edificio Exa, piso 3º, of. 301
El Rosal Chacao, Caracas (Venezuela)
Tel.: (58212) 952 35 33
Fax: (58212) 953 05 29
Mail: info@planeta.com.ve
www.editorialplaneta.com.ve

Grupo ☰ Planeta   Seix Barral es un sello editorial del Grupo Planeta www.planeta.es